KB076765

삶의 노래 죽음의 노래

생생하게 잘 살다가
자연스럽게 잘 죽을 수 있는 길라잡이

양 현 도 지음

삶의 노래 죽음의 노래

차 례

막춤 추기
몸 굴리고 두드리기
이완법(몸의 이완을 통해 몸과 마음을 동시에 편안하게 하는 방법)

들어가는 이야기

독자 여러분과의 인연을 소중하게 생각하며 인사드립니다.

이 책은
죽기 직전까지 활기차게 사는 방법에 관한 이야기입니다.
기꺼운 마음으로 평온하게 죽을 수 있는 방법에 관한 이야기입니다.

우리는 이 세상에 태어나기 전부터 이미 살고 있었고
그 삶은 죽은 후에도 지속됩니다.
이것은 단지 믿음의 차원만은 아닙니다.

이 책의 집필은 삶의 이유와 죽음의 진실을 알게 되면서 시작되었습니다.

'삶이란 무엇인가?'
'죽음이란 무엇인가?'

삶과 죽음에 관한 질문은,
어떻게 하면 잘 살 수 있는지, 어떻게 하면 잘 죽을 수 있는지에 대한 답을 찾게 했습니다.

잘 죽는 죽음은 잘 사는 삶과 따로 떨어져 있는 것은 아닙니다.
잘 사는 삶과 잘 죽는 죽음은 이어지는 하나의 이야기입니다.

우리 모두 지금 여기, 직면해 있는 현실의 삶을
활기차게, 즐겁고 기꺼운 마음으로 잘 살 수 있게 되기를,
그리고 잘 죽을 수 있게 되기를 두 손 모아 바랍니다.

또한
육체의 모습으로 살아가고 있는 지금의 '나'뿐 아니라
보이지 않는 모습으로 존재하고 있는 '영혼으로서의 나'를 알 수 있기를, 나아가 우리 '인간 존재'의 여정을 조금 더 이해할 수 있게 되기를 희망해 봅니다.

이 책을 접하신 분들의 남은 삶에 작은 보탬이 되길 진심으로 바랍니다.

이 책이 나오기까지
지켜봐 주시고 마음으로부터 지지해 주신 부모님과
어려운 환경 속에도 불평 없이 함께하며, 책 교정에도 도움을 준 아내에게 감사와 사랑을 담아 이 책을 바칩니다.
더불어 여러모로 치유와 휴식, 명상을 위한 작은 공간 '자숨담'을 위해 도움 주신 분들께 큰 감사를 전합니다.
그리고 이 세상을 통해 각별하게 맺어진 인연들에도 사랑의 마음을 전합니다.

"

인간은
질병 없는 건전한 육체를 유지할 수 있는 존재입니다.
흐르는 물처럼 자연스러운 마음으로
삶을 살 수 있는 존재입니다.
자연스럽게 잘 죽을 수 있는 존재입니다.

"

1장
집필을 시작하며

여정

6~7년 전 이 책의 집필을 시작했는데 이제야 열매를 맺었습니다. 저는 글쓰기는 형편이 없었습니다. 고등학교 시절까지도 원고지 다섯 장 채우는 것이 힘들어 끙끙거리곤 했으니까요. 그러니 책을 낸다는 것은 꿈에도 생각해 보지 못한 일이었습니다.

2004년 요가원을 시작하면서 요가 온라인 카페를 운영했었습니다. 그 시절 카페 글 올리던 작업이 글쓰기에 많은 도움이 되었습니다. 그때 요가원 수업을 듣던 어떤 분이 지나가는 말로 "선생님! 책 한번 내 보시지요" 했던 게 그만 '화근(?)'이 되어 버렸네요. 그 사람은 지금 배우자의 자리에 있습니다.

이 책은 여러 해 전 『영혼을 살리는 몸』 출간한 이 후 두 번째 책입니다.

원래 두 번째 책으로 『잘 살다 잘 죽기 (상권)』를 2년 전 출간했었습니다. 하권 집필을 진행하던 중 상권 여기저기에 보완할 부분이 눈에 띄었습니다. 그 김에 합본으로 보완하여 하나로 묶어 발간하게 되었습니다. 제목도 『삶의 노래 죽음의 노래』로 새롭게 정했구요.

『잘 살다 잘 죽기 (상권)』를 접하셨던 분들께는 이 책의 전반부에서 반복되는 부분이 있음을 알려드립니다.

삶에 대해서는 너무나 많은 분이 다루어 와서 감히 명함을 내밀기는 어렵습니다.

더군다나 '죽음'이라는 주제는 그 무게감이 무지하게 큽니다. 아니 무게감을 떠나서 죽음에 관한 책을 쓴다는 건 어찌 보면 말도 안 되는 일일 테지요. 그래도 말도 안 되는 일을 말이 되게끔 하려고 노력해 봤습니다.

초등학교 4학년 성적표로 기억됩니다. 그 시절 성적표의 '생활 기록' 난에 '내성적이고 소심함'이라고 적힌 기억이 납니다.

주변 어른들한테 이게 무슨 말이냐고 물어도 그냥 "어~ 좋은거야"하고 마시더군요.

돌이켜 보면 이러한 '내성적이고 소심한' 성격 때문에 수행의 길을 가게 된 것인지도 모르겠습니다. 내성적이고 소심하니 외면보다는 내면으로 깊이 들어갔던 것이지요. 덕분에 내적이고 영적인 부분의 성찰과 통찰은 큰 장기(長技)가 된 듯합니다. 자연스럽게 가장 잘할 수 있는 부분이었던 것이지요. 그래서 명상은 일상이 되고, 생활의 핵심이 되었습니다. 제게 명상은 삶의 가장 즐거운 부분입니다.

내성적인 청소년 시기에는 나름 정의감과 의협심이 많았습니다. 겁도 많았습니다. 사회적응도 쉽지 않았습니다. 이런 나를 극복하고 싶었습니다. 외향적이고 대범하고 용감해지고 싶었습니다. 그래서 십 대부터 시작한 것이 무예(武藝) 수련입니다.

소심한 성격에서 벗어나고 싶은 열망만큼이나 강렬하고 격렬하게 운동했습니다. 그때에는 전투에 유리한 몸이 최고인 줄 알고 치고, 박고, 두드리며, 단순하고 무지하게 전투적 단련에 집중하고 또 집중했습니다. 덕분에 그 계통에서는 제법 두각을 나타냈습니다.

그러다가 20대 초반부터 알 수 없는 내적 열망, 영적 열망이 밀려왔습니다. 그 열망은 소위 '도 닦는 길' 수행의 길로 접어들게 했습니다. 이후 몇 가지 신비적인 체험을 합니다. 그 체험은 접어든 길을 가속하게 하는 계기가 됐습니다. 이후 특이한 체험은 종종 이어졌고 내면을 깊이 탐구할 수 있었습니다.

어느 날 거울 앞에 서서 벗은 몸을 바라봅니다. 근육질로 단련된 몸이 보였습니다. 하지만 그 강렬함과 격렬함만큼이나 몸이 망가져 가는 것을 느꼈습니다. 조각 같이 단련된 몸이지만 실상은 뒤틀어져 있던 것이지요. 뒤틀어진 몸을 인식하면서 '이건 아닌데'하는 생각이 마음 깊은 곳에서 솟구쳤습니다. 오랫동안 뒤틀린 몸을 바로잡고 순화시키려고 무던히도 애를 썼습니다. 그런 계기로 시작된 몸에 대한 탐구는 이 책의 밑거름이 되고 있습니다.

몸이 약한 편은 아니지만 강한 편도 아니었습니다. 초등학교 시절 잦은 빈혈로 조퇴도 왕왕하곤 했으니까요. 하루만 잠을 자지 못해도 다음날은 물먹은 솜처럼 빌빌거렸습니다. 하지만 무예 수련 덕분에 몸이 상당히 강해졌습니다. 원래 강하지 못했던 몸이라 그런지 육체적 단계를 넘어설 때쯤이면 잘 다쳤습니다. 그리고 그런 부상들이 반복됐지요.

돌이켜보면 이 부상들은 일종의 신호였습니다. 무예의 움직임은 기본적으로 폭력성이 내재 되어 있습니다. 부상을 통해 폭력적인 성향을 버려야 한다는 신호를 알아채게 한 것입니다.

또한 몸을 순화시키라는 과제였습니다. 몸을 공부하고 치유하는 과정을 배우라는 과제였습니다.

몸의 뒤틀림과 부상을 회복해 가며 몸에 대해서 배우고, 자가 치유에 관심을 두게 되었습니다. 그리고 단련된 몸을 순화해 가며 몸이 마음에 미치는 영향을 깨달아 알게 됐습니다.

삶에서 만나는 감당하기 힘든, 때로는 포기하고 싶을 만큼 극단적인 절망과 아픔 속에서도 운동은 했습니다. 오히려 더 열심히. 어쩌면 심리적 절망감들은 운동이 아니면 극복해 내지 못했을지도 모르겠습니다. 덕분에 몸과 심리적 부분의 연결성에 대해서 터득하게 되었습니다. 그리고 탐구의 영역은 영혼과의 관계성까지 확장되었지요.

20~30대의 대부분은 떠돌 듯 수련을 했습니다.
산을 좋아해서 이산 저산 등산을 많이 다녔습니다. 멀쩡한 산길을 놔두고 엄한 길로도 많이 다녔습니다. 거칠긴 하지만 호젓한 산행이 좋았기 때문입니다. 덕분에 길 아닌 길, 길 없는 길을 이해했습니다. 산을 제대로 알려면 산길을 걸어보기도 해야 하지만 길 없는 덤불을 헤쳐보기도, 바위를 기어보기도, 계곡을 헤매보기도 해야 하지요.
삶 역시 그랬습니다. 엉뚱했습니다. 돌이켜 보면 '내가 왜 그런 터무니없는 행동을 했을까?' '내가 왜 그런 터무니없는 선택을 했을까?' 하는 일들이 많았지요. 이리 튀고 저리 튀고 했습니다. 종횡무진하는 삶이었고, 갈팡질팡하는 삶이었습니다. 이런 경험들은 삶을 여러 다양한 측면으로 바라보게 했습니다. 그 덕에 인생에 대한, 삶에 대한 이해의 폭이 넉넉해졌습니다.

30대 중 후반쯤, 생활고 해결을 위해 대중적인 접근으로 요가원을 시작했습니다. 어릴 적부터 치아가 좋진 않았는데 어느 순간부터 치아 상태가 급격하게 나빠졌습니다. 불량한 음식과 부실한 식사, 그리고 장기간의 과로가 복합적으로 작용한 탓이겠지요. 치아는 세속적 인연과의 연결고리를 상징하기도 합니다. 빠진 치아만큼 세속적인 미련도 점차 흐려졌습니다.
삶은 먹고 사는 일이 기본입니다. 도심은 먹고 사는 일이 치열하게 벌어지는 곳입니다. 그 속에서 부대끼다 보니 호젓함이 그리웠습니다. 버려진 미련만큼 더해진 호젓함의 그리움은 발걸음을 산골로 향하게 했습니다. 덕분에 내면에 대한 탐구에 다시 집중할 수 있었습니다. 다리를 틀고 앉아 명상하고 또 했습니다.

그리고 지금 이 자리에서 이 책을 쓰고 있습니다.
깊고 한적한 산골의 고요함을 즐기며 찾아오는 분들과 몸과 마음을 살리고, 영혼을 깨우는 수련을 공유하며 살고 있습니다.

무위자연(無爲自然)

살아가는 것은 지극히 자연스러운 일입니다. 죽는 것 역시 자연스러운 일입니다.

그렇지만 삶이 부자연스럽고 죽음을 두려워하는 일을 오히려 당연함으로 생각하는 것이 지금의 현실입니다.

죽음을 자연스럽게 받아들이지 못하는 것은 삶이 자연스럽지 못해서일 겁니다. 사람의 몸과 마음이 자연스러워지면 삶이 자연스러워집니다. 그러면 죽음도 해가 뜨고 지는 것만큼이나 자연스럽게 받아들이게 됩니다.

'자연스러움'이라고 하니까 딱하고 떠오르는 것이 노자가 설파한 '무위자연(無爲自然)'이라는 말입니다. 무위자연은 '부자연스럽고 인위적이 아닌, 있는 그대로'를 뜻하지요.

'무위자연'의 좀 더 구체적인 의미는 부처의 가르침에서 나옵니다.
부처는 '무엇을 행할 때는 마땅히 마음에 머무는 바가 없게 하라'[1]

---

1) 불교의 '금강경'이란 경전에 나오는 글입니다. 이 경전의 핵심으로 여기는 네 군데의 구절이 있는데 그중 두 번째 나오는 구절의 마지막 부분입니다. 이

고 가르쳤습니다. 이 말은 '어떤 행위를 할 때는 행위의 결과에 연연하지 말고 행해야 한다.'는 뜻이기도 합니다.

무엇을 행할 우리는 으레 바람을 갖거나 기대하는 마음을 갖고 행합니다. 그런데 자신이 바라는 대로 이루어지지 않을 때면 실망하고 절망하고 분노하고 슬퍼합니다. 그러니 마음에 머무는 바 없이 일을 행하면 괴로워할 일들은 없어지겠지요.

머무름이 없는 마음은 곧 무심(無心)으로 이어집니다.

예수는 선행을 행할 때 오른손이 하는 일을 왼손이 모르게 하라고 말했습니다. 선한 행위를 할 때는 보통 '이것은 선한 일이고 복을 받을 것이다.'라고 생각합니다. 하지만 그러한 마음을 품은 행위는 '자연스러움'이 아닌 인위적인 행위입니다. 그 선행은 예수께서 말한 진정한 선함이 아닙니다. 노자와 부처의 무위가 아닙니다.

'선함'이 진정으로 자연스러우면 행위지는 그 행위를 선함이라고 인식할 수 없습니다. 마치 숨을 쉴 때 우리가 공기를 인식하지 않는 것처럼 말이지요.

예수는 또한 '서로 사랑하여라, 마음이 가난(소박)해야 한다, 남을 심판하지 마라.'고 말했습니다. 예수의 가르침을 세상에 널리 알린 바오로 사도는 '범사에 감사하라'고 말합니다. 이런 가르침들은 삶이 참으로 자연스러워지면 그냥 저절로 실천되는 것들입니다.

두 번째 구절 전문과 해석은 다음과 같습니다.
不應住色生心(불응주색생심) 不應住聲香味觸法生心(불응주성향미촉법생심)
應無所住(응무소주) 而生其心(이생기심)
물질 모양 형상에 머물러 마음을 내지 말며, 소리와 향기와 맛과 감촉과 법(가르침)에 머물러 마음을 내지 말지니, 마땅히 머무는 바 없이, 그 마음을 내야 한다.

'무위자연'이라고 하니까 '안분지족(安分知足)'이라는 말도 떠오릅니다. 안분지족의 사전적 의미는 '편안한 마음으로 자기 분수를 알며 스스로 만족할 줄 아는 것'입니다. 그런데 '분수'라는 말은 '제 분수도 모르고…' 등의 부정적 의미로 사용되는 경우가 많습니다. 그래서 안분지족의 의미 중 '자기 분수'라는 표현을 '자기 역량'이라는 표현으로 바꾸어 봅니다.

'자기 역량만큼 공부하고, 자기 역량만큼 돈을 벌고, 자기 역량만큼 운동하고, 자기 역량만큼 일하고 …' 이렇게 안분지족한다면 누구나 삶이 만족스러울 테지요.

'마음이 가난한 자는 복이 있다'고 했습니다. 마음이 가난하다는 말은 마음이 '소박'하다는 말이고 이 소박한 마음은 누구라도 가질 수 있습니다.

소박한 마음으로 바라보는 사회는 평등합니다. 평등한 사회에서는 돈이 없거나 있거나, 권력이 없거나 있거나, 명예가 없거나 있거나, 학벌이 없거나 있거나 모두 평등하게 대접하고 대접받습니다. 그러니 마음만 소박하면 누구라도 복되고 행복할 수 있을 테지요.

그런데 지금 우리 사회에는 소박한 삶이 너무나 어려워졌습니다. 온데간데없이 사라져 버렸습니다. 어렸을 때부터 줄 세우기 교육에 찌들고 남과 비교하여 과시하는 문화가 팽배한 이 사회의 삶에 짓눌려져 버린 것이지요.

소박함을 주장한 예수는 핍박받았습니다. 시대가 바뀐 지금, 소박함을 이상적인 미덕으로 본 옛 성인의 가르침을 떠올려 봅니다. 소박함의 덕이 번성하고 제자리를 잡을 수 있기를 기대해 봅니다.

인간 존재는 삶의 여정 중에 있습니다. 무엇을 얻고 이루기 위해서 길을 가고 있습니다. 무언가를 얻기 위해서 욕망이 있어야 합니다.

행위의 근간에는 '욕구'가 자리하고 있습니다. 초기의 욕구는 카오스적인 에너지 상태로 존재합니다. 여기에 지성적인 부분이 합세하면 욕구를 현실화하려는 '의도'가 생겨나지요. 카오스적이고 추상적이던 욕구는 이 의도에 의해서 구체화 됩니다. 의도가 생기는 순간 '의지'가 서서히 발동하기 시작합니다. 이 의지에 감성적인 부분이 더해지면 '열정'이 생겨납니다.

우리들의 감성적인 부분은 각자의 육체적 상황, 특히 오장육부의 상황에 의해서 좀 거칠어집니다. 그러면서 감성은 감정으로 바뀝니다. 비교적 순수하던 열정에 감정이 개입되면서 욕구는 '욕망'으로 변색 됩니다.

욕망은 사람에 따라서 강하게 일어나기도 약하게 일어나기도 합니다. 또한 거칠게 일어나기도 부드럽게 일어나기도 하지요. 욕망을 일으키는 사람의 육체적 특성과 상황이 다르기 때문입니다. 육체가 건전한 상태라면 욕망도 비교적 건전하게 작용합니다. 육체가 건전하지 못하면 욕망 역시 강렬해집니다. 욕망이 강렬해지면 종종 감정에 폭주가 일어납니다. 열정이 격화됩니다. 격정에 빠지기도 합니다. 그러면서 역량을 벗어난 행동을 불사하게 되는 것이지요.

그러니 욕망이 남아있는 한 안분지족하지 못하는 것은 우리 존재의 당연한 측면일 수도 있습니다. '안분지족'을 못하면 '무위자연'도 없습니다.

중도(中道)

이 책이 지향하는 바는 '삶을 잘 사는 것'과 '잘 죽는 것'입니다. 그러기 위해서 여러분들의 몸과 마음이 건강하기보다는 건전하길 바랍니다. 건강에는 강함의 의미가 내포되어 있습니다. 이 강함은 '나(에고)'

를 강화하는 요인이기도 합니다. '나'가 강해지면 강해진 만큼 마음의 맺힘이 잘생깁니다. 고집스러움이 강해집니다. 욕심이나 집착도 강해집니다. 그리고 죽음에 대한 두려움도 강해집니다.

맺힘이 많고 고집, 욕심과 집착, 두려움이 강하면 그만큼 잘 살고 잘 죽는 죽음이 어려워집니다.

건전함은 중도이며, 자연스러움입니다.

몸과 마음의 지나친 건강은 자칫 오만을 불러일으킬 수 있습니다. 몸과 마음의 허약함은 삶을 무기력하게 할 수 있습니다. 강함도 아니요 약함도 아닌, 몸과 마음의 건전함은 창조적이고 풍요로운 삶을 영위할 수 있는 최적의 조건입니다.

몸과 마음이 건전한 사람은 중도적입니다. 겸손합니다. 겸손함과 중도는 '자연스러움'을 자연스럽게 알게 하는 가장 이상적인 조건입니다. 겸손함과 중도는 잘 살고 잘 죽을 수 있게 하는 가장 이상적인 조건입니다.

이 책은 '잘 죽는 죽음'을 향하는 '잘 사는 삶'이란 길을 안내하고 있습니다. 이 책에서 안내하는 이정표를 따라가다 보면 여러분의 몸과 마음은 점점 건전하게 될 것입니다. 삶을 잘살게 될 것입니다. 그리고 모두 '잘 죽는 죽음'이라는 목표에 도달할 수 있습니다. 자연스럽게 말이지요.

생생하게 잘 살다 바로 잘 죽는 것은, 마음만 먹으면 누구나 가능한 일입니다.

2장
잘 사는 삶과 잘 죽는 죽음

"

죽음이란
육체에 일시적으로 올라탔던 영혼이
육체에서 '잠시 내리는 것'과 같습니다.

어떤 삶을 살든 간에
지금보다 조금이라도 더
몸을 건전하게 만들어 줄 수만 있다면,
잘 사는 삶, 그리고 잘 죽는 죽음의 가능성은
무척 커집니다.

"

첫 번째 이야기
잘 사는 삶에 대하여

하나, 삶이란

살아가면서 우리는 대부분 '사는 것이 무엇이지?' '왜 살지?'라는 물음에 마주하게 됩니다.

왜 살까요?

> 남으로 창을 내겠소
> 밭이 한참같이
> 괭이로 파고
> 호미론 김을 매지요
>
> 구름이 꼬인다 갈 리 있소
> 새 노래는 공으로 들으랴오
>
> 강냉이가 익걸랑
> 함께 와 자셔도 좋소
>
> 왜 사냐건
> 웃지요

남으로 창을 내겠소 -김상용-

오래전 한 친구가 있었습니다. 그 친구는 술자리에서 자주 하던 말이 있습니다. "왜 사냐고 묻거든 그냥 웃지요, 하하하" 저도 예전에 왜 사냐고 물으면 그냥 웃어넘길 수밖에 없었습니다. 삶의 이유를 알지 못했으니까요.

지금은 명쾌하게 답합니다.

"삶은 행위입니다. 그리고 체험입니다."라고

삶은 자신의 행위로 생기는 현상들과 마주 해가는 과정입니다. 그 행위를 체험하고 이 체험에 대한 느낌을 쌓아가는 과정입니다. 그러면서 우리는 '나'라는 존재의 의식을 확장해 갑니다.

둘, 잘 사는 삶이란 1

잘 사는 삶이란 잘 행위하고 잘 체험하는 삶입니다.

행위는 창조와 관계있습니다. 창조성[2]은 인간 존재들의 가장 근원적 속성입니다. 행위를 통해서 인간은 유형(有形)의 '형상'을 창조합니다. 또한 행위를 통해서 무형(無形)의 '현상'도 창조합니다.

우리는 행위 중에 몸으로 체험하고 그 '감각'을 느끼면서 살아갑니다. 행위 중에 몸으로 체험하고 '감정'을 느끼면서 살아갑니다. 행위를 통해 구현된 창조물들을 체험하고 느끼면서 삶을 만끽합니다.

다양한 행위는 다양한 창조물을 낳습니다. 다양한 행위로 생겨나는 다양한 현상과 형상들은 충족감을 높입니다. 명료한 행위는 명료한 창조물을 낳습니다. 명료한 행위로 생겨나는 명료한 현상과 형상들은 느낌을 명확하게 합니다.

행위하고 체험하는 활동을 통해서 우리는 '나'라는 존재의 의식영역을 확장 해가고 있습니다. 다양한 행위는 더 많이 느끼게 합니다. 명료

---

2) 창조성에 대해서는 마지막 장에서 좀 상세하게 다루어 보겠습니다.

하게 몰입하는 행위는 더 깊이 느끼게 합니다. 느끼는 만큼 의식은 확장합니다.

많은 느낌은 의식의 영역을 수평적으로 확장 시킵니다. 깊은 느낌은 의식을 수직적으로 확장 시킵니다. 수평적이거나 수직적인 의식은 평면적, 2차원적입니다. 수평적이면서 수직적인 의식은 입체적, 3차원적입니다. 3차원적 확장은 곧 4차원적 확장으로 이어집니다.

다양한 행위를 하려면 활발한 움직임이 필요합니다. 몸과 마음이 건강할 때 활발한 움직임은 수월해집니다.

명료한 행위는 집중이 필요합니다. 몸과 마음이 건강할 때 마음의 느낌은 명료해집니다.

행위에 의한 현상들을 잘 체험하려면 몸의 감각 작용이 원만해야 합니다. 그래야 체험을 마음의 느낌으로 잘 전환할 수 있습니다. 몸과 마음이 건강할 때 몸의 감각 작용은 원만해집니다.

결과적으로 잘 살기 위한 이상적 조건은 몸과 마음의 건강함입니다.

그렇다면 장애가 있는 사람은 잘 살 수 없을까요? 휠체어와 기계장치에 의지해야만 하는 스티븐 호킹 박사는 잘 살았습니다. 보지도 듣지도 말하지도 못했던 헬렌 켈러도 잘 살았습니다. 두 사람은 모두 자신의 '역량'이 닿는 범위에서 활발하게 움직였습니다. 명료하게 집중했습니다. 있는 감각을 충분히 활용했고, 또한 그만큼 느꼈습니다.

셋, 잘 사는 삶이란 2
잘 사는 삶은 자연스럽게 사는 삶입니다.

나이가 들어가면 움직임이 더뎌지고 집중력이 약해집니다. 몸의 감각도 둔탁해집니다. 신체의 모든 역량이 떨어집니다. 그런데도 행위를 젊은 시절처럼 잘하려고 하고 체험을 잘하려고 하면 삶이 버거워집니다. 삶이 힘겨워집니다. 그러니 나이가 들면 잘 사는 삶의 정의는 자연스럽게 행위하고 자연스럽게 체험하는 삶으로 바꿔야 합니다.

나이가 들면, 잘 사는 삶은 자연스럽게 사는 삶입니다.

자연스럽게 사는 삶이란 무엇일까요?

자연스러운 삶의 정의를 내리기가 쉽지는 않습니다. 그래도 그 정의를 한마디로 내려 보자면 앞서 말한 '무위자연의 삶'이라고 할 수 있겠습니다. 다르게 표현해 보자면, 안분지족하는 삶', '겸손한 마음으로 중도를 사는 삶'이라고 하겠습니다.

잘사는 삶 ≒> 자연스러운 삶 ≒> 무위자연의 삶 ≒> 안분지족하는 삶 ≒> 겸손하게 중도를 사는 삶

잘 사는 삶, 자연스러운 삶은 심각하지 않게, 다만, 진지하게 사는 삶입니다. 삶을 진지하게 경험하고 그 경험들을 담담하게 만끽하는 삶입니다.

잘 사는 삶, 자연스러운 삶은 자신을 있는 그대로 받아들이는 삶입니다. 주변을 왜곡 없이 있는 그대로 바라보는 삶입니다.

잘 사는 삶, 자연스러운 삶은 과거에 얽매이지 않고 결과에 얽매이지 않는 삶입니다.

잘 사는 삶, 자연스러운 삶은 집착함 없이, 배척함 없이, 만사 최선을 다하는 삶입니다.

잘 사는 삶, 자연스러운 삶은 물질적 부분과 정신적 부분을 고르게 추구하는 삶입니다.

잘 사는 삶, 자연스러운 삶은 해야 할 일을 기꺼이 하고, 하고자 하는 일을 묵묵히 하며, 하고 싶은 일을 적절하게 하는 삶입니다.

잘 사는 삶, 자연스러운 삶은 조화로운 삶입니다.

자연스럽게 살려면 마음이 자연스러워야 합니다.

마음을 자연스럽게 할 가장 좋은 방법은 몸을 이상적인 상태로 조화롭게 유지하는 것입니다. 몸이 자꾸 '나'를 괴롭히면 마음 역시 산만해지고 부자연스러워지기 때문입니다.

삶이 자연스러워지고 조화로워지면 삶은 하나의 '농담'이 됩니다. 놀이처럼 흘러갑니다.

이 세상은 조물주의 창조 놀이로 탄생 되었습니다. 우리는 위대한 조물주의 창조 놀이에 합류한 존재들입니다. 이 세상은 창조 놀이에 합류한 우리 존재들의 거대한 창조적 농담의 장입니다.

두 번째 이야기
잘 죽는 죽음에 대하여

하나, 잘 죽는 죽음, '잘 죽기'란

'생이 다할 즈음에 삶을 정갈하게 잘 정리하고, 품위 있고 존엄하게 죽음을 맞이하는 행위'가 단순한 의미에서 '잘 죽기(well-dying)'의 정의입니다.

2018년 2월에 존엄사에 관한 법률 '연명 의료 결정법'이 정해졌습니다. 오랫동안 의학적으로 소생할 가능성이 매우 낮음에도 인공호흡기, 심폐소생술, 혈액 투석, 항암제 투여 등을 행하며 심장을 뛰게 해왔습니다. 앞으로는 이런 무의미한 생명 연장을 중단할 수 있게 하는 법률입니다.

덕분에 죽음을 목전에 둔 환자들이 원치 않는 생명 연장을 피할 수 있게 됐습니다. 그나마 생의 끄트머리에 의지적으로 죽음을 선택할 수 있게 된 것이지요. 이러한 법률은 '잘 죽는 것'에 대한 중요성을 환기해 주는 의미 있는 일이라 생각됩니다.

하지만, 잘 죽는 것에 관한 또 다른 차원의 이야기를 해 보려 합니다. 이 책은 잘 죽기 위한 구체적 실천에 관한 이야기입니다.

'잘 죽기'란
'지금처럼 쌩쌩하게 움직이다가 바로 죽음을 맞이하는 것'입니다.

쌩쌩하게 살다가 잠자는 도중 죽으면 좋겠다는 분들이 많습니다. 그런 죽음이라면 좋습니다. 만일 주변 정리가 모두 마쳐진 상태라면 말이지요.

잠자다 죽는 죽음은 돌아간 사람에게도 남겨진 사람에게도 별로 바람직하지 않습니다.

영혼이 준비됨 없이 갑자기 몸을 떠나면 사자(死者)는 큰 혼란을 겪을 수 있습니다. 자다가 죽음을 맞이하면 자신이 죽었는지 살았는지 모르는 어정쩡한 상태를 겪을 수 있습니다. 그 속에서 애매한 시간을 보낼 수 있습니다. 꿈인지 생시인지 알쏭달쏭한 비몽사몽 상태를 떠올리면 어느 정도 이해할 수 있으리라 생각됩니다. 깨어있는 중에 비몽사몽 상태이든 잠을 자는 중에 비몽사몽 상태이든 이 상태는 별로 바람직하진 않습니다.

생자(生者)도 큰 혼란을 겪을 수 있습니다. 가족 중에 누군가 아무 말 없이 가출했다고 생각해 보십시오. 집에 있는 사람이나 가출한 사람이나 모두 마음이 편치 않을 겁니다.

혹시라도 그렇게 죽고 싶은 분들이라면 미리 주변을 정리해 두시길 권합니다. 항상 죽음을 받아들일 마음의 준비를 한 후 잠을 청하기를 권합니다. 그리고 주변에 그럴 가능성을 미리 얘기 해놓기를 권합니다.

생이 다하는 순간까지 생생하게 움직이기 위해서는, 육체의 에너지를 마지막까지 깔끔하게 사용할 수 있어야 합니다.

기계는 에너지 사용효율이 좋으면 소량의 에너지로도 충분한 만큼 가동할 수 있습니다. 효율이 지극히 좋다면 마지막 남은 에너지가 소진될 때까지는 무리 없이 움직일 수 있습니다. 인체를 기계장치에 비유했을 때, 인체 에너지의 사용효율이 이상적이라면 마지막까지 인체를 움직이는 것이 가능합니다.

인체의 에너지 사용효율은 건강함과 관계있습니다. 특히나 인체 내의 순환 시스템3)의 건강함과 관계있습니다.

인체의 순환 시스템이 좋지 않으면 에너지 효율은 떨어집니다. 남은 에너지를 찔끔찔끔 끌어내어 쓸 수밖에 없습니다. 그리되면 노후에 제대로 거동치 못한 채 죽지 못하고 사는 시간도 그만큼 길어지겠지요.

누구나 쌩쌩하게 움직이다가 바로 죽을 수 있다면 얼마나 좋을까요? 그렇게만 할 수 있다면 그 이익은 엄청나겠지요. 개인뿐 아니라 사회적으로도 얻어지는 이익은 상상 이상이 될 겁니다.

그런 일이 가능할까요? 아주 간혹 알려지는 죽음인 '좌탈(坐脫)4)'까지는 아니더라도 누구에게나 다 가능하다고 말씀드리고 싶군요.

누구든지 '잘 죽기'를 마음 깊이 바라고, 이 책에서 제시하는 방법을 실천하면 그렇게 할 수 있습니다. 아주 쉽지는 않지만 모두 그렇게 할 수 있습니다.

둘, 온몸으로 하는 생각

잘살고 잘 죽기를 원하시나요?

'생각'은 인간 존재의 내면 깊은 곳에서 솟아납니다. 처음에는 추상적으로 떠오르지요. 이 모호하게 떠오른 생각을 뇌신경 계통이 해석합니다. 하지만 독단적으로 해석하지는 않습니다. 해석할 때는 늘 호르몬을 분비하는 내분비 계통의 협력을 받습니다. 여기서 끝나는 것도 아닙니

---

3) 인체의 순환(흐름)과 관련된 체계적인 동적(動的) 장치를 말합니다. 즉, 혈액의 흐름이나 면역과 관련된 림프액의 흐름, 신경의 흐름(전달)과 인체 생명 활동에 관련된 소화와 흡수, 분해, 합성, 이동, 저장, 배출 등의 신진대사 작용을 말합니다.
4) 앉은 채로 죽음을 맞음. 최근(2006) 우리나라에서는 부산 범어사 청련암의 주지 스님이셨던 '양익' 스님의 좌탈이 알려져 있습니다.

다. 인체의 내부 장기가 기존의 해석에 영향을 미칩니다. 또한 그동안 살아온 사회 문화적 환경이나 가치관 등이 영향을 미칩니다.

인간의 지성 작용은 뇌신경에 영향을 받습니다. 감성 작용은 호르몬에 영향을 받습니다. 그리고 인간의 감정은 인체의 내부 장기인 오장육부에 영향을 받습니다. 즉, 추상적이고 모호하던 생각이 육체의 시스템들을 거치고, 각자 살아온 사회 문화적 환경을 관통해서 '구체적 생각'으로 드러나는 것이지요.

구체적 생각을 하는 주체는 '나(에고)'입니다.
나(에고)는 자기 삶의 역사를 자기 방식으로 만들어 가고 있습니다. 자기만의 지성적, 감성적, 감정적 방식으로 만들어 가고 있습니다. 각자의 뇌신경 계통과 호르몬, 오장육부의 상황에 맞게 만들어 가고 있습니다. 온몸에 배어있는 그동안의 환경과 함께 온몸으로 만들어 가고 있습니다.

생각은 '온몸'으로 하는 것입니다.
여러분은 지금 '잘 살고 잘 죽기'에 대한 생각을 '온몸'으로 하고 있습니다.

셋, 가능성에 대한 생각

우공이산(愚公移山)이라고 했던가요. 우공(어리석은 사람)이 산을 옮긴다는 뜻으로, 어떤 일이든 꾸준하게 열심히 노력하면 반드시 그 뜻을 이룰 수 있음을 의미하는 말입니다.

인도의 만지히(1934-2007)라는 사람이 있었습니다.

젊은 시절 어느 날 사랑하는 아내가 심하게 다쳐서 화급하게 병원을 가야 했습니다. 그런데 만지히가 사는 동네와 병원이 있는 시가지 사이에는 크고 험한 돌산이 있었습니다. 이 돌산을 넘어가면 시내 병원까지 금방 갈 수 있었습니다. 하지만 이 산은 너무 험해서 넘을 수가 없었지요. 그래서 돌고 돌아가다 보니 병원에 도착하기 전에 그만 아내가 죽고 말지요.

만지히는 사랑하는 아내를 잃은 슬픔에 잠겼습니다. "이 돌산에 길만 나 있었더라면!" 하고 애통해합니다. 그리고는 망치와 정을 들고 돌산으로 향합니다. 거대한 돌산에 망치와 정 하나로 폭 9미터, 길이 100여 미터 되는 지름길을 만듭니다. 22년 동안.

이 소식을 알게 된 정부는 1Km의 지름길을 마무리, 완성 시켰습니다. 이후 마을 사람들은 만지히가 22년간 해 온 일 덕분에 빠르고 쉽게 병원에 갈 수 있게 되었지요.

인간의 의지와 능력은 정말 대단합니다. '세상에 사람에게 어떻게 저런 것이 가능한가?' 하는 놀라운 정보들을 간혹 접하곤 합니다.

극단적인 예이긴 하지만, 벽에다가 몸을 부딪치다 보면 허물어트리지 않고 벽을 뚫고 나가는 것도 가능한 일이라고 합니다.

"자기 몸이 분해되었다가 벽 너머에서 재조립되어 짠~하고 나타날 확률을 계산하라." 저명한 미국의 물리학자[5]가 박사과정의 학생들에게 내주곤 했다는 문제입니다.

계산해 보면 제로보다는 큰 숫자의 확률이 나온다고 합니다. 확률이 제로가 아니라는 것은 부딪치다 보면 어느 순간 벽을 '샥~' 뚫고 집 밖으로 나갈 수도 있다는 의미이지요. 몇 년이 걸릴 수도 있고, 수천 년이 걸릴 수도 있을 겁니다. 인간의 수명을 포함해서 몇 가지 가정이 필요하겠지만 어쨌든 가능하다는 말입니다.

---

5) 미치오 가쿠 ; 일본계 미국인, 평행우주 저자.

삶에 어떤 목표를 정하고 적절한 방법으로 행하면 그 목표에 도달하게끔 되어 있습니다. '지금부터 뚫고 나갈 때까지 벽에 부딪혀 보리라' 같은 황당한 목표가 아닌 한, 틀림없이 그렇습니다.

앞으로 읽어볼 내용들이 마음에 와닿는다면 한번 목표를 정해보십시오. '잘 살고 잘 죽기' 위한 이 책의 방법들을 적당한 부지런함으로 실천해 보시길 바랍니다. 그러면 여러분은 마지막 순간까지 건강하게 잘 살 수 있습니다. 주변에 어떤 번거로움도 끼치지 않아도 됩니다.
그리고 삶을 사는 것만큼이나 자연스럽게 '잘 죽는 죽음'을 맞이할 수 있습니다.

> 자신이 할 수 없다고 생각하는 것은
> 사실은 그것에 대해서 '노력하기 싫어'라고 다짐하는 것이다.
> 그러므로 그것은 결코 실현하지 못할 것이다.
> -스피노자

넷, 태어남처럼 자연스러운 죽음

인간은 누구나 이 세상에 태어난 후 온갖 일을 겪으며 성장해 갑니다. 그리고 생이 다하면 죽습니다. 이 죽음은 불변의 진리이며 또한 자연스러운 것입니다.

옛사람들은 누군가 죽었을 때 '돌아갔다'라는 표현을 썼습니다. 죽음은 다름이 아니라 본래의 자리로 돌아가는 것임을 밝혀놓은 것입니다. 지금도 우리는 이 표현을 흔하게 쓰고 있습니다. 이 의미대로라면 죽음은 슬퍼할 일이 아닙니다. 아니 오히려 본래의 자리로 돌아갔으니 축복해야 할 일인지도 모르겠습니다.

장자의 아내가 세상을 떠났습니다. 이 소식을 들은 친구 혜자는 조문을 가기로 했습니다.

혜자는 근심 어린 마음을 안고 장자의 집에 도착했습니다. 그런데 장자가 두 다리를 쭉 뻗고는 장구를 치며 노래를 부르고 있었습니다.

혜자는 어리둥절하여 묻습니다. "자네 부인이 죽었단 소식을 듣고 조문하러 왔는데, 내가 잘못 알고 온 것인가?"

장자가 답합니다. "아니, 맞는다네."

혜자는 다시 묻습니다. "자네 아내는 자식들도 애써 키우며 평생 고락을 같이하며 살았지 않았는가? 그런데 곡을 하며 슬퍼하지는 못할망정 어찌 이럴 수 있는가?"

장자가 답합니다. "아내가 죽었을 때 어찌 슬프지 않았겠는가? 그런데 가만 생각해 보니, 아내는 아무것도 아니었지만(無) 어쩌다 생겨나서(氣), 형체가 되었고, 그러다 생명을 갖게 되었지 않은가. 생로병사의 길은 봄, 여름, 가을, 겨울 같은 거라 아내는 그 길을 따라간 것뿐이라네. 그리고 지금은 하늘과 땅 사이에서 고요하고 편안하게 잠들어 있을 테지. 그러니 내가 눈물을 흘리며 슬퍼한다면 자연의 이치를 모르고 하는 행동이 되는 것이겠지. 그래서 슬퍼하기를 멈추었다네. 지금은 오히려 편안한 곳에 있을 아내를 생각하니 기쁘기 그지없다네."[6]

이 내용은 노자와 함께 무위자연(無爲自然) 사상을 설파한 장자[7]에

---

[6] 저자 재구성

[7] 장자(기원전 369?~ 289?)는 중국의 전국 시대 송(宋)나라 사람으로 본명은 장주(莊周). 노자와 함께 무위자연(無爲自然) 사상으로 널리 알려져 있습니다. 장자는 중국 불교의 발전과 산수화와 시가에 많은 영향을 미쳤다고 합니다.

장자는 말로 설명하거나 배울 수 있는 도는 진정한 도가 아니라고 가르쳤습니다. 노자의 사상을 바탕으로『장자』를 저술했습니다. 『장자』는 주로 우화적이고 상징적인 의미를 담고 있습니다.

대해 전해져 내려오는 이야기입니다. 사람이 죽는 것은 슬퍼할 일이 아니라는, 다만 '본래의 자리로 돌아간 것'이라는 것을 알리려는 이야기일 겁니다.

우리는 하루의 해가 뜨고 지는 것을 아무렇지 않게 받아들입니다. 잠자리에 들었다가 일어나는 것도 아무렇지 않게 받아들입니다. 탄생과 죽음 역시 그와 다르지 않습니다.

죽음에 대한 실상을 파악하고 나면 알게 됩니다. 죽음은, 태어나는 것처럼 지금 사는 삶처럼, 자연스러운 것이라는 사실을 말이죠. 하지만 일반적인 정서로는 자연스럽게 받아들이기가 어려운 것 또한 사실입니다.

죽음이 삶만큼이나 자연스러운 현상이라고 해서 '그럼, 스스로 목숨을 집어 던져도 괜찮겠군!' 같은 의미로 왜곡하진 마십시오. 스스로 목숨을 끊는 것은 당면한 삶을 극단적으로 회피하는 행위입니다. 미성숙하고도 무책임한 행위입니다. 그렇게 한다고 해결되거나 끝나는 것도 아닙니다.

삶과 죽음은 수레바퀴처럼 서로 맞물려 있습니다. 죽음은 지금 삶의 연장일 뿐입니다. 회피하더라도 결국은 회피하게 한 문제들의 무게감만큼을 다시 짊어지게 됩니다. 그 무거움을 분산해서 짊어질 수는 있습니다. 하지만 '회피함'에 대한 책임이 더해지니 문제들은 한층 더 복잡해질 수 있습니다.

다섯, 죽음이란 무엇인가

20대 초반으로 기억이 됩니다. 좋은 친구들이 제법 있었습니다. 가족 관계도 비교적 안정적이었습니다. 그런데도 오랜 시간 알 수 없는 깊은 고독감에 시달린 적이 있습니다. 그때의 그 '고독감'은 너무 강렬했습니다. 죽고 싶을 만큼이나 저를 괴롭혔습니다. 한동안 그런 상태로 치열하게 고뇌하던 중 어느 날 불현듯 '죽음'이라는 현상을 체험하게 됩니다.

고독감으로 촉발된 '죽음'이 하나의 화두가 되었던 것이지요. 이 화두에 오롯이 몰입하다 보니 그만 깨우쳐 알게 된 것입니다.

이후부터는 고독감 때문에 괴로울 일은 없었습니다. 지금 고독감은 오히려 고요와 은은함을 만끽하게 하는 좋은 친구로 자리매김하고 있습니다.

세월이 흐르면서 죽음에 대한 통찰은 깊어졌습니다. 그리고 죽음의 진실을 확연히 알게 됩니다. 덕분에 지금 제게 있어서 죽음은 마치 그림자처럼, 편한 친구처럼 익숙하고 자연스럽습니다.

어쩌면 젊은 시절의 고독감 체험은 죽음을 숙고하게 하고, 죽음에 대한 깨달음을 주기 위한 하늘의 배려였는지도 모르겠습니다.

일상의 삶과 수행은 딱히 분리된 것은 아닙니다. 저 같은 경우는 더 잘 살기 위해서 수행합니다. 삶을 더 잘 이해하기 위해서, 더 생생하게 살기 위해서, 더 자연스럽게 살기 위해서 수행합니다. 삶과 수행은 같지만 다르고, 다르지만 같습니다.

그런 일상과 수행의 삶 속에서 한시도 놓치지 않은 것이 있습니다. '자신'에 대한 성찰입니다. 성찰을 통해 육체가 마음과 사유에 미치는 영향을 알게 됐습니다. 마음과 사유가 육체에 미치는 영향도 알게 됐습니다. 더 나아가 이들이 영혼과 서로 어떤 관계이고 어떤 영향을 미치는지도 알았습니다. 그리고 '잘 죽는 죽음'을 위해 무엇을 어떻게 해야 하는지 알게 되었습니다.

거울 속에 보이는 지금의 모습이 다는 아닙니다. 우리는 세상에 오기 이전부터 이미 존재하고 있었습니다. 우리는 죽음 이후에도 계속 존재합니다. 현재 물질적 몸은 하나의 '탈 것'입니다. 영혼으로 존재하던 우리가 탑승해서 운전대를 잡게 된 '탈 것'입니다. 탔으면 언젠가는 내려야 하는 법입니다.

죽는다는 것은 무엇일까요? 철학적인 질문을 하는 것은 아닙니다. 죽음이 무엇인지 모른다면 이 질문은 그리고 그 대답은 철학적으로 흐를 수밖에 없습니다.

저는 죽음을 압니다. 그래서 죽음이 무엇인지에 대한 답을 압니다. 그래서 그 답을 직설적으로 할 수 있습니다. 물론 어떤 분들에게는 황당하게 들릴 수 있음을 압니다.

죽음이란 이 육체에서 '영혼이 완전히 분리되는 것'입니다. 반대로 탄생은 태아의 몸에 '영혼이 스며들어 오는 것'입니다. 죽음이란 육체에 일시적으로 올라탔던 영혼이 육체에서 '잠시 내리는 것'과 같습니다. '잠시'란 표현을 쓴 것은 얼마 지나면 다시 올라타게 될 것이기 때문입니다. 대부분은 그렇습니다.

죽음이 알고 싶으면 육체에서 영혼을 일시적으로라도 분리해 봐야 합니다. 이러한 경험은 사실 어려운 일은 아니지만 그리 쉬운 일도 아닙니다. 물론 불가능하다고 생각하시는 분들에게는 상상을 초월할 정도로 어려운 일이긴 합니다.

분리된 영혼의 상태는 꿈을 통해서도 경험할 수 있습니다. 꿈속에서 자신의 의식 상태를 가만히 살펴볼 수 있다면 어느 정도는 체험할 수 있습니다.

꿈속에서는 '나(에고 ego)'[8]의 의식 작용이 현실과는 매우 다르다는 것을 알 수 있습니다. 그래서 현실의 극단적인 자극을 꿈속에서는 비교적 담담하게 느낄 수 있습니다. 상상하기 어려운 광경도 꿈속에서는 담담하게 받아들일 수 있습니다.

예를 들자면, 큰 칼이 몸을 관통한다고 상상해 보십시오. 그 통증은 말할 수 없이 아플 겁니다. 하지만 꿈속에서는 그 통증의 느낌이 상당히 막연합니다. 영혼의 상태에서의 느낌 역시 이와 비슷합니다.

다른 예로, 집 앞에 토끼가 갑자기 나타났다고 가정해 보겠습니다. 토끼가 "어이, 형씨!" 하고 소리칩니다. 그러면 아마도 놀라 자빠질 것입니다. 입에 거품까지 물지도 모르겠군요. 하지만 꿈속에서는 당나귀가 다리를 꼬고 앉아서 힐끗 쳐다보며 휘파람을 불며 수작을 걸어도 "그렇구나" 하고 받아들이게 됩니다.

이러한 의식 상태는 꿈속에서 '이것은 꿈이야' 라고 인식할 수 있다면 훨씬 쉽게 이해할 수 있습니다. 만일 깨어있는 상태처럼 꿈속을 여행할 수 있다면 좀 더 확연히 체험할 수 있습니다. 이와 유사하게 죽음 후에도 우리는 틀림없이 생생하게 의식을 유지합니다. 다만 지금 느끼는 현실과는 다른 생생함이겠지요.

죽음 후에도 여러분은 틀림없이 살아갑니다. 다만 각자 의식의 정도에 맞는 세상에 살게 될 뿐입니다.

예를 들자면, 만일 여러분이 죽음 후 눈앞에 수많은 종류의 문 앞에 서게 됐다고 가정해 보겠습니다. 그 문들은 자신에 맞는 사후세계의 입구가 되는 문들입니다. 어떤 문은 금빛 찬란하고 온갖 치장으로 가

---

8) 에고는 물질세계에서의 자의식입니다. 즉, '나는 이런 사람이야' 라고 말하거나 생각할 때, 말하고 생각하는 그 주체입니다.

득 차 있습니다. 또 어떤 문은 돌로 만들어진 육중한 문입니다. 그 옆에는 싸리문도 있군요. 맞은편에는 소박하게 장식된 아담한 문이 있습니다. 뒤에는 무단 침입을 방지하기 위한 뾰족한 철심이 박힌 문도 있습니다. 셔터문도 있구요. 한옥 문도 보이고 미국 서부영화에서 볼 수 있는 카우보이 바 문도 보입니다.

 이 문 중에 각자는 자기 취향에 맞는 문을 선택해서 들어가게 됩니다. 물론 지금의 의식 상태 그대로가 아닌, 생생하지만 꿈같은 상태에서 자신에게 맞는 문을 고르게 됩니다.

 그냥 비유적인 예일 뿐이니. 굳이 '나는 어떤 문을 고를까?' 하며 고민하진 마시길 바랍니다. 물론 이 비유 속에는 진실한 의미가 담겨 있기는 합니다.

세 번째 이야기
잘 살기, 잘 죽기

하나, 잘 살고 잘 죽기 위해서

현실에서 다음의 세 가지 방법을 실천한다면 잘 살고 잘 죽을 수 있습니다.

첫 번째, 활발한 움직임
명료한 정신으로 몸을 활발하게 움직여야 합니다.
두 번째, 자연스러움
일상의 삶이 자연스러워져야 합니다.
사람과의 관계에서, 자연과의 관계에서 그리고 자신이 하는 일과의 관계에서 자연스러워져야 합니다.
세 번째, 죽음에 대한 담담함
죽음을 담담한 마음으로 대할 수 있어야 합니다.

말은 간단하지만 사실 이 세 가지를 충족시키는 것은 그리 녹록한 일은 아닙니다.

첫 번째, 명료한 정신으로 활발하게 움직이려면 몸을 건전한 상태로 유지할 수 있어야 합니다.

잘 죽는 죽음과 관련해서 활발한 움직임은 육체 에너지 사용의 효율성과 관계있습니다. 즉 육체 에너지의 '사용효율'이 좋아야 합니다. 육체 에너지 사용효율은 몸이 건강할 때 가장 좋습니다.

두 번째, 일상의 삶이 자연스러워지려면 마음에 특별한 부딪침, 마음을 괴롭히는 문제들이 없어야 합니다. 또한 사유에 걸림이 없어야 합니다. 이건 이래야만 되고, 저건 저래야만 되고 하는 식의 고정된 생각에서 벗어나야 합니다. 삶의 자연스러움은 마음이 부드럽게 순화되었을 때 찾아옵니다. 사유가 유연해지고 막힘없이 자유로워졌을 때 찾아듭니다.

몸을 건전하게 하면 마음도 건전해질 가능성이 매우 커집니다. 몸을 건전하게 하면 삶이 자연스러워지기 쉽습니다. 건전한 마음으로 삶의 자연스러움을 의도하고 추구할 때 삶의 자연스러움은 '자연스럽게' 찾아옵니다.

세 번째, 죽음이 어떤 것인지 알게 되면 죽음에 대해서 초연해집니다. 하지만 이 문제는 특이한 경험[9]을 해 보지 않고는 알기 어렵습니다. 그렇더라도 걱정할 필요는 없습니다. 그저 삶을 자연스럽게 대하는 것에 관심을 기울이면 됩니다. 죽음은 삶과 동떨어진 것이 아닙니다. 삶의 연속선상에 있는, 삶의 또 다른 부분입니다.

그러니 지금의 삶이 자연스러워지기만 하면 됩니다. 삶이 자연스러워지면 삶의 연속인 죽음을 대하는 마음이 담담해집니다. 그러면 죽음도 지금의 삶만큼이나 자연스럽게 대할 수 있습니다.

둘, 잘 살고 잘 죽기 위한 덕목 '자연스러움'

인간은 질병 없는 건전한 육체를 유지할 수 있는 존재입니다. 흐르는 물처럼 자연스러운 마음으로 삶을 살 수 있는 존재입니다. 자연스럽게 잘 죽을 수 있는 존재입니다.

그런 존재가 욕망에 도취합니다. 물질적 성취와 육체적 즐거움, 정신

---

9) 이 경험은 일차적으로 몸에서 영혼을 분리해 보는 경험을 의미하며, 이차적으로는 영혼의 세계를 체험해 봄을 의미합니다.

적 행복감을 충족시키는데 몰두합니다. 욕망함에 도취하면 욕심과 집착이 일어납니다. 욕심부리고 집착하면서 사회 속 거친 삶의 격랑에 휩쓸립니다. 그러면서 마음의 중심을 잃습니다.

 욕망과 집착에 몰두하면 과로하게 되고 정서적 긴장, 심리적 부딪힘이 생깁니다. 그 결과 육체는 힘겨워지고 정신은 혼란해져서 고뇌하는 삶 속에 빠져버립니다. 자연스러운 삶과 죽음에 대해 생각할 겨를이 없어지고 맙니다.
 그렇다고 물질적 성취나 육체적 즐거움을 뒷전으로 두라는 말은 아닙니다. 정신적 행복감을 충족시키는 삶을 뒷전으로 두자는 것도, 사회적 삶을 멀리하자는 것도 아닙니다. 다만, 물질적 즐거움과 행복감을 얻는 데 지나치게 몰두하고 집착하는 것을 주의하자는 겁니다. 사회적 의무감에 지나치게 몰두하는데 주의하자는 겁니다.
 물질적 성취를 얻고자 함이 지나치면 심각해집니다. 집착하면 심란해집니다. 의무감에 시달리면 과로합니다. 삶이 심각하고 심란해질수록 행복은 멀어집니다. 과로한 고단함이 연속되면 그때부터 삶은 고난이 됩니다.

 사람들에게는 '이러면 즐거울 거야, 저러면 행복할 거야'라는 생각들이 있습니다. 그 생각대로 삶이 충족되면 만족스러워하고 그렇지 못하면 불만족스러워합니다. 만족스러우면 행복해하고 불만족스러우면 불행해합니다.
 세상을 떠돌며 사는 방랑자도 행복의 기준이 자유로운 삶에 있다면 더없이 만족스럽습니다. 길거리 노숙하는 삶도 만족스럽고 행복할 수 있습니다.

개철학자(거지 철학자)로 알려진 고대 그리스의 디오게네스는 허름한 통나무 속에서도 잘 살았습니다. 알렉산더 대왕도 명예나 부에 매이지 않는 그의 자유로움을 부러워했지요.

그러니 행복은 이래야 해, 저래야 해라는 고정관념만 없어도 최소한 불행할 일은 없어집니다.

옛날 어떤 젊은이가 행복을 찾아 나섰답니다.

오랫동안 길을 가다가 오두막 앞을 지나게 됐습니다. 그곳에는 온화한 모습을 한 중년의 사람이 있었지요. 그는 테이블 위에 놓인 차를 마시며 한가로이 시간을 보내고 있었습니다.

젊은이가 그 사람에게 묻습니다.

"저 혹시 행복이 어디에 있는지 아시나요?"

그 사람은 저 까마득히 보이는 산을 가리키며,

"아 예, 저는 잘 모르겠지만 저 산 너머에 행복이 있단 말은 들어본 적이 있습니다."

"아! 감사합니다." 그 젊은이는 그 산을 향해 다시 부지런히 걸었습니다.

젊은이가 그 중년의 사람만큼 나이가 들 무렵 그 산 정상에 서게 되었습니다. 하지만 그곳에서 행복을 찾을 수 없었습니다. 다만, 저 앞에 또 다른 산이 하나 보일 뿐이었습니다. 이 젊은이, 아니 중년의 사람은 '저 산인가 보군'하고 또다시 길을 나섰습니다.

그렇게 몇 개의 산을 넘습니다. 다시 한참을 가다가 소박하게 지어진 작은집을 지나게 됩니다. 정겨워 보이는 집이었습니다. 그 앞에는 깊이 모를 그윽한 눈빛을 한 노인이 있었습니다. 그 노인은 흔들의자에 앉아서 평화롭게 앉아있었습니다.

노인에게 묻습니다.

"저 혹시 행복이 어디에 있는지 아시는지요?"

그 노인은 저 멀리 아련하게 보이는 산을 가리키며,

"아 예, 저는 잘 모르겠지만 저 산 너머쯤에 행복이 있단 말은 얼핏 들어 본 적이 있군요."

"아! 감사합니다." 그 사람은 다시 또 힘을 내서 그 산을 향했습니다.

산 정상에 섰을 때는 그 노인만큼 나이가 들었습니다. 하지만 그곳에서도 행복은 찾아볼 수 없었습니다. 눈앞에는 또 다른 산이 하나 보였습니다.

이제는 온 몸 이곳저곳 안 아픈 곳이 없고, 더 이상 길을 가기가 힘들 만큼 허약해져 있었습니다. 그리고 편안하게 안주할 오두막조차 지을 수 없는 처지가 되어 버렸습니다.

매사에 심각하고 심란하면 삶의 무게가 너무 무거워집니다. 그냥 적당함이 좋습니다. 그렇다고 대충대충 살라는 말은 아닙니다. 적당하되 진지한 삶이 되어야 합니다.

삶은 일종의 게임 같은 것입니다. 대충 보는 영화나 대충하는 게임은 재미가 없습니다.

삶은 진지한 마음으로 대할 수만 있으면 족합니다. 삶의 현상들을 진지하게 받아들이되 담담한 마음으로, 안온한 마음으로 적당하게 살 수 있으면 족합니다.

마음의 자연스러움은 나의 주변을 가감 없이 있는 그대로 바라보는 것입니다. 나 자신을 가감 없이 있는 그대로 바라보는 것입니다. 삶을 집착함 없이 대하는 것입니다. 욕심 없이 삶을 대하는 것입니다. 이러면 좋지만 저래도 괜찮은 것입니다. 저러면 좋지만 이래도 괜찮은 것입니다.

마음이 자연스러워지면 삶이 자연스러워집니다. 마음이 자연스러워지면 삶이 조화롭고 평화로워집니다. 삶의 자연스러움은 곧 마음의 자연스러움입니다.

몸이 자꾸 '나'를 괴롭히면 신경은 곤두서고 정서는 불안정해집니다. 신경이 곤두서니 욕망에 과민해집니다. 정서가 불안하니 무언가를 움켜잡아 안정감을 찾으려 합니다. 이러면 안 되고 저래도 안 됩니다. 삶이 심각해지고 세상이 어두워 보입니다. 번뇌가 가득해집니다.

몸이 이상적인 상태일 때, 신경은 안정되고 정서적으로 편안해집니다. 신경이 안정되고 정서가 편안하니 욕망이나 집착에 끄달리지 않습니다. 삶을 포용합니다. 세상이 환해 보입니다.

마음을 자연스럽게 할 가장 좋은 방법은 몸을 이상적인 상태로 유지하는 것입니다.

마음이 자연스러우면 잘 살아집니다. 마음이 자연스러우면 죽음이라는 현상을 담담하게 대할 수 있습니다. 마음이 자연스러우면 삶과 죽음을 초연하게 대할 수 있습니다.

우리가 굳은 의지로 의도만 하면 잘 사는 삶과 잘 죽는 죽음은 만사 오케이가 될 수 있습니다.

셋, 잘 살고 잘 죽는데 방해되는 요인

'잘 살고 잘 죽기 위한 최상의 조건은 몸의 건전함과 마음의 자연스러움입니다.'

건전하지 못한 몸, 이유는 무엇일까요?

마음이 자연스러울 틈 없이 번뇌가 가득한 이유는 무엇일까요?

잘 살고 잘 죽지 못하게 되는 '구체적 요인'은 무엇일까요? 구체적 요인을 다섯 가지로 축약해 봅니다.

첫 번째, 활발하고 명료하지 못한 움직임
두 번째, 마음속의 맺힘
세 번째, 고집스러움
네 번째, 욕심과 집착
다섯 번째, 죽음에 대한 두려움

이 중에서 첫 번째는 우리들의 몸가짐과 관계가 있고, 둘째부터 다섯째까지는 마음가짐과 관계가 있습니다.

앞으로 이 요인들이 우리 안에서 어떻게 생겨났는지 알아볼 것입니다. 또한 삶에 구체적으로 어떻게 영향을 미치고 있는지, 그것이 왜 잘 죽지 못하게 하는지를 살펴볼 것입니다.

그리고 이 문제들을 자연스럽게 극복할 수 있는 실천적 방법들에 관해 이야기를 풀어 보겠습니다. 잘 살고 잘 죽을 수 있는 길이 자연스럽게 열리도록 해 보겠습니다.

> 아름다운 이 세상 소풍 끝내는 날,
> 하늘로 돌아가서,
> 아름다웠더라고 말하겠다.'
>
> - 천상병, '귀천' 중에서-

3장
잘 살고 잘 죽기 위한 '몸 돌보기'

"

삶은 행위이자 체험입니다.
행위하고 체험하는 이유는
자기 존재의 의식을 확장하기 위함입니다.
우리는
'나'라는 존재의 의식을 확장하기 위해서
삶을 살아갑니다.

"

첫 번째 이야기
활발하고 명료한 움직임을 위한 실천법

잘 살고 잘 죽기 위해서 가장 먼저 실천할 것은 활발하게, 명료하게 움직이는 것입니다.

삶은 행위이자 체험입니다. 잘 사는 삶은 잘 행위하고 잘 체험하는 삶입니다.

행위하고 체험하는 이유는 자기 존재의 성장을 위해서입니다. 인간은 살아가면서 행위와 체험을 통한 느낌을 축적하며 성장해 갑니다. 다양한 행위와 다양한 체험, 명료한 행위와 명료한 체험을 통해서 인간 존재는 성장합니다. 다양한 행위와 그 행위에 대한 느낌은 의식을 넓게 합니다. 명료한 행위와 체험은 의식을 깊게 합니다. 다양성과 명료성을 통해 우리 존재는 수평적이고 수직적으로 성장합니다. 입체적으로 성장합니다.

다양한 행위와 체험은 활발한 움직임과 관계가 있습니다. 명료한 행위와 명료한 체험은 집중, 몰입과 관계있습니다. 잘 사는 삶은 활발하게 움직이는 삶이며 명료하게 집중하는 삶입니다.

인간의 육체는 에너지가 다 소진되어야 비로소 죽게 됩니다. 다시 말하면 우리는 사고로 인한 장기의 손상이나 심정지 외에, 육체적 기능을 유지하는 에너지가 다 소진될 때까지는 생존하게 되어 있습니다.

이 세상 모든 움직이는 것들은 에너지가 필요합니다. 그 에너지가 다

50

되면 움직임을 멈춥니다. 살아있는 생명체가 움직임을 멈춘다는 것은 곧 죽음을 의미하지요.

 육체의 생존 에너지는 손전등의 불빛이나 배터리와 흡사합니다. 우리는 각자 육체의 특성에 맞는 충전된 배터리를 가지고 태어납니다. 그리고 그 에너지를 소진 시키며 살아가고 있습니다.

 세월이 지나가면 충전 기능은 약해지고 에너지는 다 소진될 것입니다. 배터리의 충전 기능이 다 되고, 남아있던 에너지가 완전히 소진되면 움직임을 멈춥니다. 죽게 됩니다.

 손전등은 어느 정도 사용하면 에너지가 소진되면서 불빛이 약해집니다. 흐릿해져도 빛이 완전히 꺼지지는 않습니다. 흐릿한 상태가 제법 오래 유지됩니다. 일반 전기제품에 사용되는 건전지는 에너지 총량의 약 50% 정도 쓰면 수명이 다 된 것으로 봅니다. 현재까지는 그렇습니다. 에너지의 잔량이 반 정도나 남아있음에도 불구하고, 제대로 기능을 발휘하지 못하는 것이지요.

 육체의 에너지원은 먹고 마시는 음식과 호흡입니다. 음식과 대기 중에 산소를 대사 과정을 통해 변화시켜 에너지를 충전합니다. 그리고 그 에너지로 내부 장기와 팔과 다리를 움직이며 살아가고 있지요.

 육체의 에너지도 흐릿해지는 손전등의 불빛이나 충전 기능이 약해진 배터리와 비슷합니다. 나이가 들면 움직임이 명료하지 못합니다. 몸이 제 기능을 잘 못하고 골골거리기 시작합니다.

 그런데 최근(2015년) 개발된 어떤 제품을 건전지에 장착하면 에너지를 거의 100%에 가깝게 사용할 수 있게 한다고 합니다. 건전지 에너지 효율을 극대화한다는 말이지요.

인간의 몸도 에너지 효율을 극대화할 수 있다면? 아마도 마지막 시점까지 평상시와 다름없이 생활할 수 있을 것입니다. 어느 시점에 마지막 에너지를 소진하고 생을 순간 마감할 수 있을 것입니다.

생이 다하는 순간까지 스스로 힘으로 움직이기 위해서는 육체의 에너지 효율을 좋게 하는 것이 관건입니다. 그래서 에너지를 마지막까지 깔끔하게 사용해야 합니다. 육체의 에너지 효율은 인체 내의 순환 시스템10)과 관계있습니다. 인체의 순환 시스템이 좋지 않으면 에너지 효율은 떨어집니다. 그런데 이 순환 시스템은 몸의 움직임과 관련이 깊습니다. 활발하게 움직일 때, 명료하게 움직일 때 인체의 순환 시스템은 가장 이상적으로 돌아갑니다.

인체의 순환은 냇물이나 강의 흐름에 비유할 수 있습니다. 냇물이나 강물이 정체되고 고이면 썩어서 악취를 풍깁니다. 온갖 더러운 병균과 생물이 꼬입니다. 몸을 활발하고 명료하게 움직이면 인체 어느 곳의 흐름도 정체됨 없이 원활하게 흘러갑니다.

몸의 순환 시스템을 지속해서 작동시키기 위해서는 활발하게 움직여야 합니다. 동시에 명료하게 움직여야 합니다. 건전한 몸은 죽기 직전까지 활발하고 명료하게 활동할 수 있는 밑거름입니다. 몸을 잘 순환시키는 일은 건전한 몸을 유지하기 위한 기본입니다.

몸의 순환이 잘 되면 뇌의 혈액도 잘 흐릅니다. 뇌의 혈액이 잘 흐르면 뇌신경이 건장하게 유지됩니다. 뇌신경이 건강하면 집중이나 몰입이 잘 됩니다. 적당한 운동이 공부에 도움이 되는 이유입니다.

그렇다고 집중하려 할 때마다 적당히 운동하기는 쉽지 않습니다. 움

---

10) p31 '각주 3' 참고

직일 때, 행위 할 때 집중해 보십시오. 움직이면 몸의 순환에 도움이 됩니다. 움직임에 집중하면 자연스럽게 정신 집중도 됩니다. 단, 치우침 없는 움직임이어야 합니다. 뒤에 언급하겠지만 치우치게 움직이면 해롭습니다. 더군다나 치우친 움직임에 집중하는 것은 오히려 '독'입니다. 활발하고 명료한 움직임은 잘 사는 삶과 잘 죽는 죽음의 첫걸음입니다.

활발한 움직임은 건전한 장수의 비결이기도 합니다. 세계적으로 장수하는 사람들을 조사해보면 여러 이유가 나옵니다. '어떤 음식을 먹더라, 소식하더라, 스트레스가 없더라, 친구가 많더라, 가족관계가 좋더라, 지적 활동을 많이 하더라.' 등등 말이지요.

그런데 여러 다양한 장수의 비결 중 유일한 공통점이 있습니다. 바로 '활발한 움직임'입니다.

2012년 세계보건기구(WHO)에서는, 신체활동 부족을 혈압, 흡연, 고혈당에 이어 전 세계의 사망을 일으키게 하는 질병의 네 번째 원인으로 지목했습니다. 또한 2018년 연구보고서에는 세계 성인의 4분의 1이 넘는 14억 명이 신체활동(운동) 부족으로 건강에 위협을 받고 있다고 했습니다.

우리나라에서는 '국민건강증진법 일부개정법률안'을 발의하기도 했습니다.11) 이 법안 발의는 국가와 지방자치단체의 차원에서 의무적으로 국민들의 신체활동 활성화를 위해 힘을 써야 한다는 의미입니다.

나이가 들어가고 육체의 기능이 약해져도 그에 걸맞은 활발한 움직임(운동)은 꼭 필요합니다. 각자의 역량에 맞게 평소 몸을 충분히 움직여

---

11) '윤일규 의원, 신체활동 활성화 건강증진법안 발의'. 메디칼타임즈. 2018. 12. 13. 참고.

야 합니다. 그러면 앞으로의 삶의 질은 현저하게 좋아질 겁니다. 바람직한 운동이라면 더욱 좋겠지요. 자기 몸을 성찰할 수 있는 운동이라면 더할 나위 없습니다. 몸 상태를 조절하는 능력을 기를 수 있기 때문입니다. 마음의 평온함은 덤입니다.

많은 사람들이 의사의 처방에 의지하며 살아가고 있습니다. 평소 운동만 잘해도 병원을 들락거리는 불편함은 거의 사라집니다.

생의 에너지가 다 되었음에도 생명을 더 연장하려고 애쓰는 분들이 많음을 봅니다. 노화로 인해 어쩔 수 없이 남의 손을 빌리며 살아가는 분들도 흔히 볼 수 있습니다. '개똥밭에 굴러도 이승이 좋다.'[12]는 말이 있습니다. 그런 삶도 좋다고 한들 간섭할 일은 아닙니다. 하지만 그런 삶에 '노땡큐'하고 손사래를 치시는 분들이라면 아마도 이 책이 많은 도움이 되리라 생각됩니다.

마음만 먹는다면 누구나 다 잘 살고 잘 죽을 수 있습니다. 하지만 실행함이 없다면 허공에 울려 퍼지는 메아리일 뿐입니다. 그 마음은 그저 허무하게 사라져 버릴 겁니다. 실천 없는 마음은 꽝! 입니다.

---

12) 이 말은 어떤 삶이라도 죽는 것보다는 사는 게 낫다는 의미입니다. 하지만 이 말의 참된 의미는 다른 데 있습니다.
살아 있을 때는 경험하고 배울 수 있는 범위가 무궁무진합니다. 하지만 죽어서는 이 범위가 매우 한정됩니다. 우리는 삶의 경험을 통해 배웁니다. 그리고 그 '배움'만큼 자기 존재의 의식은 확장됩니다. 스스로 발전시키며 의식을 확장해 가는 것은 우리 존재의 본성입니다.
그런데 죽은 후에는 각자의 그릇에 맞는 세상(영혼의 세상)에서만 살아갈 수 있습니다. 그러다가 다시 이 세상으로 오게 되지요. 죽은 후, 영혼의 세계에서는 이 발전과 확장의 기회를 얻기가 어렵습니다. 경험과 배움의 폭이 좁기 때문입니다. '개똥밭에 굴러도 이승이 좋다'는 말은 존재를 확장하는 데는 '저승보다 이승이 훨씬 낫다'라는 의미입니다.

하나. 숨 잘 쉬기

들숨, 들이쉬는 숨은 인체의 생명 활력과 관계가 있습니다.

코와 입을 같이 이용해서 숨을 들이쉬면 좋습니다. 그러면 산소를 포함한 생명 활력을 훨씬 잘 흡수할 수 있습니다. 생명 활력은 활력 있는 삶과 관계합니다.

날숨, 내쉬는 숨은 노폐물을 배출시키는 행위입니다. 인체의 정화와 관계가 있습니다. 그러니 때때로라도, 의식적으로 코와 입으로 숨을 들이쉬고 입으로 내쉬면 좋습니다.

호흡은 일차적으로 폐와 심장이 관계합니다. 사람의 몸에서 심장은 '열정과 추진하는 힘'이라는 에너지의 저장고입니다. 그리고 폐는 '의지와 결단을 내리는 힘'이라는 에너지의 저장고입니다.

건강한 심장과 폐는 열정과 의지를 불러일으키며, 추진하고 결단하는 힘을 제공합니다.

열정과 의지, 추진하고 결단하는 힘은 사회생활의 원동력입니다. 사람의 생존과 직결되는 장부의 건강함은 사회생활에도 매우 중요한 요소입니다.

자 그럼! 하품을 한번 해 보시겠습니까?

해 보셨나요?

다음은 한숨을 한번 쉬어 보십시오,

하품할 때, 한숨 쉴 때 숨이 어떻게 들어가고 어떻게 나가는지 살펴보셨나요?

들숨과 날숨을 살펴면서 하품과 한숨을 내쉬어 보기 바랍니다.

하품할 때는 입이 크게 벌어지면서 숨이 입으로 크게 들어갑니다. 그리고 입으로 숨이 나갑니다. 한숨 쉴 때는 숨이 입으로는 크게, 코로는 작게 들어갑니다. 그리고 입으로 숨이 나갑니다.

 한방 양생적 측면에서 하품과 한숨을 바라보는 시각은 이렇습니다.
 절대적인 것은 아니지만, 인체 장부 중에서 신장이나 방광이 건강하지 못할 때는 하품이 자주 나옵니다. 신장과 방광은 한 세트로 필연적으로 영향을 주고받는 장부입니다. 우리 몸은 본능적으로 알고 있습니다. 입을 크게 벌리고 하품하면 신장이 시원해지는 것을.
 한숨은 간이나 담이 좋지 않은 상태에 있을 때 자주 쉬게 됩니다. 인체는 본능적으로 살기 위한 방향으로 반응합니다. 숨을 코와 입으로 동시에 깊게 들이쉰 후, 입으로 충분히 내쉬면 간이 시원해진다는 것을 몸은 알고 있습니다.

 인체가 활동하면 필연적으로 노폐물이 발생합니다. 이 노폐물은 틀림없이 배출되어야 합니다. 몸의 노폐물을 얼마나 효과적으로 배출시키느냐 하는 것은 건강을 유지하는 관건 중 하나지요. 폐와 간, 신장은 주로 노폐물을 제거하는 기능을 합니다. 이 장기들은 호흡의 기술을 통해서 충분히 건강을 유지할 수 있습니다.

 다음은 심신의 건강을 위해서 고안된 호흡법입니다.
 이 호흡법은 몸에 생명의 활력을 충분히 채워줍니다. 동시에 물리적, 심리적 노폐물들을 빠르게 배출시켜 줍니다. 몸의 활력을 증진하고 마음을 안정시켜 줍니다.

<몸을 건강하게 하고 마음을 평온하게 하는 숨쉬기 명상법 1-1>
소파 같은 푹신한 의자에 편안하게 기대거나 눕습니다.

양손은 몸 옆에 자연스럽게 늘어트립니다.

① 입과 코를 활용해서 숨을 들이마십니다. 가슴 가득 충분히(폐 전체 가득히) 들이마십니다.

☞ 입을 조금 벌리고 숨을 들이쉬면 자연스럽게 입과 코로 숨이 들어갑니다.

② 충분히 숨을 채운 다음 입으로 한숨 쉬듯 '후~'하며 경쾌하게 내 쉽니다. 자연스럽게 내쉽니다. 억지스럽지 않게 그저 가슴 속 긴장을 풀어주는 기분으로 내쉽니다.

③ 이번에는 역시 입과 코를 이용해서 숨을 들이마시되 복부 가득 충 분히(복식호흡) 들이마십니다.

☞ 숨을 들이마실 때, 가슴은 가능하면 움직이지 않고 복부 부분이 부풀게 합니다.

④ 그다음 입으로 역시 '후~'하며 자연스럽게 내쉽니다. 억지스럽지 않게 그저 복부 긴장을 풀어주는 기분으로 내쉽니다.

※ ①~④ 까지를 반복합니다. 5회~10회 정도 왕복해서 반복합니다.

⑤ 숨쉬기를 마치면, 온몸에 긴장을 풀어주며 축 늘어뜨려 줍니다. 입 은 조금 벌린 상태입니다. 마치 몸에 나사를 모두 풀어버리는 기분입 니다. 숨을 내버려 두고서 긴장을 푸는 데 집중합니다.

☞ 폐의 역량이 약하신 분들은 가슴 가득 숨쉬기가 어렵게 느껴질 수 있습니다. 또한 평소 호흡을 얕게 하시는 분들은 복식호흡이 어렵 게 느껴집니다. 좀 반복 연습하면 양쪽 모두 잘 됩니다. 흉식, 복식 두 가지 호흡이 균일하게 잘 돼야 합니다.

☞ 한방의 양생적인 측면에서는 들이쉬는 숨은 인체의 신장과 방 광이 관계합니다. 내쉬는 숨은 심장이 관계합니다. 이 장부들의 기능이 약해져 있으면 들이쉬거나 내쉬는 숨이 어려울 수 있습니다. 역시 반

복 연습하면 좋아집니다.

<몸을 건강하게 하고 마음을 평온하게 하는 숨쉬기 명상법 1-2>

'숨쉬기 1-1'에 익숙하고 편하게 되면 다음 방법으로 넘어갑니다.

'숨쉬기 명상법 1-2'는 복부 부분으로 들어가는 숨과 가슴 부분으로 들어가는 숨이 균일해진 후 행해야 합니다.

① 편안하게 눕습니다. 팔과 다리는 넉넉하게 벌려 놓아둡니다.
② 입과 코를 이용해서 **복부 쪽**을 부풀리며 충분히 숨을 들이쉬고(대략 50%), 이어서 **가슴 부분**을 부풀리며 충분히 숨을 들이쉽니다.(나머지 50%).
 ☞ 입을 살짝 벌려놓고 숨을 들이쉬면 입과 코로 자연스럽게 숨이 들어갑니다.
③ 입으로 '후~' 소리를 내며 **가슴 부분**에 채워졌던 숨을 충분히 토해내고(50%), 이어서 **복부 부분**에 채워졌던 숨을 내쉽니다(나머지 50%).
 ☞ **가슴 부분**의 숨을 내쉴 때는, '숨을 내쉰다'에 신경 쓰지 말고 '가만히 긴장을 푼다'에 집중해 봅니다. 가득 채워졌던 고무 튜브의 바람이 빠져나갈 때와 같습니다. 초기에는 빠지는 바람의 세기가 강하지만 차츰 세기는 약해집니다.
 ☞ **복부 부분** 숨을 내쉴 때는 고무튜브의 바람을 쥐어짜는 것 같은 기분으로 행합니다.
④ 내쉬는 숨이 완전히 나가면, 입과 코로 자연스럽게 다시 숨을 들이마신 다음(가벼운 심호흡), 입을 다소 크게 벌린 상태로 '하~' 소리를 내듯이 호흡을 단번에 토해냅니다. 동시에 전신의 긴장을 확 풀어줍니다. 온몸을 바닥에 던지듯이.

☞ 전신의 긴장을 풀 때는 '코와 입'으로 동시에 숨이 들락거릴 수 있도록 입과 코를 모두 개방해 놓습니다.

⑤ 이번에는, 입과 코를 이용해서 **가슴 부분**을 부풀리며 충분히 숨을 들이쉬고(대략 50%), 이어서 **복부 부분**을 부풀리며 충분히 숨을 들이쉽니다.(나머지 50%).

⑥ 입으로 '후~' 소리를 내며 **복부 부분**에 채워졌던 숨을 충분히 토해내고(50%), 이어서 **가슴 부분**에 채워졌던 숨을 내쉽니다(나머지 50%).

☞ **복부 부분**의 숨을 내쉴 때는, '숨을 내쉰다'에 신경 쓰지 말고 '가만히 긴장을 푼다'에 집중해 봅니다. 가득 채워졌던 고무 튜브의 바람이 빠져나갈 때와 같습니다. 초기에는 빠지는 바람의 세기가 강하지만 차츰 세기는 약해집니다.

☞ **가슴 부분** 숨을 내쉴 때는 고무튜브의 바람을 쥐어짜는 것 같은 기분으로 행합니다.

⑦ 내쉬는 숨이 완전히 나가면, 입과 코로 자연스럽게 다시 숨을 들이마신 다음(가벼운 심호흡), 입을 다소 크게 벌린 상태로 '하~' 소리를 내듯이 호흡을 단번에 토해냅니다. 동시에 전신의 긴장을 확 풀어줍니다. 온몸을 바닥에 던지듯이.

※ ②~⑦ 까지 순서의 호흡을 최소한 총 세 번 반복합니다.

<몸을 건강하게 하고 마음을 평온하게 하는 숨쉬기 명상법 1-3>

앞선 '숨쉬기 명상법 1-1'과 숨쉬기 명상법 1-2'가 익숙하고 편해지면 다음으로 넘어갑니다.

① 편안하게 눕습니다. 팔과 다리는 넉넉하게 벌려 놓아둡니다.

② 입과 코를 이용해서 몸통 가득(복부와 가슴 전체) 숨을 충분히 들이마십니다.

☞ 숨을 들이마실 때는 몸이 부풀듯 팽창됩니다. 내쉴 때는 몸이 수축되고 가라앉습니다. 들이쉬고 내쉬는 숨과 함께 점차 부풀었다가 가라앉는 몸의 움직임을 가만히 살펴봅니다.

③ 입으로 숨을 내쉬되 실제로 소리는 나지 않지만, '후~' 소리와 '하~'소리를 동시에 내는 기분으로(대략 '휘~' 발음과 비슷한) 가급적 '서서히' 내쉬면서 '서서히' 긴장을 풀어줍니다.

※ ②~③을 3회 반복 후, 호흡을 잊어버리고, 전신의 긴장을 좌악 풀어줍니다. 마치 몸이 흘러

녹아내리는 기분으로.

☞ 전신의 긴장을 풀 때는 '코와 입'으로 동시에 숨이 들락거릴 수 있도록 입과 코를 모두 개방해 놓습니다.

④ 10분 정도 행합니다.

☞ '숨쉬기 명상법 1-1'과 '숨쉬기 명상법 1-2'와 '숨쉬기 명상법 1-3'을 이어서 합니다.

세 가지 이어서 행할 때는 20~30분 정도는 해야 합니다.

이 호흡이 익숙해질수록 여러분의 마음은 점점 가벼워질 겁니다.
마음이 가벼워진 만큼 삶은 자연스러워집니다.

둘. 잠 잘 자기

잠을 잘 자고 나면 머리가 맑아지고 몸이 개운함을 느낍니다. 자는 동안 뇌척수액의 움직임이 왕성해져서 뇌의 노폐물 제거가 빨라지기 때문이라고 합니다. 이들 노폐물 중에는 치매 관련 물질도 포함되어

있다고 하는군요. 그러니 잠을 잘 자는 것은 치매 예방에도 좋습니다.

깊고 편한 잠은 몸의 피로를 효과적으로 풀어줍니다. 정신을 이완시켜 줌으로써 심리적 억압을 해소합니다. 육체적으로 피로하거나, 병이 있을 때 잠을 깊이 편하게 자면 아주 효과적이고 빠르게 그 상태에서 벗어날 수 있습니다. 정신이 지나치게 예민해 있거나 마음이 심란할 때도 잠을 잘 자면 안정이 됩니다.

삶에 지쳐있을 때, 우리는 종종 영적 차원의 격려를 받습니다. 이 격려는 보통 잠자는 중에 꿈을 통해서 전달받습니다. 이때 지친 마음은 큰 위로를 받습니다.

현대 의학도 점점 이완을 통한 치유나 건강의 효과를 주목하고 있습니다.

하버드 의대 교수인 허버트 벤슨 박사는 이 분야에서 선도적 역할을 해왔습니다. 그는 1968년 혈압과 스트레스[13]의 상관관계를 연구하던

---

13) 스트레스 개념은 오스트리아 출신 캐나다 배분비학자 한스 셀리에가 최초로 도입했다고 합니다. 그는 1936년 난소 추출물이 신체에 미치는 영향연구를 위해 쥐에 주입합니다. 그 결과 면역조직 위축, 위염, 호르몬 분비기관 부신이 통통붓는 것을 발견하지요.
새로운 호르몬 발견했다고 생각한 그는 더 검증하기 위해. 쥐를 두 그룹으로 나눕니다. 한 그룹은 난소 추출물, 또 한 그룹은 생리 식염수를 주입합니다. 수개월 후 똑같은 소견을 발견합니다. 이후 다시 쥐들에게 다른 종류의 괴로운 경험을 하게 합니다. 쥐들을 높은 곳, 뜨거운 곳, 무서운 곳 등에서 고생시켰지요. 결과는 역시 주사 맞았던 쥐들과 동일한 신체 반응을 보입니다. 그래서 그는 "괴롭고 힘든 상황이 병을 만들어 낸다."는 결론을 냅니다.
'일반 적응 증후군'(1936)이라고 명명된 이 실험은 이후 스트레스란 용어로 바뀝니다. 스트레스를 받게 되면 이에 대응하기 위해 부신은 코티솔이란 스트레스 호르몬을 분비하며 커집니다.
한스 셀리에의 스트레스 반응 3단계. 첫째, '경보' 단계. 초기에는 면역기관이 수축되고 소화기능 손상. 둘째 '저항' 단계. 몸이 저항하며 극복하려고 노력하는 단계. 한 달 이상 지속되면, 셋째 '소진' 단계. 몸에 실제 병이 생기는 단계. 위염이나 궤양, 심혈관 이상, 소화기 이상, 우울증 등등이 생겨남.

중에 일련의 명상 수행자들에게서 어떤 요청을 받습니다. 명상 수련으로 의도적으로 혈압을 낮출 수 있으니, 자신들을 대상으로 실험해 달라는 요청이었지요. 이 요청을 받아들인 벤슨 박사는 실험을 통해서 심장박동이나 몸속 노폐물 배출에 대한 효과를 확인합니다. 또한 피부의 전기적 변화와 뇌파 중 알파파가 이완의 지표가 되는 것도 발견합니다. 1975년 그는 스트레스 관련 치료에 이완법을 도입합니다. 이후 책이나 강연을 통해 질병의 약 80% 정도는 이완이라는 휴식 반응을 통해 치료될 수 있다고 알리고 있습니다.

그 외에도 많은 의사들이 명상을 통한 이완 행위를 권장하며 건강의 길을 제시하고 있습니다.

깊고 편한 잠은 명상을 통한 이완 상태 이상의 효과가 있습니다.

약을 통해 잠을 유도하는 경우가 많습니다. 약물로 뇌 기능을 강제로 꺼버리는 것이지요. 이런 경우 정상적인 잠이 주는 본래 기능을 기대하기 어렵습니다.

약이 대부분 그렇지만 수면제의 가장 큰 부작용은 의존성입니다. 또한 수면제를 지속 복용하면 인지장애나 불안, 우울감으로 연결될 수 있습니다. 부작용 없는 약은 없습니다. 그러니 정말 꼭 필요한 경우가 아니라면 삼가야 합니다. 약을 사용하게 된다면 최소량만을 복용해야 하겠습니다.

주변에 잠을 잘 자지 못해 힘들어하는 분들을 종종 보게 됩니다. 이런 분들은 보통 육체 활동은 적고 생각이 너무 많습니다. 그리고 정신적 스트레스로 신경이 곤두서 있는 경우가 대부분입니다.

잠을 잘 자기 위해서 가장 우선으로 해야 할 것이 있습니다. 깨어있는 동안 몸을 충분히, 그리고 활발하게 움직여야 합니다. 육체가 충분히 피로해지도록 하는 것이지요.

육체노동을 충분히 하시는 분들은 대부분 잠을 잘 잡니다. 낮 동안 몸이 피곤해지면, 밤이 되면 몸은 자동으로 잠을 통해서 쉬려 합니다. 더군다나 몸을 활발히 움직이면 호르몬의 작용이 원활해지고 신경계도 안정됩니다. 그러면 복잡한 생각이 잦아들면서 정신적 스트레스가 가라앉습니다.

<육체적인 피로감 + 정신적 안정감>은 숙면을 위한 기본적인 사항입니다.

몸이 피로해도 잠을 잘 자지 못하는 경우가 있습니다. 이는 몸속 노폐물이 제대로 배출되지 못하고 쌓여있기 때문인데요, 이때는 가급적 몸을 고르게 자극할 수 있는 운동을 찾아서 행해야 합니다. 인체 경직을 풀어주는 스트레칭이 좋습니다. 특히 몸속 내장을 풀어주면 더욱 좋은 효과를 볼 수 있습니다.

스트레칭은 '하타요가' 방식의 스트레칭 운동을 추천하고 싶군요. 요가 스트레칭은 깊은 호흡을 병행하므로 일반 스트레칭보다 훨씬 효과가 좋습니다.

숙면을 위한 방법을 구체적으로 제시해 본다면,
<충분한 움직임 + 복부 내장 풀기[14] + 요가식 간단 스트레칭>

이 세 가지를 충족시켜 준다면 누구나 정신적 안정감과 함께 깊고 편한 잠을 잘 수 있습니다.

한 번에 너무 오래 잠을 자면 오히려 피로를 더 느낄 수 있습니다.

---

14) 뒤에 나올 '맺힌마음 풀기 위한 몸 실천 방법'편 '몸 굴리고 두드리기' 참고.

노폐물을 제대로 배출하지 못했기 때문입니다.

인체는 잠을 잘 때에도 기본적인 에너지를 소모합니다. 에너지를 소모하면 틀림없이 노폐물이 발생합니다. 이 노폐물은 인체를 움직이면서 근육과 혈관들을 적당히 자극할 때 효과적으로 배출됩니다. 그러니 무조건 잠을 많이 잔다고 피로가 풀리는 것은 아닙니다.

잠을 많이 자고 난 후에는 가급적 간단한 체조나 산책을 해야 합니다. 몸을 움직여야 몸이 개운함을 느낄 수 있습니다.

지속적이고 오랜 잠은 과로로 몸에 노폐물이 과도하게 축적되어 있을 때 필요할 수 있습니다.

잠은 한 번에 길게 자기보다는 하루 두 번 정도(밤에 긴 잠과 오후 피로할 무렵의 낮잠) 나누어 자는 것이 여러모로 좋습니다. 그렇긴 하지만 현대인의 생활 리듬상 어렵습니다.

한번 잘 때, 모자람도 넘침도 없이 충분히 자길 권합니다.

셋 올바르게 먹기

올바르게 먹는다는 것은 이것저것 여러 종류를 먹어야 한다는 것은 아닙니다. 특정 영양분을 많이 섭취해야 한다는 것도 아닙니다.

심신의 건강을 위해서, 먼저 몸에 독소를 쌓게 하는 음식들은 될 수 있으면 피해야 합니다. 화학성분이 들어간 음식들이 그렇습니다. 그런 음식들은 인체의 면역 계통을 서서히 약화시킵니다. 신경계통과 내분비 계통의 작용도 둔화시킵니다. 그러니 사고와 감성에도 부정적인 영향을 미칩니다. 또한 외적 자아인 에고와 내적 자아인 영혼15)과의 원만한 교류도 방해합니다.

---

15) 에고와 영혼과의 관계는 '4장'에서 자세히 설명됩니다.

다음으로, 내 입맛에 맞는 것을 잘 섭취해야 합니다. 하루 세 번 끼니마다 많이 먹는 것보다는 하루에 네, 다섯 번 정도로 나누어 조금씩 자주 먹는 것이 더 낫습니다.

많은 종류의 반찬을 먹는 것보다는 몇 가지 종류의 반찬을 단순하게 먹는 것이 오히려 바람직합니다. 온갖 잡다한 것을 먹으면 몸은 혼란스러워합니다. 혼란스러운 몸이 건강에 좋을 까닭이 없겠지요. 이는 마치 생각에 몰두하고 나면 정신이 맑고 상쾌해지지만, 온갖 잡다한 생각에 빠져 있을 때는 오히려 혼란스러워지는 것과 같습니다.

위와 같은 식사법은 영적 감수성 향상에도 도움이 됩니다.

삶을 살아갈 때 의식의 초점은 보통 자신의 외적 측면이나 물질적 현실에 맞춰져 있습니다. 하지만 영적 감수성이 뛰어난 사람은 의식의 초점을 자신의 내적 측면이나 비물질적 현실 쪽으로도 잘 향하게 합니다.

입맛에 대해서 성찰하기

'음식으로 고치지 못하는 병은 약으로도 고치지 못한다.'

서양의학의 아버지라고 불리는 히포크라테스가 한 말이라고 알려져 있습니다.

이 말을 히포크라테스가 했다는 명확한 근거는 찾을 수 없었습니다. 아마도 약보다는 음식이 병 치료에 훨씬 더 효과적일 수 있음을 강조하는 말이겠지요.

병 치료를 위해서나 건강 유지를 위해서나 음식 먹는 법은 무척 중요합니다.

건강을 위해서 운동을 올바르게 하는 것은 정말로 중요한 사항입니다. 하지만 부적절한 음식을 섭취가 지속되면 운동 효과를 기대하기 어렵습니다.

자신에 맞는 음식에 대한 성찰은 무척 중요합니다. 원래 내 몸이 필요한 것은 내 입이 원하게 되어 있습니다. 몸이 필요로 하는 것을 입(입맛)이 직감적으로 요구하는 것이지요. 그런데 알게 모르게 주입된 음식에 대한 상식들이 필요한 음식을 거부하게 만들곤 합니다. 짜고 맵게 먹으면 안 된다, 물을 많이 마셔라, 채식이 좋다, 육식을 피해라, 기름진 음식을 피해라, 달게 먹지 마라, 등등.

음식을 섭취하는 기준은 일반적으로 보기에 맵다, 짜다, 달다, 기름지다가 아닙니다. 중요한 것은 음식을 먹고 난 후, '자기 자신의 전체적인 컨디션'입니다. 맞지 않는 음식을 먹었을 때는 몸에 힘이 빠집니다. 기분이 불쾌해지거나 하면서 심신의 컨디션이 나빠지는 것을 인지할 수 있습니다. 어떤 음식이든 먹고 난 후 몸에 활력이 돌고 마음이 가뿐해진다면 자신에게 아주 적당한 음식을 잘 섭취했다고 할 수 있습니다.

자신에게 맞는 음식은 바로 자신의 '입'이 제일 잘 압니다. 누군가 "어휴 그렇게 짠 걸 어떻게 먹어?"라고 하더라도 별로 짜지 않게 느껴지고, 목으로 잘 넘어갑니다. 더군다나 먹고 난 후에 몸이 개운합니다. 그러면 내 몸이 그것을 필요로 하는 것입니다. 이런 경우 아주 바람직하게 잘 먹은 것입니다. 맵거나 달거나 기름지거나 하는 것들도 마찬가지입니다.

> 92세로 이 세상을 떠나신(2020) 평생 라면만 드시고 사셨던 어르신이 계십니다. 그분은 다른 음식은 먹지 않고, 라면만 드셨지요. 라면만으로 끼니를 해결하게 된 것은 젊은 시절 앓았던 장 질환 때문이라고 하는데요.

1972년 어느 날부터인가 어떤 음식을 먹든 토해 버렸답니다. 주변에서 온갖 좋은 음식과 약을 권유 받아 먹어봤지만 소용이 없었다지요. 의사는 장의 통로가 좁아져 음식을 소화할 수 없는 '장협착증' 진단을 내렸고, 어려운 형편에 수술도 했지만 여전히 음식을 먹는 것이 힘들었습니다. 이분이 우연히 라면을 먹게 되었는데 너무 속이 편하더랍니다. 그 후로 계속 라면만 드셨지요. 돌아가시기 전(91세)까지 귀가 잘 안 들리는 것을 제외하고는 몸에 큰 이상 없이 건강을 유지하셨습니다. 밭일도 하면서 말이지요.

심지어는 음식에 식용유를 들이부어 드시던 분도 계셨지요. 2000년 초 중반쯤 '세상에 이런 일이'라는 TV프로에 나왔던 걸로 기억됩니다. 20년째 거의 모든 음식을 식용유에 말아 드셨다고 하는데요. 말 그대로 국에 밥 말아 먹듯이 식용유에 밥을 말아 드시더군요. 건강검진을 해보면 콜레스테롤 수치도 정상이고 건강에 이상이 없다 하더군요.

물론 특별한 경우이긴 합니다만, 이런 분들의 식사법에서 우리는 음식 섭취에 대한, 매우 중요한 힌트를 찾을 수 있습니다. 자신에게 잘 맞는 음식이라면 어떤 음식이든 '육체적 건강함'을 유지하는 데는 괜찮다는 힌트 말이지요.

내게 맞는 음식은 남들이 판단하는 것도, 전문가가 판단하는 것도 아닙니다. 바로 자기 자신이 판단하는 것입니다.

각자 몸의 상태에 따른 입맛은 지극히 주관적입니다. 똑같은 음식이라도 어떤 사람은 짜거나 맵게 느낍니다. 달거나 기름지게 느낍니다. 하지만 또 다른 사람은 전혀 그렇지 않게 느낍니다. 그 사람에게는 그 음식이 짜거나 맵거나 달거나 기름진 음식이 아니라는 의미입니다.

만일 어떤 사람이 '아이 짜다' 또는 '어휴 맵다, 느끼하다'라고 느끼는 음식을 계속 먹는다면 문제를 일으킬 충분한 이유가 될 수 있습니다.

어떤 음식이든 그저 술술 잘 넘어가고 먹고 난 후 가뿐함을 느끼면 전혀 문제가 없습니다. 만일 짜거나 맵다고 여겨지는 음식들이 병증들을 유발했다면 틀림없이 자기 기준의 입맛보다 과하게 먹었기 때문입니다. 또는 화학적 감미료로 맛을 낸 음식이기 때문입니다. 기름진 음식이 병증을 유발했어도 역시 마찬가지입니다.

힘의 씀씀이에는 개인차가 큽니다. 마찬가지로 입맛에도 커다란 개인차가 있기 마련입니다.

저의 경우 커피를 마실 때 어떨 때는 설탕을 많이 넣습니다. 설렁탕을 먹을 때, 때로는 소금을 밥숟갈로 하나를 넣어서 먹기도 하구요, 단 것이 당길 때 그것을 충족시켜 주지 못하면 이내 몸에서 힘이 빠지는 것을 느낍니다. 짠 것이 당길 때 그것을 충족시켜 주지 못하면 컨디션이 나빠지는 것을 느낍니다. 하지만 또 어떨 때는 당분이나 소금기가 들어간 음식이 일절 싫을 때도 있습니다. 이때 달거나 짜게 느껴지는 음식을 먹으면 당장 컨디션이 뚝 떨어집니다.

평상시 힘을 쓰지 않는 사람이라면 음식을 밍밍하게 먹고 마시는 것이 괜찮을 수 있습니다. 그렇지 않고 힘을 많이 써야 하는 환경이라면 밍밍한 음식으로는 힘쓰기가 어려워질 수 있습니다.

자신의 몸을 해롭게 하는 음식에 입맛이 돌고 침을 꼴깍이는 경우는 거의 없습니다. 그렇더라도 만일 감각이 무뎌져 있는 경우라면 그럴 가능성이 있습니다. 자기 몸을 성찰하는 기회 없이 방치하거나, 약물에 의존하는 시간이 길어지면 감각이 무뎌질 수 있습니다. 이런 경우에는 해로운 음식을 의식 없이 계속 먹을 가능성이 매우 높습니다.

'입맛'은 그때그때 몸 상태에 따라서 조금씩 변합니다. 그러니 평상시에 자신의 입맛에 대해서 가만히 살펴보는 시간이 필요합니다.

요가 같은, 몸을 성찰하며 하는 운동은 입맛을 생생하게 합니다. 몸을 성찰할 수 있는 운동을 잠시라도 하길 권합니다.

보편적인 음식 섭취법에 대해서

건강과 관련된 방송 매체들이 많습니다. 늘 짜거나 맵거나 달거나 하는 음식들은 몸에 좋지 않다고 말하더군요.

특히 건강을 해치는 짠 음식의 해로움이 자주 등장합니다. 우리나라 나트륨 소비량은 세계보건기구 권장 소비량의 2배나 된다고 합니다.

"소금을 많이 섭취하면 염분이 위벽을 자극해 세포 점막이 손상됩니다. 그러면 암세포가 생겨날 수 있습니다. 또한 삼투압 작용으로 몸(세포)에서 혈관으로 수분이 빠져나갑니다. 혈관의 늘어난 수분은 혈압을 상승시켜서 고혈압이 됩니다. 고혈압은 뇌혈관 질환의 원인입니다."

당연히 맞는 말이긴 합니다. 그러면 권장량보다 많은 염분을 섭취하는 우리나라 국민이 권장량을 지키는 나라의 국민보다 건강하지 못할까요?

미국의 주간지 블룸버그의 '2019 건강 국가지수(Healthiest Country Index)' 인용 자료를 보면 우리나라는 17위 자리를 잡고 있었습니다.

일본은 나트륨 소비량이 우리나라와 비슷합니다. 일본은 4위입니다. 영국과 미국은 나트륨 소비량이 우리보다 적습니다. 영국은 19위, 미국은 35위입니다.

짜거나 매운 음식이 건강에 좋지 않다고 하는 것은 통상 역학 조사 방식에 근거한 것입니다. 즉, 어떤 질병에 걸린 사람들을 대상으로 먹는 음식들을 조사해 봅니다. 보통의 평균적인 사람보다 짜거나 맵게 먹는다는 사실을 발견합니다. 이를 토대로 이런 음식들이 그 질병을 유발한다는 결론을 도출해 냅니다.

하지만 초점의 방향만 바꾸면 오히려 정반대의 결과가 나올 겁니다.

'사람들이 짜거나 맵게 먹는 이유는 그 음식을 먹어야 할 필요성 때문이다.'

'애디슨병'이라는 질병이 있습니다. 부신이 부신피질호르몬을 제대로 생성하지 못하면서 생겨난 질환입니다. 그런데 이 병에 걸리면 혈압이 급격히 떨어지고 염분이 부족해지면서 짠 음식을 찾게 된다고 합니다. 즉, 본인 스스로가 살기 위해서 짠 음식을 찾게 된다는 말이지요.

짠 음식이 오히려 건강에 좋다는 연구 결과도 있습니다. 미국의 알버트 아인슈타인 의과대학(Albert Einstein College of Medicine) 마이클 앨더만 교수는 "고혈압 예방을 위해 저나트륨 정책을 펼쳐왔으나 소금 섭취를 줄이면 오히려 심장혈관 질환과 사망률 등 건강 위험도가 증가한다."라고 밝혔습니다. 그는 성인의 하루 적정 나트륨 섭취량으로 2.5~5.0g을 제시했습니다.

우리나라와 WHO의 하루 나트륨 권장량은 2g인데, 2014년 기준 우리나라 성인의 하루 나트륨 소비량은 4.5g입니다. 앨더만 교수는 "한국의 경우 현재 나트륨 섭취량은 적정하다." "나트륨 섭취량을 줄이면 오히려 건강에 해로울 수 있다."라고 하며 소금 섭취 감소 정책에 대한 반대주장을 펼쳤습니다.[16]

이 외에도, "섭취량을 2.0g 이하로 줄이면 심혈관 질환 사망률이 37%까지 늘었다.", "소금을 많이 섭취한 고혈압 환자군이 그렇지 않은 환자군보다 심장마비가 일어날 위험이 4배나 낮게 나타났다.", 또는

---

16) 대한급식신문. 2015.09.04. 참고.

"소금 속 나트륨 섭취는 고혈압 유발과 큰 관련성이 없는 것으로 나타났다." 등등 소금의 유해성 통념을 뒤집는 연구 결과도 많이 나옵니다.[17]

하지만 이런 연구는 소금 섭취량 측정 방식에 문제가 있다거나, 이 연구의 책임자들이 식품회사로부터 지원을 받고 있다는 등의 이유로 연구 신뢰성에 의심과 비난을 받기도 합니다.

여하튼 우리나라의 나트륨 소비량은 점차 줄어드는 추세입니다. WHO의 하루 나트륨 권장량에 가까워지고 있습니다. 그런데 만성질환자들은 점점 늘어나고 있습니다. 그러니 이들 연구의 신뢰성 문제를 떠나서 섭취량의 적정성 여부는 재고할 필요가 있어 보입니다.

짠 음식으로 몸이 상할 정도가 되면 몸은 자동으로 짠 음식을 거부하게 되어 있습니다. 그리고 염분에 의해 혈압이 높아지는 것은 당연한 인체 반응입니다. 인체의 방어기제가 작동했기 때문입니다. 짠 음식으로 혈압이 높아진다면 컨디션이 저하됩니다. 그러면 몸은 자동 짠 음식을 거부하게 되어 있습니다.

과도한 음주 상태나 여타의 다른 이유로 몸의 감각이 상당 부분 상실된 상태가 아닌 한 그렇습니다. 입맛은 답을 알고 있습니다.

단맛 역시 마찬가지입니다. 당뇨 진단이 나오면 일단 단 음식을 먹지 말라고 합니다. 저는 가끔 단 음식을 일절 먹지 않을 때가 있습니다. 단 음식이 당기질 않기 때문입니다. 대신 물은 많이 당기더군요. 이때 혹시라도 달게 먹게 되면 컨디션이 안 좋아집니다. 아마도 그 상황에서 당뇨 검사를 했다면 당뇨병 진단이 나왔을지도 모르겠습니다. 그런 경우 등산을 한다거나, 숨이 적당히 헐떡거릴 정도로 걸어주거나, 힘쓰

---

17) 한국일보. 2015.08.24. 참고.

는 일을 하면서 물을 충분히 마셔주면 이내 좋아지더군요. 하지만 어떨 때는 크림이 듬뿍 들어 있는 달달한 빵을 즐기기도 합니다. 그러고 나면 기분도 좋아지고 육체적 컨디션도 좋아집니다.

당뇨병이 있다고 무조건 달게 먹지 않는 것은 올바른 섭생은 아니라 여겨집니다. 당분에 연연하지 말고 단 음식이 좋은지 싫은지를 따져봐야 합니다. 물론 섭취한 후 컨디션 살펴보는 것을 잊으면 안되겠죠.

당뇨가 있는 분 중에는 단 음식을 먹어야 컨디션이 좋아지는 경우가 많이 있습니다. 그런 분들은 오히려 달게 먹어야 병에서 나을 수 있습니다. 달게 먹어야 혈액 안의 당분을 조절해 주는 몸의 기능을 되살릴 수 있다는 말이지요. 몸에서 필요한 것을 섭취하라고 신호를 보낸 것입니다.

그래도 기분이 찝찝하다면 섭취 후에 적당한 운동을 하면 됩니다. 당뇨 치료에는 운동만 한 것이 없습니다. 특히 유산소 운동이 좋습니다. 좀 힘들 수는 있을 겁니다. 수고로움을 조금만 감수하고 운동하시길 바랍니다. 한 100일 정도 꾸준히 하셔서 습관을 들이면 그때부터는 운동이 수월해집니다. 조금 인내하면 앞으로 남은 생을 보다 더 건강하고 즐겁게 보낼 수 있습니다.

운동하기 귀찮으니, 약에 의존합니다. 제약회사는 좋아합니다. 그래서 약과 관련된 사업자들은 내심 운동하는 걸 바라지 않습니다.

살다 보면 어떤 문제에 봉착할 때가 많습니다. 그 문제점을 살펴보면 단순하게 한 가지 이유만으로 생기는 일은 잘 없습니다. 어떤 문제이든지 그 문제의 원인을 알아볼 때는 여러 가지 다양한 각도의 살핌이 필요합니다.

건강 문제를 살펴볼 때도 고려해야 할 것이 무척 많습니다. 단순하게 섭취량만을 가지고 따질 것은 아닙니다. 식사를 대부분 화학조미료나 인공감미료를 많이 사용하는 식당에서 해결하는지, 인스턴트 음식이나 패스트푸드 같은 정크 푸드의 섭취는 얼마나 되는지 등을 봐야 합니다.

또한 항생제나 소염제와 같은 의약품의 남용은 없는지, 과다한 알코올 섭취나 일의 과중 정도는 어떤지, 수면 시간이나 생활환경은 어떤지 등을 살펴야 합니다. 또한 운동량이나 운동의 종류 등도 고려해야 합니다. 왜냐하면 오히려 몸을 망치는 운동도 많기 때문입니다.

건강검진이 잦다면 검진 중에 노출되는 방사선 피폭량[18] 등도 고려해야겠지요. 방사선은 암을 유발하는 가장 큰 원인 중 하나입니다. 고급 검진(정밀 검진)을 한번 할 때의 피폭량은 방사선 관련 직업을 가진 사람의 연간 노출 한도에 약 70%를 육박한다고 합니다. 아마도 이 사실에 놀랄 분들이 제법 있을 겁니다.

---

18) '빅5 병원'으로 불리는 서울아산병원, 삼성서울병원, 서울대병원, 연대세브란스병원, 서울성모병원의 건강검진프로그램을 분석한 결과 방사선 피폭량이 최대 32mSv(밀리시버트)가 넘는 것으로 나타났다.

원자력안전법상 일반인 대상 방사선량 한도는 1mSv이다. 기본검진에서는 5대 병원 모두 피폭량이 1mSv 내외였으나, 암 정밀검진·프리미엄검진·숙박검진 등 고가의 검진을 받을수록 피폭량이 급격히 증가했다.

서울아산병원의 아산프리미엄멤버십 검진은 피폭량이 32mSv에 달했다. 삼성서울병원은 4개의 검진프로그램에서 기본항목 외에 추가검사 항목을 택할 경우 피폭량이 최대 27mSv였다. 서울대병원의 숙박검진은 최대 피폭량이 25mSv였고, 서울성모병원의 명품건강검진 프로그램 최대 피폭량은 24mSv였다. 연대세브란스 병원은 기본검진에서 추가항목을 모두 택할 경우 피폭량이 최대 23mSv에 이르렀다.

의료방사선 피폭량의 세계 평균은 0.6mSv이고 국가별로는 미국 3mSv, 독일 1.9mSv, 영국 0.41mSv 정도다. 또 방사선 직업종사자에 대해서도 원자력안전법은 연간 피폭량이 50mSv, 5년 동안 100mSv를 초과하지 않도록 하고 있다.

빅5 병원의 고급 검진을 한번 하는데 입는 피폭량이 방사선 직업종사자의 연간 노출 한도의 3분의 2에 해당하는 셈이다.

-'고가건강검진, 방사선 피폭 기준치 30배'. 경향신문. 3013.10.14.-

현대는 식품의 대량 생산이 일상화되어 있습니다. 그 와중에 사람들의 입맛을 일반화하고 대량소비를 현혹하는 조미료나 화학적 첨가물들이 난무합니다. MSG나 맛소금, 인공감미료인 사카린 같은 조미료를 비롯해 화학적 첨가물들은 인체의 보이지 않는 에너지 시스템들을 교란합니다. 신경계와 내분비 계통을 아주 서서히 파괴합니다. 이는 느리게 진행되어 눈에 띄게 드러나지 않습니다.

좋지 못한 음식 첨가물의 독소는 서서히 몸에 축적됩니다. 독소들이 몸에 축적될수록 마음은 거칠고 혼탁해집니다. 거칠어지고 혼탁해진 마음은 더 자극적인 감각을 쫓아갑니다. 그러면서 몸과 마음의 건강함을 점점 더 잃어 갑니다.

물과 기타 음식 섭취법에 대해서

물 마시는 것도 사람에 따라서 천차만별입니다. 이것은 각자의 체형(몸집)과 인체 내에서 자체 생산되는 대사수[19]의 양 그리고 땀이나 소변, 대변 기타 수증기를 통해서 외부로 배출되는 양이 서로 다르기 때문입니다. 그럼에도 계량적인 평균값을 정해서 어느 만큼은 마셔야 한다고 주장합니다. 보편적으로 2리터 정도[20]로 알려져 있더군요.

---

19) 대사수: 섭취한 음식이 소화 흡수과정을 거쳐 최종적으로 세포내에서 에너지화 될 때 분해되면서 나오는 수분입니다. 사막 등의 건조지에 살아가는 동물과 새들이, 많은 부분 이 대사수(代謝水)에 의존하여 살아가고 있다고 합니다.

20) 이것은 1945년 미국 국립연구위원회 식품영양위원회(Food and Nutrition Board)에서 성인에게 매일 8잔(2L)의 물이 좋다는 권장 사항에서 비롯됐다고 합니다. 8잔은 물이 아닌 일일 총수분 섭취량을 말하는 것입니다. 이를 매일 '물만' 8잔 마셔야 한다는 의미로 잘못 해석한 것이지요. 물 섭취량은 연령, 성별, 체격, 신체 활동 수준 및 거주하는 기후와 같은 요인에 따라 달라집니다. 듀크대의 진화 인류학과 글로벌보건 교수인 허만 폰처는 "하루에 8잔의 물을 마시는 것은 다만 화장실에서 훨씬더 많은 시간을 보내게 된다는 의미일 뿐이다"고 설명합니다. 코메디 닷컴 2022. 12. 8. 참고.

저의 경우에는 더울 때, 땀 흘리는 운동이나 거친 일을 할 때 말고는 물을 잘 마시지 않는 편입니다. 특히 날이 추울 때는 '물'만 봤을 때, 하루 한 컵 분량 조차 마시지 않는 경우도 많습니다. 필요 이상 물을 많이 마시면 컨디션이 안 좋아지고 힘을 쓰기가 어려워집니다. 한겨울에 움직임이 매우 적을 때는 커피나 국, 채소, 과일에 포함된 수분의 섭취량을 다 해도 하루 1리터 약간 넘길 정도 되지 않을까 싶습니다.

 인체에 물이 부족해지면 혈액의 농도가 높아집니다. 그러면 세포 속의 수분이 혈관으로 빠져나가 세포가 제 기능을 하지 못하므로 건강이 나빠집니다. 하지만, 물을 과하게 마셔도 문제는 발생합니다. 수분 섭취가 과해지면 혈액의 농도가 낮아집니다. 그러면 수분이 혈관에서 세포 내로 이동하겠지요. 전문가들은 "세포가 물을 너무 많이 흡수해 부풀면 중추신경계 부종, 근육 약화, 전신 경련이 생깁니다. 심해지면 혼수상태가 될 수도 있고 생명까지 위독해질 수 있습니다."라고 경고합니다.
 2002 보스턴마라톤 대회 때 하버드의대 연구팀이 488명의 완주자 혈액 샘플을 살펴보았다고 하는데요, 그 결과 13%가 저나트륨혈증이었다고 합니다. 이 중 3명은 생명에 위험을 느낄 정도로 위험한 상황이었답니다.[21] 저나트륨혈증은 물을 너무 많이 마셔 나타난 현상입니다.
 과도한 수분 섭취에 대한 부작용은 특히 조현병 환자에게서 많이 생긴다고 합니다. 우리나라에서는 2000년부터 물 중독으로 사망하는 조현병 환자 관련 연구를 시작했다고 합니다. 즉 과도한 물 섭취로 인한 '저나트륨혈증'에 대한 연구가 진행되는 중입니다.

 정리해 보자면, 기본적으로 물은 부족하지도 넘치지도 않게 적당히

21) '여름철 수분 섭취 지나치면 독이 된다.' 동아일보. 2020. 6. 20. 참고.

섭취해야 합니다. 물 마시는 양은 상대적입니다. 물을 많이 마시면서 건강하게 살 수도 있습니다. 물을 적게 마시면서 건강하게 살 수도 있습니다. 수분의 유입, 생성, 그리고 배출 등의 여러 이유에서 물을 마셔주어야 할 적정량은 모두 다릅니다.

우리가 사는 지구라는 행성에는 습지도 있고 건조지대도 있습니다. 습지는 습지대로 건조지는 건조지대로 건강한 생태계를 유지하고 있습니다. 개인마다 마시는 물의 양이 다름도 이와 같은 이치라고 생각됩니다. 적정량을 정해놓고 억지로 물을 마시면 십중팔구는 몸에 이상이 생기게 됩니다. 제가 만일 하루 2리터 정도의 물을 마신다면 정말 곤란해질 겁니다.

결론적으로, 물은 마시고 싶을 때, 마시고 싶은 만큼만 마시면 됩니다. 우리 몸은 수분의 적정 여부를 자동으로 판단하고 관리하는 시스템이 구축되어 있습니다. 몸이 물을 원하지 않으면 마시지 않아도 됩니다. 물을 마시고 싶은데 마시지 않는 경우나, 마시고 싶지 않은데 마시는 경우나 모두 건강에는 별 도움이 되진 않습니다.

육류나 기름진 음식 역시 마찬가지입니다. 저는 육류나 기름진 음식을 거친 음식이라고 표현합니다. 이 거친 음식들이 필요할 때가 있습니다. 힘을 많이 쓰며 몸을 거칠게 움직이는 분들이 그렇습니다. 하지만 육체적 활동이 약한 분들이라면 재고해 봐야 합니다.

비유하자면 차량 용도에 따라서 다른 연료를 사용하는 것과 같습니다. 힘이 좋고 진동이 큰 디젤 기관의 자동차는 경유를 사용합니다. 상대적으로 힘은 약하지만 진동과 소음이 적은 가솔린 기관의 자동차에는 휘발유를 사용합니다.

왕성한 육체 활동은 기세 좋게 타오르는 장작불에 비유할 수도 있겠습니다. 화력이 좋게 활활 잘 타오르는 장작불에는 젖은 나무(거친 음식)를 집어넣어도 잘 탑니다. 하지만 장작불의 기세가 약할 때(육체 활동이 왕성하지 못할 때) 젖은 나무는 화력에 도움이 되지 않습니다. 오히려 매캐한 연기(독소)만 더 나오게 할 뿐입니다.

육류 역시 개인마다 맛의 기호가 다를 것이니 각기 자신의 기호에 맞는 음식을 섭취해야 합니다.

과식과 찬 음식 주의하기

음식 먹는 법에 관해서 정말로 중요한 것이 있습니다. "과식하지 말기!" 연세 드신 분들은 잔치 다음 날 세상을 떠나시는 경우가 많습니다. 과식해서!

절제를 잘 못하고 습관적으로 과식을 하는 분들이 있습니다. 이런 분들은 심리적 스트레스를 먹는 것을 통해 보상받고 해소하려는 경우가 대부분입니다.

어찌 보면 과식은 어떻게든 살아보려는 본능적인 행동일 수 있습니다. '이독치독(以毒治毒)'의 경우이지요. 그런데 치료하는 독이 강하면 진짜 독이 되는 법입니다.

이 경우에 심리적 불편함을 덜어 주는 다른 흥미 거리를 찾는 일이 필요합니다. 가장 좋은 것은 바른 운동을 꾸준히 하는 겁니다. 그러면 인체 에너지의 흐름이 원활해집니다. 활력도 충전됩니다. 건전한 몸이 됩니다.

몸이 건전하면 심리적 스트레스의 방어기제가 잘 작동합니다. 육체 시스템 자체의 통제와 절제 기능도 자연스럽게 작동합니다. 마음도 안정됩니다. 그러면 과식 같은 자기파괴 행위는 하기 어려워집니다.

차가운 음식과 음료는 될 수 있는 한 삼가야 합니다. 현대인의 질병 대부분은 차가워진 몸 때문에 생겨납니다. 냉장된 찬 음식이 위장으로 직행하면 몸속은 냉기로 인해서 경직됩니다. 경직되면 신진대사를 비롯한 혈액이나 림프액, 신경의 흐름 등 몸의 순환에 지장이 생깁니다. 문제가 시작됩니다.

인간의 체내 온도는 약간의 개인 차이는 있지만 36.5도를 유지하고 있습니다. 아마도 인체는 이 온도에서 최적의 상태를 유지할 수 있기 때문이겠지요. 체내 온도가 찬 음식으로 인해 부분적으로 급격하게 떨어지면 좋을 리 없습니다.

또한 찬 음식이 입천장을 통과할 때 뇌혈관을 수축시킨다고 하는데요. 그러면 뇌 활동에도 당연히 영향을 미치겠지요.

하지만 외부의 과한 열기가 몸의 내부까지 뜨겁게 한 경우라면 차가운 음식으로 몸을 식혀주는 것도 필요합니다. 이때는 목을 통해 들어오는 숨이 덥게 느껴집니다.

무더운 여름철 시원한 커피숍에 있을 때, 좀 지나면 에어컨의 냉기가 몸속까지 침범합니다. 그러면 목을 통해서 들어오는 숨이 서늘하게 느껴집니다. 이때는 따뜻한 음료를 마셔야 에어컨 바람을 통해 몸속으로 들어오는 냉기를 상쇄시킬 수 있습니다.

내 몸속으로 들어오는 숨이 서늘한지 어떤지 구분이 어려울 수 있습니다. 그만큼 몸의 감각이 둔감해져 있다는 뜻입니다. 여름철, 몸속까지 더운 상태인지 서늘해진 상태인지 도저히 잘 모르겠다고 했을 때는 다음 사항을 지키기를 권합니다.

한여름 무더운 외부에 있는 경우라면 시원한 음료도 좋습니다. 단, '천천히' 마셔야 합니다. 에어컨 바람으로 시원한 실내에 있다면 무조건 따뜻한 음료를 선택하시길 바랍니다.

음식 관련 섭생법은 어렵거나 복잡하지 않습니다. 그저 '관심과 주의'

만 기울이면 누구나 알 수 있습니다. 지금부터라도 잠시 입맛의 변화를 살펴보시길 바랍니다. 아마도 몸 컨디션에 따라서 조금씩 달라짐을 알게 될 겁니다. 그럼 조만간 쉽게 터득할 수 있습니다.

입맛에 대한 숙고와 성찰은 음식 먹는 법을 알게 합니다.
몸에 대한 숙고와 성찰은 몸을 알게 합니다.
마음에 대한 숙고와 성찰은 마음을 알게 합니다.

> 큰 법은 쉽고 간단해. 밥 먹고 숨 쉬는 것 누가 가르쳐 줬나?
> 지식을 쌓으려고 하지 말고 이치를 알아야 해.
> 큰 줄기를 알면 잔가지야 절로 달려오지
> - 김춘식[22] -

넷, 바르게 운동하기

앞서 언급한 숨 잘 쉬기, 잠 잘 자기, 그리고 올바르게 먹는 것을 잘하기 위해서는 운동이 중요합니다.

운동을 하지 않으면 숨쉬기가 부실해지기 쉽습니다. 깊이 잠자는 것이 어려워집니다. 또한 운동량이 부족하면 몸이 둔감해집니다. 그러면 입맛 역시 둔감해져서 자신에 맞는 음식을 찾아 먹는 것도 어려워집니다. 질병 예방에도 운동만큼 좋은 것은 없습니다.

운동이 신체의 건강 유지에 좋다는 것은 이미 널리 알려진 사실입니다. 그뿐 아니라 신체활동은 머릿속 혈류량을 증가시켜 주기 때문에 뇌 건강에도 좋습니다.

운동은 사고와 감정에 중요한 역할을 하는 세로토닌, 노르에피네프린,

---

22) 「오행생식요법」저자. 현대 오행섭생 체계를 완성해 놓았습니다.

도파민 등 신경전달 물질23)의 분비를 촉진 시킨다고 합니다. 또한 뇌의 신경세포와 신경세포를 이어주는 시냅스를 건강하게 하여 뇌 기능이 향상되며 전두엽과 해마를 발달시켜 준다고 하지요. 전두엽이 발달하면 의사결정, 멀티태스킹 능력24), 집중력, 계획 능력 등이 좋아집니다. 그리고 해마가 발달하면 장기적인 기억과 공간개념, 감정적 행동을 조절(충동 억제력)하는 능력이 좋아집니다.

 우리의 머릿속에는 천억 개가 넘는 뇌 신경세포가 있다고 합니다. 이들 세포와 세포를 연결하는 신경회로는 수백조 개가 있구요. 1990년대 후반 이전에는 성인의 뇌세포는 평생 조금씩 소멸하는 걸로만 알려져 있었습니다. 하지만 지금은 뇌세포도 계속 생성된다는 것이 정설로 자리 잡았지요.
 우리의 뇌는 '신경가소성'이라는 탄력적인 성질을 가지고 있습니다. 뇌세포를 연결해주는 회로들은 고정되어 있지 않고 상당히 유동적이라는 의미이지요. 이 회로들이 유동적일수록 창조적 사고의 역량은 커집니다.
 적절한 운동은 뇌세포를 새롭게 생성시키거나 뇌의 신경회로망을 건강하고 유동적으로 유지하는 데 아주 요긴합니다.
올바르게 운동합시다.

운동할 때 고려할 중요한 세 가지

 운동할 때는 '순환', '정렬(균형)', '강화' 이 세 가지를 꼭 기억해야

---

23) 신경전달물질과 호르몬은 동일한 화학물질이라고 합니다. 신경전달물질은 신경의 말단에서 분비됩니다. 신경계에서 뉴런(신경세포)과 뉴런 사이를 이동하면서 정보전달에 관여합니다. 호르몬은 내분비계의 분비세포에서 분비됩니다. 혈류를 따라 다니면서 표적기관에 도달해서 영향을 미칩니다.
24) 여러 가지 일을 동시에 수행하는 능력

합니다.

(ㄱ) 순환

인체 안팎 구석구석의 에너지 흐름을 좋게 하는 것은 매우 중요합니다. 그러기 위해서 그에 맞는 적절한 움직임이 필요합니다.

구석구석 에너지 흐름, 다시 말해서 혈액의 흐름을 좋게 하는 것은 인체의 정화(노폐물 배출, 해독)와 관련 있습니다. 또한 신경과 호르몬, 면역 계통, 신진대사의 기능을 좋게 하는 것과도 관련 있습니다.

이상적인 순환 상태를 유지하기 위해서는 몸의 외적인 부분뿐만 아니라 내장 부분, 손끝부터 발끝까지 몸 구석구석을 고르게 잘 움직여야 합니다.

이러한 운동을 간단하게 설명한다면,

* 몸을 유연하게 할 수 있는 '하타요가25)' 같은 스트레칭을 합니다. 스트레칭 중에는 바로 눕고, 모로 눕고, 엎드리고, 앉고, 서고, 거꾸로 서고, 하는 동작 들을 고르게 합니다. 그럼으로써 평소 중력의 영향이나 자세에 의해 제한되고 정체됐던 혈액이 잘 흐를 수 있게 합니다. 또한 내장 부분을 자극할 수 있게 움직여 줍니다.

* 손끝과 발끝을 포함해서 전신을 두드려 줍니다. 방법을 간단히 소개하자면 다음과 같습니다.

→ 손끝으로 머리 부분 두드리기

→ 얼굴 두드리기(화장하듯이)

---

25) 요가는 종류가 무척 다양합니다. 요가의 의미는 우리나라에서 '도 닦는다.' 할 때 그 도의 의미와 비슷한 듯합니다. 하타요가는 요가 중에서 몸으로 행하는 요가를 말합니다. 우리나라에서 행해지는 요가는 대부분 하타요가입니다.

→ 귀 두드리고 꼬집고 문지르기

→ 목 두드리기

→ 양팔(어깨, 겨드랑이, 손끝 포함) 두드리기

→ 손끝으로 가슴 부분 두드리기

→ 손가락 모아 복부 부분 두드리기

→ 허리(신장 부분) 두드리기

→ 허벅지(위, 아래, 대퇴부) 부분 두드리기

→ 정강이, 종아리 부분 두드리기

→ 발등 두드리기

→ 손바닥으로 발바닥 치기

* 인체의 각 관절 부분을 움직이며 자극합니다.

→ 손가락, 손목, 팔꿈치 관절 움직이기

→ 어깨 관절, 견갑골 움직이기

→ 발가락, 발목, 무릎 관절 움직이기

→ 골반관절(고관절) 움직이기, 엉치엉덩 관절 자극하기

→ 척추관절(목뼈, 등뼈, 허리뼈, 엉치뼈, 꼬리뼈) 자극하기.

보통은 걷기 운동을 많이 추천합니다. 운동하지 않는 것보다는 걷는 것이 백번 천번 좋습니다. 하지만 변화 없이 걷기만 하는 것으로는 이 책에서 원하는 이상적인 순환 효과를 보기 어렵습니다. 또한 과도하게 오래 걸으면 득보다는 실이 더 클 수도 있습니다. 걷기 운동할 때는 과하지 않게, 그리고 꼭 스트레칭 운동을 병행하기를 권합니다.

한편, 몸의 순환은 주변과의 소통, 그리고 삶의 융통성과 관계가 있습니다. 삶의 자연스러움과도 관계합니다.

(ㄴ) 정렬(균형)

인체의 순환 시스템은 근골이 바를 때 더욱 잘 작동합니다. 몸과 마음의 이상적인 상태는 근골을 바르게 유지할 때 더 잘 찾아옵니다.

운동할 때는 인체가 한쪽으로 치우침 없도록 해야 합니다. 전체 움직임은 상하좌우가 균형 잡혀야 합니다. 여기서 아주 중요한 것은 '좌우 상하 균형'이라는 말입니다. 좌우의 불균형은 좌우 혈압 차이를 유발합니다. 좌우의 불균형이 심할수록 질병에 걸리거나, 약해지거나 다칠 확률은 높아집니다.[26] 혈압의 상하 차이도 틀림없이 질병과 관련 있지만 아직 상하 혈압을 나누어 재는 것은 보지 못했습니다. 그러니 몸의 균형을 깨는 치우친 운동들은 피하는 것이 좋습니다. 골프, 테니스, 스쿼시, 야구, 볼링, 펜싱 등등이 그 예라 하겠습니다.

저는 예전 탁구나 배드민턴을 칠 때 양손 모두 채를 들고 치거나 이 손 저 손 옮겨가며 치곤 했습니다. 치우친 운동은 안 하느니만 못합니다. 그렇더라도 피치 못하게 치우친 운동을 할 수도 있습니다. 그러면 반드시 치우침의 강도만큼 다시 정렬 시켜주는 운동을 꼭 병행해야 합니다.

특히 남에게 보여 주기식의 운동이나 승부와 관련된 운동은 몸을 많이 틀어지게 합니다. 스포츠 선수들 대부분이 통증에 시달리고 있다는 사실을 생각해 볼 필요가 있습니다.

---

26) 혈압이 정상인 사람은 양쪽 팔의 최고 혈압 차이가 5mmHg 이상일 때 향후 8년 사이에 심장병으로 사망할 위험이 2배 높으며 모든 원인에 의한 사망위험도 약1.6배 높습니다. 혈압이 높은 사람은 양쪽 팔의 수축기 혈압(최고 혈압) 차이가 5~10mmHg일 때 심장병에 의한 사망위험이 약 6배, 모든 원인에 의한 사망위험이 2.5배 높은 것으로 나타났습니다. 이것은 영국 엑시터(Exeter)대학 의과대학의 크리스 클라크 박사 연구팀이 심장병 없는 3,350명(50~70세) 대상으로 8년간 조사 분석 결과이며 이 결과는 영국의 저널(Journal of General Practice) 최신호(4.15)에서 발표한 것입니다. 연합뉴스. 2016.4.16. 참고.

반복해서 말하지만, 치우친 운동을 하고 나면, 반드시 치우침을 조정해야 합니다. 그렇지 않으면 틀림없이 몸이 반란을 일으켜 후회할 일이 생깁니다.

정렬과 관계있는 운동으로는 요가(하타요가)나 국민체조, 일반 스트레칭 운동[27], 필라테스, 바르게 걷기 등을 예로 들 수 있겠습니다.

인도의 '하타요가'는 더없이 좋은 운동입니다. 유연성이 떨어지는 분들은 좀 고통스럽겠지만 잘만 극복해 내면 요가를 통해 얻어지는 이익은 상당하지요. 요가는 정신적인 안정감을 얻는 데도 큰 도움이 됩니다. 그러나 인체의 역동적 능력은 오히려 약해질 수 있으니 참고할 필요가 있습니다. 역동적 능력이란 인체의 순간적 대처 능력을 말합니다.

요가의 스트레칭은 몸의 관절 부위나 근육 등은 부드럽게 해줍니다. 반면에 신축성이나 탄력, 순발력은 약하게 할 수 있습니다.

길을 가다가 발을 헛디딜 때가 있습니다. 이때 몸은 반사적으로 헛디디는 발을 순간적으로 강하게 딛습니다. 자빠지거나 할 때도 있습니다. 이때면 몸은 넘어지면서 반사적으로 순간 손으로 짚습니다. 살다 보면 몸을 빠르게 가동해야 할 때가 종종 있습니다. 이때는 힘을 순간적으로 강하게 써야 합니다.

인대나 근육의 신축성이나 탄성이 약하면 순간적으로 강한 힘을 쓰기 어렵습니다. 순간 힘을 쓰게 되면 힘 받는 부위의 부상 위험이 큽니다. 그러니 가능한 역동적인 운동을 병행해서 요가식 스트레칭의 부족한 부분을 보충할 필요가 있습니다.

---

27) 여러 해 전 출간된 졸저 '영혼을 살리는 몸'이란 책에 몸을 바르게 하는 방법에 대해서 자세히 설명한 바 있습니다.

필라테스 운동의 핵심은 몸을 바르게 정렬시키는 것입니다. 그러나 현대에는 정렬보다는 강화에 초점을 두는 경향이 있습니다. 몸매를 예쁘게 만들려는 욕망과 맞물리면서 그리된 듯합니다. 강화에 집중하면 혈관 주변 근육이 경직되어 순환에 지장이 생깁니다.

건강 측면에서 필라테스 운동은 근골격계의 건강에 상당한 도움이 될 수 있습니다.

걷기 운동은 다리가 뒤로 갈 때 뒷다리 골반 부위를 스트레칭으로 쭉 뻗어주어야 합니다. 그러면 자연스럽게 뒷발 엄지발가락 부분에 힘이 많이 갑니다. 앞발을 디딜 때는 발 바깥 부위 쪽으로 힘이 쏠리지 않도록 발바닥 면이 고르게 바닥에 닿게 합니다. 팔을 앞뒤로 힘차게 움직여 주면 더 좋습니다.

하지만 오래 걷는 것은 득보다 실이 클 수 있습니다. 사람들은 대부분 골반이나 척추가 조금씩 틀어져 있습니다. 이를 인식하지 않은 채 집중적으로 많이 걸으면, 틀어져 있는 상태를 더 고착시킬 수 있기 때문입니다.

한편, 정렬(몸의 균형)은 마음의 중심을 유지하는 것과 관계가 있습니다. 마음이 중심을 잘 잡고 있다는 것은 곧 중용의 정신과도 통합니다. 중용은 삶을 자연스럽게 유지하는 힘이요, 기본입니다.

또한 몸의 정렬은 앞에서 말한 인체 에너지의 효율과도 관계합니다. 몸이 비틀어져 있으면 에너지가 산만해집니다. 에너지를 효율적으로 사용하기가 어렵습니다.

(ㄷ) 강화

강화는 적당한 강도의 충격으로 몸을 자극하는 것을 말합니다. 근력과 심폐를 강화하거나 순발력을 좋게 하는 운동이 여기에 해당합니다.

에어로빅, 탈춤, 택견 품밟기, 태권도 품새, 댄스, 과격하지 않은 무예 등을 예로 들 수 있습니다.

근육이 약해지면 몸 움직이기가 힘들어집니다. 나이가 들어가면 근육은 점점 약해지고 움직이기도 점점 힘들어집니다. 그러니 조금씩이라도 근육을 강화하는 운동을 해야 합니다.

근력은 기본적으로 팔과 허리, 배 그리고, 다리 부위를 강화해야 합니다. 팔과 허리의 힘 기르기는 팔굽혀펴기로, 배 힘 기르기는 윗몸일으키기를 하는 게 간단하고 좋습니다. 다리 힘은 굳이 따로 시간을 낼 것 없이 일상에서 계단을 이용하면 됩니다. 시간을 낼 수 있다면 바른 스쿼트 운동28)이나 버티기 자세29)를 틈틈이 합니다.

집중적으로 근육 강화만을 위한 헬스는 가급적 삼가합니다.

에어로빅이나, 탈춤, 태권도 품세, 일반 무예 등은 좀 과격합니다. 그래서 연세 드신 분이나, 쇠약한 사람들은 어려울 수 있고 부상 위험도 있습니다. 이러한 분들이라도 동작을 순화해서 한다면 좋습니다.

택견의 품밟기는 남녀노소 누구나 즐길 수 있습니다. 육체적 건강뿐 아니라 심리적 건강에도 상당히 좋습니다. 품밟기는 또한 정신을 고양시키는 데도 좋습니다.

심장과 폐는 유산소 운동을 통해 강화합니다. 유산소 운동이란, 폐로 산소를 많이 받아들이고 심장을 적극적으로 움직이게 해서 온몸에 산소를 충분히 공급해 주는 운동을 말합니다. 달리기, 러닝머신, 등산, 줄

---

28) 하체 힘을 기르는 운동입니다. 온라인상에 동영상을 비롯한 자세한 설명이 많이 소개되어 있으니 참고 바랍니다.
29) 다리를 어깨보다 좀 넓게 벌리고 서서 양손을 앞으로 나란하게 한 상태로 천천히 앉되, 반쯤 앉은 상태로 버티기.

넘기, 제자리 뛰기 등이 유산소 운동입니다. 이 운동은 인체에 필요한 산소와 영양소를 효과적으로 공급해 줍니다. 인체에 쌓인 피로물질인 노폐물을 잘 배출 시킬 수 있게 도와줍니다.

장거리 마라톤은 특별히 타고난 소수를 제외하면 오히려 독입니다.

근력과 심폐의 활력 그리고 순발력을 동시에 강화하는 운동으로는 에어로빅, 탈춤, 댄스, 무예 등을 예로 들 수 있겠군요. 그런데 에어로빅이나 탈춤은 보통 좌우 움직임이 똑같지만, 댄스나 무예는 그렇지 못한 경우가 많습니다. 그러니 댄스나 무예를 할 때는 좌우 움직임의 배분에 신경을 써야 합니다. 이러한 운동들은 다소 격렬하니 각자의 몸 상태나 조건에 맞게 적절한 조정이 필요합니다.

다시 강조하지만, 운동할 때는 '신체 좌우와 상체 하체 움직임의 균형'을 꼭 고려해야 합니다.

몸이 차가워지면 경직되고, 몸이 경직되면 순환에 장애가 생깁니다. 순환에 장애가 생기면 면역기능이 약해집니다. 노폐물은 제대로 처리되지 않습니다. 그래서 쉽게 질병에 걸릴 수 있습니다. 암세포는 특히나 열을 싫어하고 차가운 환경을 좋아합니다. 그러니 몸에서 한기가 느껴질 때는 그대로 방치해선 안 됩니다. 옷을 껴입거나, 적극적으로 움직여서 몸에 열을 내어 냉기를 몰아내야 합니다. 강화 운동은 비교적 짧은 시간에 몸에 열을 내게 하는 운동입니다.

심장은 '열정과 추진하는 힘'이라는 에너지의 저장고입니다. 폐는 '의지와 결단하는 힘'이라는 에너지의 저장고입니다. 심장과 폐를 강화하는 운동은 열정과 의지 그리고 용기의 에너지를 키워줍니다.

열정과 의지, 용기는 창조적인 삶, 무언가를 새롭게 개척하는 에너의 근원입니다. 또한 삶의 부딪힘을 극복하게 하는 힘입니다.

이상의 세 가지 요소를 고려해서 적절한 운동을 하길 권합니다.
더불어 몸을 '이완' 시켜주기 위한 명상을 틈틈이 행한다면 병의 예방이나 치유를 위해서는 더없이 좋습니다.

몸의 성찰

사람들은 보통 건강이나 다이어트를 목적으로 운동하고 있습니다. 다이어트나 강화 측면만을 놓고 본다면 단순한 육체노동을 통해서도 충분합니다. 노동을 '운동'이라는 측면으로 생각해 보십시오. 육체노동을 하면서 소모하는 열량이나 근육의 움직임은 상당합니다.

운동의 본질적인 이유는 몸을 잘 성찰하기 위해서입니다.
몸을 잘 성찰한다는 것은 몸을 잘 인식한다는 의미입니다. 즉 몸의 반응이나 자극을 가만히 관찰한다는 의미이며, 몸의 상태를 잘 살펴야 한다는 의미입니다. 몸을 성찰하지 않고도 치우침 없는 운동(움직임)으로 건강한 몸을 유지할 수는 있습니다. 하지만 몸을 성찰하는 데 적극적인 관심을 둔다면 자기 몸 상태를 스스로 조절하는 방법을 터득할 수 있습니다.

이런저런 질병을 안고 삶을 살아가고 있는 사람들은 늘 약이 있어야 하고, 수시로 의사를 찾습니다. 약이나 의사를 찾지 않으면 불안합니다. 그러니 늘 약국이나 병원 근처에 있어야 하겠지요. 말이 주거의 자유지 더 이상 주거의 자유로움을 누리기도 어렵습니다.

몸을 성찰하면서 운동을 하면 자기 몸 상태를 스스로 조절해 내는 있는 힘이 생깁니다. 자주적으로 자기 몸을 돌볼 수 있습니다. 남의 손을 빌리지 않아도 됩니다. 이 능력은 심신의 건강뿐 아니라 내면의 성장에도 큰 도움이 됩니다.

몸을 성찰하다 보면 절실하게 느껴지는 것이 있습니다. 바로 '몸을 조화롭게 유지해야 할 필요성'입니다. 또한 마음과의 긴밀한 연관성 역시 확연히 느낄 수 있습니다.

자신의 몸에 가만히 귀를 기울여 보시기 바랍니다. 몸을 성찰하는 데 조금 투자해 보시길 바랍니다. 몸을 지금보다 조금이라도 더 건전하게 만들어 보시길 바랍니다. 몸이 건전해질수록 마음 역시 그만큼 더 건전해집니다. 몸이 건전해질수록 마음은 그만큼 더 평온하고 온유해집니다.

자연스러운 삶은 억지로 얻어지는 것은 아닙니다. 몸은 마음을 싣고 다닙니다. 마음이 건전한 몸에 실리면, 자연스러움은 말 그대로 자연스럽게 내 안에서 생겨납니다.

이 세상을 살아가는 동안 몸과 마음(정신)[30]의 연결고리는 확고합니다. 이 연결고리는 영혼으로 이어집니다.

삶이 자연스러워졌다는 것은 몸과 마음이 서로 조화를 이루었다는 증거이기도 합니다. 몸과 마음이 조화를 이루면 삶은 깊은 고요함과 평온함으로 채워집니다. 이 고요함과 평온함은 '자연스럽고 초연함'이라는 꽃의 씨앗입니다. 머지않아 그 씨앗은 향기로운 연꽃[31]으로 피어나게 될 것입니다.

---

30) 마음은 정신과 거의 동일하게 사용하는 것이 보통입니다. 구분한다면 마음은 감성 쪽에 좀 더 의미의 무게를 두는 반면, 정신은 지성 쪽에 좀 더 무게를 둔다고 이해하면 될 듯합니다.

31) 연꽃은 깨달음을 상징하는 꽃입니다. 진흙(육체)에 뿌리를 내리고 혼탁한 물(마음)을 가로질러 수면 위에 아름다운 꽃(영혼)으로 모습을 드러내기 때문입니다.

몸과 마음이 조화로울 때, 삶이 자연스러울 때, 내면이 고요함과 평온함으로 채워질 때, 여러분은 지금의 '나'보다 더 '심층적인 나'와 조우할 수 있습니다. 심층적인 나는 지금의 나보다 더 본질적입니다. 지금의 나를 초월해서 존재하는 나입니다. 그리고 그 '나'는 바로 '신성(神性)으로 이어지고 있는 나'입니다.

신은 어디 다른 곳에 있는 것이 아닙니다. 자기 몸 가운데 마음 안에 있습니다. '초월적인 나'는 마음 안에서 늘 함께하고 있습니다. '초월적인 나'를 인식할 수 있을 때, 이 '나'가 신성으로 이어지고 있음을 알 때, 신은 바로 내 안에 있음을 이해하게 됩니다.

하느님의 나라는 너희 가운데에 있다.
-예수 그리스도-

두 번째 이야기
건전한 몸을 위한 질병 성찰하기

활발하고 명료한 움직임을 유지하기 위해서는 몸이 건전해야 합니다. 병이 들어 몸이 아프면 활발하게 움직이기 어렵습니다. 명료함을 유지하기도 어렵습니다.

그러니 질병에 대한 적절한 예방이나 대처가 필요합니다. 질병에 대한 이상적인 예방법은 앞서 말한 '활발하고 명료한 움직임을 위한 실천법'입니다. 그리고 이상적인 대처법은 질병이라는 현상을 성찰하는 것입니다.

하나, 질병이라는 현상

쓰레기 더미를 무턱대고 땅에 묻어 덮어 버리면 당장은 깨끗해 보입니다. 하지만 이게 지속되면 머지않아 이 쓰레기로 인해서 심각한 문제에 직면하게 됩니다. 지금 인류가 처한 상황입니다.

소위 질병이란 마치 몸속에 쌓인 쓰레기가 고약한 냄새를 풍기는 현상입니다. 이러한 쓰레기는 덮기보다는 계속 냄새를 풍기게 해야 합니다. 그렇게 해야 상황의 심각함을 인식할 테니 말이지요. 심각성이 인식되면 더 이상 쓰레기를 함부로 버리진 못하겠지요.

몸의 어떤 부분에 이상이 생겼을 때, 단순하게 그 부분만의 병이라고 '단정'해서는 곤란합니다. 인간의 몸은 여러 가지 부분(신경계통, 내분비, 심혈관계통, 호흡계통, 순환계통, 근골격계통, 면역계통, 생식계통,

호르몬 계통 등)이 서로 얽혀 있습니다. 몸의 각 부분 들은 서로 긴밀하게 관계하며 유기적 공조 시스템을 유지하고 있습니다.

몸 어딘가에 문제가 발생하면 몸은 자체적으로 조용히 해결하려고 노력합니다. 각 부분들이 서로 공조하며 에너지를 주고받으며 문제를 조율합니다. 그러다 조용한 해결이 어려우면 다른 방법을 모색하기 시작합니다. 그 해결책의 일환으로, 취약한 곳에 이상 증상을 발현시킵니다.

질병이라고 알려진 증상들은 질병이라기보다는 스스로 회복하려는 자체적 활동인 경우가 많습니다.

우리 행성에는 태풍이나 화산분출, 지진 등과 같은 현상들이 빈번하게 일어납니다. 이런 현상들은 전체의 균형을 찾고 정화하려는, 지구 스스로 하는 활동입니다. 이 정화의 과정은 격렬할 때가 많습니다. 그래서 마치 마구잡이로 파괴하는 것처럼 보입니다.

인간의 몸 역시 마찬가지입니다.

몸에 질병이 생겼을 때는 통상적으로 통증이 수반 됩니다. 그 통증은 몸이 잘못되어 가는 것이 아니라 오히려 정화되어 가는 과정일 수 있습니다.

운동을 하는 중이나, 또는 하고 나서도 몸에 이런저런 통증과 기타 여러 증세가 나타나곤 합니다. 때에 따라서는 격렬하게 나타나기도 합니다. 이런 현상들 역시 정화의 표시일 수 있습니다. 이것을 '명현반응'이라고 합니다.

지금 사는 산골로 이사 온 후 많은 일을 하며 지냈습니다. 그 일들로 인해 육체적 역량을 넘어서 과로하는 경우가 제법 많았었지요, 그럴 때면 여지없이 발등이나 손목, 허벅지, 옆구리나 허리 등 몸의 어느 부위가 붓고 아파서 움직이기 어려웠습니다. 어디 특별히 부딪히거나 충격이 없었음에도 불구하고 말이지요. 이러한 현상은 몸 속 보이지 않는 곳에서 생기기도 했을 겁니다. 그러면 어쩔 수 없이 휴식을 취해야 했습니다. 그렇게 어느 정도 쉬고 나면 몸이 나아졌습니다.

만일 이러한 이상 증상이 나타나지 않았다면 어찌 되었을까요? 아마도 계속 무리한 일을 했을 테고, 그 결과 지금쯤 병상에 누워 지내고 있을지도 모를 일입니다.

몸의 이상 증상들은 일종의 사전 경고 역할을 합니다. 그러니 한편으론 몸이 보내는 통증 신호는 바람직한 측면이라고 볼 수 있지요. 그리고 이러한 경고등은 몸이 온전히 회복될 때까지 계속 깜빡거리며 주의를 끌어야 합니다.

몸에 이상 증상이 나타나면 평소 업무의 과중 정도, 식습관, 마음가짐 등을 찬찬히 살펴보아야 합니다. 자신의 생활 태도를 돌아보아야 합니다. 과도한 활동을 자제하고 음식 섭취 등을 조절하여 몸을 추슬러야 합니다.

사람들은 보통 몸에 이상 증상이 생기면 약국이나 병원을 먼저 찾습니다. 별생각 없이 소염진통제나 항생제 등을 처방받습니다. 어떨 때는 응급상황이 아님에도 수술로 증상을 가라앉히고 통증을 강제로 잠재우곤 합니다. 경고등을 일단 꺼놓고 봅니다.

몸의 경고 기능이 제 역할을 하지 못하면 잘못된 생활 습관은 계속됩니다. 그러면서 더 깊은 질병으로 이어질 가능성을 키웁니다. 인체가 스스로 해결해야 할 일들을 약이나 의사가 대신 하면 자체의 면역기능을 통한 자연치유력은 턱없이 약해집니다. 면역기능이 약해지니 몸에 이상 증상이 쉽게 생깁니다. 악순환은 계속됩니다.

자가면역질환[32]을 앓는 분들을 흔하게 많이 봅니다. 이 질환은 세균이나 바이러스 등 외부에서 침입하는 이물질로부터 몸을 지켜야 할 면역세포가 오히려 자신을 공격하는 병입니다. 인체의 모든 장기와 조직에서 나타날 수 있다고 합니다.

어쩌면 이 질환의 많은 경우는 외부에서 강제로 주입되는 약 때문에 생기는 것인지도 모르겠습니다. 면역세포가 할 일을 약이 대신합니다. 그럴수록 면역세포가 빈둥거리는 시간은 늘어납니다. 일을 해야 하는데 할 일이 없어집니다. 그러니 에라 모르겠다고 자기 몸을 공격해서라도 일을 하려는 것은 아닐까요?

냉혹한 현실의 삶 속에서 당장 먹고사는 일이 막중합니다. 그러하기에 드러난 증상을 빠르게 잠재워야만 할 필요성도 있습니다. 하지만 인생은 한바탕 벌이고 그만두는 게임은 아닙니다. 오랫동안 뛰기도 하고 걷기도 해야 할 길고 긴 게임입니다. 앞으로 뛰어야 할 수많은 뜀과 걸어야 할 수많은 걸음을 위해서라도 진지한 고민이 필요할 때입니다.

인간의 몸은 자식에, 그리고 정신은 부모에 비유할 수 있습니다. 부모(정신)가 자식(몸)을 키울 때는 그냥 방치해선 안 됩니다. 그렇다고 과도하게 보살펴서도 안 되는 법입니다. 과잉보호나 지나친 보살핌은 자녀를 나약하고 무기력하게 만듭니다. 자꾸 의지만 하게 만들어 버립니다.

'내 몸의 주인은 나다'라는 주체적 의식은 정말로 중요합니다.

몸 어딘가에 이상이 생겼을 때면 두 가지 선택지가 있습니다. 첫째,

---

32) 자가면역질환: 주로 증상이 나타나는 곳은 갑상선, 췌장, 부신 등의 내분비 기관, 적혈구, 결체 조직인 피부, 근육, 관절 등입니다. 원인은 정확하게 밝혀져 있지 않지만, 건강을 자극하는 생활 습관이나 호르몬의 영향, 스트레스가 주요한 원인으로 작용하는 것으로 보입니다. 서울아산병원 제공 질병백과 참고.

의사나 약사를 찾는다. 둘 째, 몸을 어떻게 돌볼까 생각한다. 타인에게 몸을 맡기고 처분을 기다리려는 사람이 있습니다. 반면 스스로의 힘으로 노력해 보려는 사람이 있습니다.

남에 의지하는 횟수가 많아질수록 자생력은 힘을 잃습니다. 정신적 건강함은 자생력과 관계있습니다. 자생력은 특히 영적 건강함과 관계 깊습니다. 남에게 의지할수록 정신적, 영적 건강함은 힘을 잃습니다.

둘, 질병 선택하기

"성인이 되면서 생기는 질병들은 대부분 잘못된 식습관이나 생활 습관, 과중한 일, 심리적 스트레스 때문입니다. 이런 내외적 환경은 일상에서 자기 스스로 만들고 선택한 상황들의 결과이기도 하지요."

이 말을 듣는 순간 "피할 수 없는 상황이란 것도 있소! 그런 말은 좀 지나치지 않소?"라고 반문할 수 있습니다. 하지만 자신의 의지와는 무관한 경우라 하더라도, 또 어쩔 수 없이 마주치게 된 상황이라 하더라도, 엄밀한 의미에서 보자면 결국은 스스로 선택했기 때문입니다.

깊은 산골에 사는 사람이 어느 날 돌을 치우기 위해 나름 주위를 살핀 후 휙~하고 집어 던집니다. 그런데 하필이면 그 순간 아래를 지나가던 내 머리에 정통으로 맞았습니다. 그러면 나는 주먹만 한 혹과 함께 피 흐르는 아픈 머리를 감싸고 "이게 웬 마른하늘에 날벼락이냐!" 하면서 억울해 하겠지요, "어떤 *이야!" 하면서 불끈 화를 내며 쫓아갈지도 모르겠습니다. 하지만 그 자리에 있게 한 것은 바로 내 발이요, 그 발을 그쪽으로 인도한 것은 내 자신임을 부정할 수는 없습니다.

근원적 차원에서 볼 때 우리는 스스로 질병을 선택합니다. "스스로 의도하여 부정적인 상황(병)을 만든다고? 스스로 병에 걸린 상황을 만들어 그 고통 속에 있다고? 이런 말도 안 되는 경우가 어디 있는가?"
라는 의문은 당연합니다.

우리가 질병을 선택하게 된 데에는 내밀한 이유가 있습니다. 그 이유
는 일상적 의식으로는 알아채기 어렵습니다. 알아채더라도 받아들이고
이해하기가 무척 껄끄럽습니다.

지금의 질병은 스스로 선택한 것입니다. 이 말에 대한 거부감이 크더
라도 이 문제를 짚고 넘어가지 않을 수가 없겠군요.

거의 대다수의 질병은 마음의 문제에서 시작합니다. 더 근원적으로는
영적 차원에서 비롯됩니다. 깊은 의미에서, 질병은 영적 차원의 내적
의도에 의해서 생겨납니다.

이것은 '질병을 경험해 보고 싶은 자신의 무의식적 욕구'와 관련이
있습니다. 자신의 깊은 내면에서 스스로에게 어떤 질병을 부여하는 것
입니다. 그 이유는 질병의 경험을 통해 무언가를 시험하거나, 얻거나,
해결하고자 하는 내적 욕구 때문입니다. 그 과정에서 우리는 삶의 또
다른 측면을 느끼고 배웁니다.

인간 존재는 건강한 몸으로 사는 경험뿐만 아니라 질병에서 비롯되는
경험도 필요합니다. 다양한 삶의 경험은 의식을 효율적으로 확장하게
합니다. 그 필요한 경험을 위해 깊은 차원에서 스스로 몸의 환경과 주
변 환경을 선택합니다.

지금의 몸, 지금의 부모와 자식은 스스로 선택한 것입니다.[33] 의식적
이든 무의식적이든 지금의 집, 주변 환경은 우리 스스로 조성해 왔습
니다.

---

33) 우리는 태어나기 전 영혼의 차원에서 이미 부모와 자식을 선택합니다. 이
　　선택은 일방적인 것이 아닌 서로 합의에 의한 것입니다. 이 문제는 뒤에서
　　다시 다루어 볼 것입니다.

수긍하기 어려울 수 있습니다. 하지만 "에이~ 말도 안돼!"라고 하며 무시하고 외면하지만 않는다면 알게 됩니다. 자신의 삶을 명철하게 돌이켜보고 숙고하다 보면 '아하!'하고 알게 될 때가 옵니다.

지금 자신을 둘러싸고 있는 환경은 결과입니다. 과거 자신이 했던 말과 행동과 사유의 결과입니다. 그리고 현재 자신의 말과 행동과 의식적, 무의식적 사유는 미래 환경의 바탕입니다. 이런 부분들을 명철하게 돌이켜보며 숙고를 지속하다 보면 '아하!'가 일어납니다. 언젠가는 알 수 있습니다.

과거와 현재, 그리고 미래는 특정 시점에서 구분되는 것은 아닙니다. 우리는 과거, 현재, 미래가 순간순간의 연속선상에 있는 것을 압니다. 아주 저 멀리서 바라보면 과거와 현재와 미래는 동시에 존재합니다. 마치 흐르는 강물이 하나로 이어져 보이는 것처럼 말이지요.

셋, 질병을 경험하게 하는 내적 의도들

지금 질병이나 고통 같은 부정적인 상황 속에 있다고 가정해 보겠습니다. 이들을 겪고자 하는 자신의 내적 의도는 크게 세 가지로 정리할 수 있습니다.

첫째로는 육체적, 정신적인 그 무언가를 경험하며 느끼기 위해서입니다. 질병은 건강한 상태에서 얻을 수 없는 경험을 하게 하고, 건강한 상태에서는 이해할 수 없는 느낌을 느끼게 합니다. 질병을 통해서 우리는 무언가를 배웁니다. 이것은 자기 스스로만의 문제일 수도 있고 주변 관계와 관련된 문제일 수도 있습니다.

장애 상황을 통해서 우리는 적극적으로 자신의 발전을 도모합니다. 또는 주변 사람들의 발전, 특히 영적인 발전을 도와줄 수도 있습니다.

둘째는, 실험하기 위해서입니다. 질병이라는 장애물을 설정해 놓고 그

장애물을 극복하기 위해서입니다. 즉, 극복하는 방법이나 과정을 배우기 위한 하나의 실험인 것이지요. 자신의 정신적이거나 육체적인 질병을 낫게 하는 과정에 대한 경험은 더없이 큰 재산입니다. 이런 경험은 타인의 정신적 육체적 문제에 도움을 줄 때 특히 필요합니다.

마지막으로, 지금의 '나'보다 더 '심층적인 나'는 이번 생에서 달성해야만 하는 목표가 있습니다. 어떤 목적을 위해 닦아 놓아야 하는 길이 있습니다. 그런데 외적인 나 즉, 에고[34]는 욕망의 지배를 받기 쉽습니다. 그 욕망 때문에 달성하거나 닦고자 하는 원래의 계획이 틀어질 수 있습니다.

이런 경우 심층적인 나는 방법을 고민합니다. 원래 계획을 방해하는 요소를 다소 파괴적인 방법으로 방지하기도 합니다.

예를 들자면, 산을 무척이나 좋아하는 사람이 있습니다. 그가 꼭 오르고 싶은 어떤 산이 있는데 여러 가지 정황으로 볼 때 대형 사고로 이어질 가능성이 아주 많은 산입니다. 그런데도 산을 오르고 싶은 에고적 욕구, 욕망에 강하게 끌려서 산행을 계획합니다. 하지만 이 사람은 심층적 차원이라 할 수 있는 영적 차원에서 이번 생에 달성해야 할 다른 목표나 해야 할 일이 있습니다. 그런 경우 사전에 발목이 접질리거나 하는 등의 상황을 만들어서 그 산에 오르지 못하게 유도할 수도 있습니다.

위의 세 가지 경우를 모두 다 포함한 예를 하나 들어 보겠습니다.
바오로는 그리스도교를 세상에 널리 알리는 공을 세운 사람입니다.

---

34) 에고와 영혼에 관해서는 '4장'에서 자세히 설명됩니다.

바오로는 예수님의 가르침을 세상에 알리는 사명을 안고 이 세상에 나왔습니다. 그는 유대인의 아들로 태어나서 유대 사상의 장단점을 꿰뚫어 알았습니다. 또한 좋은 교육을 받아서 그리스의 철학, 역사, 문학, 언어 등에 능통했습니다. 덕분에 예수님의 사상을 해박한 지식을 사용해서 세상에 전할 수 있었습니다.

그 시절 다른 유대인들이 그랬듯이 바오로는 철저하게 그리스도교인들을 박해합니다. 그는 불과 같은 열정을 타고났기에 투사적이고 다혈질적이었습니다. 그러다 보니 열정이 너무 과도했지요. 그 열정만큼이나 유대의 율법에 대한 자긍심은 불타올랐습니다. 또 그 열정만큼이나 맹렬히 그리스도교를 탄압합니다.

열정, 정확히 말하자면 열망(에고적 열정)에 파묻히다 보니 태어나기 전부터 예정되어 있던 자신의 사명을 완전히 잊어버리고 맙니다. 그래서 벌어진 일이 그리스도교인들을 박해하러 가던 중 말에서 떨어진 사건입니다. 바오로가 타고 가던 말이 무언가에 놀라 날뛰는 바람에 그만 말에서 떨어져 버린 것이지요.

이 사건으로 바오로는 눈이 멀게 됩니다. 이후 한동안 눈 먼 상태로 암흑 속의 세상을 살면서 자신의 깊은 내면을 체험하게 되지요. 그 덕분에 세상을 다른 시각으로 바라볼 수 있게 됐습니다. 그 후 시력을 회복합니다. 이 경험은 그의 삶을 완전히 바꾸어 놓습니다.

바오로 자신도 "나는 육신의 병이 계기가 되어 여러분에게 처음으로 복음을 전하게 되었습니다."(갈라 4,13)라고 말했다지요.

그의 타고난 불같은 열정은 예수의 사상을 광범위하게 알리는 힘의 바탕이 됩니다. 아마 바오로가 말에서 떨어지는 사고를 당하지 않았다면 지금의 그리스도교는 세상에 존재하지 못했을 겁니다.

젊은 시절 혼신을 다해 무예에 몰두하던 때가 있었습니다. 상당히 과격한 운동이었지요. 그 덕에 몸은 누구보다도 더 강하게 단련되었습니다. 또한 그만큼이나 크게 뒤틀어지게 되었습니다. 한쪽으로 치우친 운동을 한 덕이었지요. 그 와중에 덤으로 몇 번의 부상까지 겪습니다.

돌이켜 숙고해 보면 이런 일련의 경험들은 과정이었습니다. 몸이 마음에 어떤 영향을 미치는가를 알기 위한 하나의 과정. 그리고 이런 과정들은 또 다른 차원의 의도요 계획이었지요. 즉, 뒤틀리고 망가진 몸에서 어떤 마음이 나오는지 아는 과정이었습니다. 과격한 움직임에서 비롯되는 정서적 심리적 상태를 에고적 차원에서 알기 위한 과정이었습니다.

이는 모두 내적 영혼의 의도였습니다. 물론 또 다른 차원의 의도임을 알게 되기까지는 상당한 시간이 필요했지요.

특이했던 것은 부상을 겪을 때마다 삶의 방향이 조금씩 바뀌었다는 점입니다. 그중 한 부상은 삶의 방향을 완전히 바꾸어 놓기까지 합니다. 이런 경험은 몸의 변화가 운명에도 지대한 영향을 미치게 됨을 알게 했습니다. 어떤 부상은 지금까지도 삶의 방향(운명)에 영향을 미치고 있습니다. 지금 생각해 보면 간단하고 단순한 연결고리이지만 당시에는 결코 알지 못했던 부분이지요.

이후 몸을 회복시키고자 노력을 기울입니다. 그 과정에서 육체적 변화에 따른 심리적 변화를 알았습니다. 심리적 변화에 따른 영적 상태들도 알았습니다. 이런 일련의 과정에서 얻게 된 경험들은 더없이 풍요로운 재산이 되었습니다. 덕분에 이제는 그 재산을 주변과 나누고 있습니다. 지금 이 책을 쓰고 있는 일도 그중 하나입니다.

어떤 분야에서든 그 일을 하는 과정에서 '자신만의 특별한 경험'을 합니다. 이러한 행보들은 누구의 강요에 의해서가 아닙니다. 자신의 깊은 내적 결정에 의한 에고의 자발적 선택들입니다. 설령 그것이 겉으로 보기에 부정적인 결과를 초래하더라도 말이지요.

넷, 하나의 성장 과정으로서의 질병

인간을 포함한 모든 생명체는 공통된 특성이 있습니다. 성장과 발전이라는 사다리를 오르고 있다는 점입니다. 때로는 나락으로 떨어지는 것같이 보이기도 합니다. 그렇더라도 그 나락 역시 성장 사다리의 일부인 것이지요. 그 사다리는 끊임없이 이어져 있어서 그 끝은 아무도 알 수 없습니다.

질병 같은 부정적 상황 역시 인간의 성장 과정 중에 포함된 것입니다. 이것은 다양한 삶의 경험을 통해서 삶의 또 다른 측면을 알고자 하는 자발적 행보입니다. 스스로를 확장하고자 하는 존재의 자발적인 행보입니다.

질병 같은 특수한 경험은 자신과 주변 상황을 또 다른 측면으로 바라볼 수 있게 합니다. 그럼으로써 자신의 의식 세계를 확장해 나가는 것이지요. 어떤 경험이든 그 경험을 통한 배움이 있기 마련입니다. 사람마다 배우는 부분들은 모두 다르겠지만, 어쨌든 그만큼 우리는 성장합니다.

지금 괴로운 상황에 있다면 누구든 그 상황에서 벗어나길 갈구합니다. 비록 그 상황이 깊은 자기 자신, 즉 영혼에서 비롯되었더라도 외면의 나(에고)는 벗어나길 바랍니다. 하지만 내면에서 충분히 배웠다고 느끼기 전까지는 그 상황에서 벗어나기 어렵습니다. 이것은 질병이라는 수렁에서 쉽게 빠져나오기 어려운 이유이기도 하지요.

그렇다고 지금의 질병을 마냥 겪어야 한다는 뜻은 아닙니다. 방치하라는 뜻도 아닙니다. 질병에서 벗어나는 방법을 찾고 배우는 것은 아주 중요합니다. 자기 존재의 발전에 더없이 값진 유익함이 될 수 있으니까요. 이것은 비단 질병의 문제만은 아닙니다. 살면서 겪을 수 있는 부정적인 상황들 역시 모두 마찬가지입니다.

지금 이 책을 읽는 독자분 중에도 질병을 겪고 계신 분이 많을 겁니다. 그렇다면 먼저, 마음속 깊이 진정으로 벗어나길 원해야 합니다. 그리고 벗어나려는 '의지'를 확고히 해야 합니다. 그다음 직접 몸으로 실천할 방법을 찾아야 합니다. 의지를 총동원해서 그 방법을 실행해야 합니다. 그러면 치료의 길이 열리기 시작합니다.

진정한 원함과 확고한 의지는 스스로 선택한 '경험'을 충족했다는 알림입니다. '질병을 경험함'이란 학과목을 이수하게 된 것이지요. 세상은 넓고 길은 많습니다. 그 길 중에서 하나를 발견하게 될 것입니다.

여기서 강조하고 싶은 것은 '진정으로 원하는 마음'입니다. 드러나지 않은 자기 내면의 의지가 팔짱을 끼고 '아직은'이라며 관망하고 있을 수도 있기 때문입니다. '진정으로 원하는 마음'이라는 것은, 예를 들면 '형식적으로 하는 기도'가 아니라 '겸허한 마음으로 절실하게 하는 기도'라고 이해하면 될 듯합니다.

그리스도교의 성자 예수가 치유에 대한 기적을 행할 때면 늘 하는 말이 있습니다. "네가 낫기를 바라느냐?". 예수께서는 '마음속 깊이 진정으로 원하는 마음'이 있는지를 물었던 것이지요. 외적인 내가 진정으로 원하게 되면, 내적인 나는 더 이상 관망하지 않고 바라는 방향으로 안내합니다.

아프고 힘든 경험은 참으로 많은 것을 얻게 합니다. 그 경험을 잘 통하면 마음이 전보다 더 너그러워지고 심리적으로 더 안정될 수 있습니다. 그러기 위해서는 자신의 괴로움을 주변에 전가하지 않아야 합니다. 괴로움에 투덜대지 않고 오롯이 받아들일 수 있어야 합니다.

고통스러운 질병의 경험은 자신을 숙고할 좋은 기회입니다. 육체를 정화시킬 수 있는 좋은 기회입니다. 오히려 전보다 더 나은 몸으로 진일보 할 수 있는 기회입니다. 질병을 통해서 우리는 몸에 대해서, 마음에 대해서, 이 둘의 연관성에 대해서 더 많은 이해를 할 수 있습니다.

누구든 살면서 육체적이든 정신적이든 다치거나 앓았던 경험이 있습니다. 저 역시 마찬가지입니다. 앓거나 다친 경험을 해보지 않았다면 이런 책을 쓸 수 없었을 겁니다.

몸이든 마음이든 자신이 겪는 고통의 상황은 나쁜 것이 아닙니다. 손해도 아닙니다. 오히려 자신의 내면을 더욱 깊고 풍성하게 할 수 있는 기회입니다. 저는 경험을 통해서 이것을 배웠습니다.

질병을 자연스럽게 받아들일 수 있으면, 그리고 그 질병에 마음이 휘둘리지 않으면 그것은 더 이상 '질병'이라 할 수도 없습니다. 달리는 차의 창 너머 스쳐 지나가는 경치처럼 지나가는 경험일 뿐입니다. 그저 자기 자신을 확장하기 위한 방편적 경험일 뿐입니다.

질병 상태를 오롯이 받아들인다는 것은, 그 아픔이나 힘든 경험을 통한 배움이 충족되고 있다는 신호이기도 합니다. 이 때는 자신의 내면이 '벗어날 때가 됐군!'이라고 마음먹는 시점입니다. 조만간 벗어나게 됩니다.

어쩌면 이런 이야기들이 오히려 "아! 질병에서 벗어나는 게 이렇게 힘들 줄이야"라는 한탄이 나오게 할지도 모르겠군요. 하지만 너무 걱정하지 마십시오. 한편으론 무척 간단합니다. 어떤 질병이든 현재의 몸 상태보다 '조금이라도 더' 조화롭게 하면 됩니다. 조금이라도 더 순화시켜 주면 됩니다. 지금보다 좀 더 긍정적인 몸으로 변화시켜 주면 됩니다. 그 과정을 성찰하면 됩니다. 그러면 누구든지 질병에서 벗어날 수 있습니다.

우리 존재는 성장 해가는 중입니다. 성장의 어느 시점에 이르면 더 이상 질병에서 의미를 찾을 수 없게 되는 때가 옵니다. 그때가 되면 질병으로 고생하는 일은 더 반복되진 않습니다.

몸은 곧 마음입니다. 몸의 변화35)는 마음의 변화로 이어집니다. 이 마음의 변화는 내면의 변화로 이어지구요, 이 내면의 변화는 내적 의도의 변화를 의미합니다. '질병을 경험함'이라는 영적 차원의 설정에 변화를 준다는 의미입니다.36)

다시 한번 강조하자면, 몸을 조금이라도 더 조화로운 방향으로 바꾸어 나가보시길 바랍니다. 자신의 몸을 가만히 성찰해 보시길 바랍니다. 몸의 환경을 바꾸면 심령적인 문제도 덩달아 바뀌게 됩니다. 그러면 여러분의 삶이 변합니다.

다섯, 질병의 '조기 진단', 과연 좋기만 할까?

최첨단 의료기술을 구비하고 있는 현대 의학은 미세한 부분까지도 감별해 냅니다. 이에 맞춰 질병의 조기 발견의 중요성을 강조합니다. 주기적인 검진을 장려합니다. 덕분에 환자와 질병의 수는 점점 늘어나고 있습니다.

늘어나는 환자와 질병만큼이나 사람들은 병에 걸릴지도 모른다는 불안감에 시달리고 있습니다. 심리적 스트레스는 질병의 큰 원인 중 하나입니다. '불안감'은 사람들을 질병 쪽으로 더 잘 유인합니다.

---

35) 성형이나 일반 수술도 몸을 변화시키는 것이며 이 변화 역시 마음의 변화와 삶의 변화로 이어집니다. 하지만 쌍거풀이나 외과적 상처를 꿰매거나 하는 정도의 가벼운 수술이 아니라면 이것이 장기적으로 자신의 존재와 삶을 긍정적으로 변화시킬 거라 보진 않습니다. 그러니 배를 가르거나 턱을 깎아 내거나 하는 등의 큰 수술은 정말로 신중하게 결정해야 합니다.
36) 마지막 장(6장) '미래를 여는 열쇠 몸'에서 좀 더 다루어 봅니다.

어떤 증상이 몸에 자리를 잡을 때 초기에는 불안정하게 자리를 잡습니다. 그런데 그 증상에 이름이 부여되면, 즉 '00질병'이란 병명이 붙으면 병에 대한 불안감이 생깁니다. 이 불안감은 그 병이 안정적으로 자리 잡을 수 있게 하는 요소로 작용합니다.

병명이 붙여진 순간 정상인에서 환자로 전락합니다. 한순간 환자로 분류되어 버리면 의사나 약사의 진료와 처방에 매입니다. 스스로 해결할 힘을 기르기보다는 의존적이고 수동적인 상태로 되어 버립니다.

병원 처방들도 당장 눈앞에 보이는 부분만을 고려하는 경우가 다반사입니다. 그러니 근본적인 해결책이 되지는 못합니다.

이러한 문제들은 장기적으로 육체의 건강에 별 도움이 안 됩니다. 개인의 내적 성장에도 역시 별 도움이 안 됩니다. 내적 성장은 '스스로의 힘'과 '자발성'을 기본으로 할 때 가장 이상적인 방향으로 흐르기 때문입니다.

설령 사람의 몸에 암세포 같은 것이 생겨나도 자연스럽게 사라질 수 있습니다. 또는 그저 "컨디션이 좀 좋지 않네."라고 하며, 일상의 삶을 살면서 적절한 수명을 유지할 수 있습니다. 오히려 컨디션이 좋지 않으니 적극적으로 몸을 돌보게 되는 계기가 되기도 하겠지요. 그러면 더욱 건강해지는 전화위복의 기회가 될 수도 있습니다.

의학은 사람의 건강을 위한 학문입니다. 그리고 의학을 뒷받침하는 현대의 의료 장비는 점점 발달 해가고 있습니다. 그런데 발달하는 의료 장비만큼 사람들의 건강 상태가 좋아졌을까요? 오히려 사람들의 육체적 건전성은 더 나빠졌고 병에 걸려 고생하는 사람들은 점점 늘고 있는 것이 모순적인 지금의 현실입니다.[37]

---

37) 3개 이상 만성질환이나 치매 진료자 수 증가로 노인 장기요양보험 인정자

이 현실을 단순히 환경 탓으로 돌릴 수도 있습니다. 그렇지만 현대의 위생환경은 과거보다 좋아졌습니다. 영양 상태도 좋아졌습니다. 좋은 음식에 관한 관심도 높아졌습니다. 과연 무엇이 문제일까요?

바야흐로 수명은 늘어도 병으로 고생하는 기간 역시 늘어나 '골골거리며 장수'하는 시대가 본격적으로 펼쳐지고 있습니다.

미국의 저명한 의사 로버트 S. 멘델존[38]은 질병 자체보다 현대 의학이 행하는 치료가 훨씬 더 위험하다고 했습니다. 또한 수술은 자칫하면 오히려 질병 자체보다 더 나쁠 수 있다고 경고합니다. 심각한 후유증을 겪을 수 있기 때문입니다.

일본의 암 전문의 곤도 마코토[39] 교수도, "암 조기 발견은 행운이 아닙니다. 암 검진을 하든 하지 않든 사망률은 같습니다. 오히려 암 검진을 받으면 불필요한 치료를 받고 정신적인 스트레스 등으로 빨리 죽는 사람이 많아졌습니다."라고 말합니다. 게다가 그는 "항암 치료는 항암제의 독성 때문에 고통만 더할 뿐 수명을 연장하진 못합니다.[40] 암수술은 수술 후유증뿐 아니라 수술로 생긴 상처 쪽에 암세포가 모여 증식하면서 다시 생겨날 수 있습니다. 그러니 암은 차라리 그냥 내버려 두는 편이 낫습니다."라고 주저 없이 말하지요.

이 말은 좀 극단적으로 들립니다. 그런데 의사들이 파업했을 때 응급

비율은 10년 전보다 4%, 관련 인력은 3배 증가함. 2017년 3개 이상의 만성 질환을 가지고 있는 노인의 비율이 51%로, 이는 2008년에 비해 20.3%가 늘어난 것으로 '유병장수시대'가 되고 있음. -통계청과 한국사회과학자료원 발표 '한국의 사회동향 2018' 참고-

38) 미국에서 '대중의 의사(The People's Doctor)'란 칼럼을 씀.「나는 현대 의학을 믿지 않는다」의 저자.

39) 「의사에게 살해당하지 않는 47가지 방법」,「암치료가 당신을 죽인다」,「시한부 3개월은 거짓말」,「항암치료는 사기다」 등의 저서가 있다.

40) 급성백혈병, 악성림프종, 고환암, 자궁융모암 등 4가지 암을 제외하고 나머지 90%인 고형암은 항암치료가 소용없고 오히려 해롭다고 말합니다.

환자를 제외하고는 오히려 사망률이 줄었다는 조사 결과[41)가 있습니다. 그러니 한번 숙고할 필요가 있어 보입니다. 그 조사 결과를 좀 부풀려 해석하자면 '좀 더 살아보려고 수술했는데 오히려 더 빨리 죽는 경우가 많았다'라고 할까요?

"수술해서 살 수 있는 암은 수술하지 않아도 삽니다, 수술하지 않아 죽을 암은 수술해도 수명에는 별반 차이가 없습니다." 저의 개인적인 견해입니다. 단, 몸에 이상 증상이 생기면 그냥 내버려 두어서는 안 됩니다. 꾸준히 운동이나 식사조절, 따뜻함[42) 유지와 섭생(攝生) 등을 행하며 자기 관리를 잘해야 합니다.

대부분 병이 그렇지만 암은 특히 따뜻함이 중요합니다. 물이 차가워지면 얼어서 덩어리가 집니다. 냉기는 암이란 덩어리를 만드는 원인 중 하나이지요. 이 '자기 관리'가 번거로우면 약이나 병원에 관리를 맡길 수밖에 없겠지요. 약이나 병원에 부지런히 의존함도 어찌 보면 자기 관리라고 볼 수는 있겠습니다만.

---

41) 의료정책연구소는 의사의 파업이 국민의 건강에 미치는 영향을 분석했다 전 세계 7개 파업 사례를 대상으로 9개 논문을 분석하여 의사 파업이 국민의 건강과 사망률에 미치는 영향을 평가했다. 1976년 1월부터 2월에 걸쳐 약 5주간 미국 로스엔젤리스(이하 LA)에서 의사파업이 발생했다. 당시 LA 파업을 대상으로 사망률의 변화를 분석한 연구는 총 3개가 있다. James(1979)는 당시 LA 파업으로 인해 약 31~132건의 사망자 수가 감소하였고, 약 55~153건의 사망이 예방되었는데, 이러한 차이의 원인에 예정 수술(elective surgery)취소가 기여한 것으로 추정했다.(중략)
  Bhuiyan & Machowski(2012)는 2010년 8월 18일부터 9월 6일까지 20일 동안 남아프리카공화국 한 주의 Polokwane 병원 사례를 통해 파업 전후 사망률 차이를 분석했다. 파업기간 동안의 총 사망률은 파업 전인 정상기간 보다 약 18% 감소했으나, 응급상황인 경우의 사망률은 파업 기간이 정상 기간보다 약 67% 더 높은 것으로 나타났다.
   -'의사 파업 기간 동안 사망자 수 감소'. 메디포뉴스. 2018.10.31.-
42) 암은 온기는 싫어하고 냉기를 좋아합니다. 그래서 온열요법은 암치료에 좋은 효과를 볼 수 있습니다.

몸이 이상 신호를 보내면 스스로 몸을 돌보는 법을 배울 준비를 해야 합니다. 잠시 도움을 받는것은 좋습니다. 스스로 설 수 없을 때는 도움을 받을 필요도 있습니다. 서고 나면 걷는 것은 스스로 힘이어야 합니다. 도움 없이 걷고 스스로 식사조절을 해야 합니다.

타인이나 약물에 몸을 맡기는 횟수가 많아질수록 내재 되었던 육체적 가능성은 힘을 잃습니다. 정신적 건강함도 점점 힘을 상실해 갑니다.

운동을 하거나 식사를 조절하려면 어느 정도 인내가 필요합니다.

우리나라 신화에는 100일 동안 쑥과 마늘을 먹은 곰이 사람으로 변했다는 얘기가 나옵니다. 더군다나 이 사람(여인)은 하늘의 아들 환웅과 결혼까지 합니다. 단군신화는 역사적인 사실을 신화적으로 가공한 이야기입니다. 가공 여부를 떠나서 이 신화의 중요한 시사점은 '인내'의 중요성과 그 성과입니다. 이 이야기는 인생의 팡파레는 '인내' 후에 울려 퍼지는 것임을 알리고 있습니다.

자신의 몸을 잘 돌보는 법을 배우는 인내는 앞으로 삶을 더 자유롭게 합니다. 그 방법을 꾸준히 실천하는 인내는 우리를 질병에서 벗어나게 합니다.

질병을 발명하는 오늘의 약품과 치료, 현대 의약학은
당신이 병자이길 원한다.

-외르크 블레흐43)-

여섯, 최고의 의술, '예방'

중국 전국시대에 명의로 이름난 편작이란 사람이 있었습니다.

---

43) '없는 병도 만든다(2004)' 저자.

어느 날 위나라 왕 문후가 편작을 불러 물었습니다.

"그대 형제들 모두 의술에 정통하다 들었다. 누구의 의술이 가장 뛰어난가?"

편작이 답합니다.

"맏형이 최고이고, 다음은 둘째 형이며, 제가 가장 부족하지요."

그러자 문왕이 고개를 기우뚱하며 다시 묻습니다.

"그런데 어찌하여 자네의 명성이 가장 높은 것인가?"

편작이 답합니다.

"맏형은 모든 병을 미리 예방하여 아예 병이 생기질 않게 하지요. 그러니 사람들은 맏형이 병을 치료해 주는지조차 모릅니다. 그래서 수많은 사람의 목숨을 구하지만, 명의로 세상에 이름을 내지는 못했습니다."

"둘째 형은 병이 나타나는 초기에 치료합니다. 병이 깊지 않은 단계에서 치료하므로 장차 큰 병이 될 수 있다는 사실을 눈치채지 못하지요. 그러니 환자들은 둘째 형이 대수롭지 않은 병을 고쳤다고 생각하는 것입니다. 그러므로 둘째 형도 세상에 이름을 알리지 못했습니다."

"이에 비해 소신은 병세가 심각해진 다음에야 비로소 치료하지요. 병세가 심각하므로 맥도 짚어 보고, 침도 놓고, 독한 약도 쓰고, 피를 보는 수술을 합니다. 이런 행위를 지켜본 사람들은 제가 큰 병을 고쳐 준다고 생각하는 것입니다. 그러다 보니 저의 의술이 가장 뛰어난 것으로 잘못 알려지게 된 것이지요."

세계적인 종양 전문가인 아즈라 라자 박사[44]는 "암세포는 끊임없이 변이를 일으키며 몸속에서 웅크리며 날뛸 기회를 노리고 있다. 그러니 쫓아다니며 마지막 암세포를 찾아 제거하려는 노력은 무용하다. 대신

---

44) 뉴욕 컬럼비아대 의대 교수. 급성 백혈병 분야 권위자. 세상을 뜬 7명의 암환자에 대한「퍼스트 셀」저자.

모든 암 연구와 치료, 그리고 예방의 방향을 첫 번째 암세포의 생성을 찾는 쪽으로 맞춰야 한다."라는 '퍼스트 셀' 이론을 펼칩니다.

그녀는 "이미 생성된 암세포는 통제하기 어렵다. 그러니 출현 자체를 막는 쪽으로 접근법을 바꾸어야 한다."라고 강조합니다. 예방이 치료보다 우선 되어야 한다는 말이지요, 최고의 의술은 '예방'이라는 진리를 말하고 있는 것입니다.

그런데 기존 의료는 드러난 암세포를 제거하는 방식이 관행입니다. 때문에 암세포의 출현 자체를 막아야 한다는 주장은 큰 힘을 얻지 못하고 있다는군요, 또한 기존의 의료 프로젝트를 중단하면 돈과 권력이 끊어지기 때문이라고도 합니다.

그녀는 암 치료를 위해 잘라내고(수술), 독을 주입하고(항암제), 태우는(방사선) 방식은 예나 지금이나 변화가 없음을 한탄합니다. 암 환자를 6~8주 정도 더 생존하게 했다고 그 성공(?)을 자랑스러워하는 게 현대 암 치료의 현장이라고도 말하지요, 2005년 이래 현재(2020년)까지 승인된 약의 70%는 환자의 생존율을 개선하지 못했고, 반면 환자들에게 해를 끼친 약은 전체의 70%에 이른다고 꼬집습니다.

일곱, 자주적으로 질병 대하기

'몸을 스스로 돌보는 법을 배우고 그 방법을 꾸준히 실천하면, 우리의 남은 생은 질병으로부터 자유로워질 수 있습니다.'

몸 돌보는 법은 쉽습니다. 어렵게 느껴진다면 그동안 누군가에게 의존해 왔기 때문입니다. 관심만 조금 기울이면 어렵지 않게 익힐 수 있습니다. 익히고 나면 꾸준히 실천해야 합니다. 꾸준한 실천을 위해서 어느 정도의 인내는 필요하겠지요, 그러면 질병에 스스로 대처할 힘이 생깁니다.

살다 보면 가끔 몸 어딘가에 원인 모를 통증이 느껴집니다. 그럴 때면 움직임이나 먹는 음식을 조심합니다. 통증 부위를 살살 마사지하거나, 따뜻하게 합니다. 움직일 수 있는 범위 내에서 가볍게 움직이며 운동하거나 합니다. 그러면 어느 정도 시간 경과 후 자연스럽게 사라지는 것을 경험합니다.

생명체는 본능적으로 살기 위한 방향으로 행동합니다. 자신의 삶을 방치하거나 자포자기하지 않는 한 그렇습니다. 야생동물들은 아플 때면 아무것도 먹지 않고 굶습니다. 그러다가 나을 즈음이면 코를 킁킁대며 자기 몸에 필요한 먹을 것을 찾아다닙니다.

사람 역시 아플 때는 식욕이 현저하게 떨어집니다. 며칠 그렇게 지나고 나면 몸이 좀 회복됩니다. 이즈음이 되면 입맛이 살아납니다. 먹고 싶은 음식이 머릿속에 슬슬 떠오릅니다. 이때 당기는 음식은 더없이 좋은 약으로 작용합니다.

몸에 이상 신호가 오면 우선 자신의 삶을 살펴봐야 합니다. 여러분이 만일 질병이라고 불리는 상황에 직면해 있다면, 일차적으로 질병의 원인을 찾는 노력을 기울여야 합니다. 그 원인은 과로나 과식일 수 있습니다. 수면 부족이나 잘못된 음식일 수도 있습니다. 또한 운동 부족으로 인한 몸의 순환 이상 때문일 수도, 마음의 맺힘이나 억압 같은 심리적 스트레스 때문일 수도 있습니다.

질병의 원인은 평소 자신이 '몸으로 한 행위들을 살펴봄'과 '마음 살핌'을 통해서 찾을 수 있습니다. 원인을 찾았으면 자체의 정화 기능과 면역기능이 최적 상태가 되도록 해야 합니다. 이때는 의지가 좀 필요합니다. 적절한 운동을 하면서 몸의 순환 기능을 좋게 합니다. 적극적으로 음식 조절을 합니다. 필요하면 휴식을 취합니다.

인체의 정화 기능이 잘 작동하고 면역기능이 최적화되면 몸의 질병은 차츰 사라집니다.

 질병으로 인한 암울함은 어둠과 같은 것입니다. 어둠은 빛만 환하게 비추어 주면 사라지게 되어 있습니다.
 질병은 또한 부정적인 마음이 만들어 낸 창조물이기도 합니다. 부정적 마음이 이끄는 행위와 그로 인한 체험으로부터 생겨난 것이지요. 부정적 태도 부정적 언어를 창조하는 부정적 마음은 생명체의 활력을 떨어뜨립니다. 반대로 긍정적 마음은 생명체에 활력을 불어넣습니다.
 인체의 자체 정화 기능과 면역력은 빛과 같은 것입니다. 여기에 긍정적 마음이 더해지면 그 치유의 힘은 배가 됩니다. 약물도 하나의 빛이 될 수 있겠지만 그 빛은 부분적인 어둠만 해소할 뿐입니다. 조명을 아무리 밝게 해도 주변을 모두 밝히진 못합니다.

 당장 '먹고 살기 급박한 상황'이라면 먼저 그 병의 증상이라도 없애는 노력이 필요할 것입니다. 이때는 의사나 약사의 도움을 받는 것도 중요합니다. 하지만 남의 도움은 일시적이어야 합니다. 도움받기를 지속하면 의사와 약사에 계속 의존만 하려 하겠지요. 어릴 때는 의존이 필요합니다. 하지만 때가 되면 누구나 독립해야 합니다. 그래야 정상입니다.

 이 세상에 부작용 없는 약과 수술, 시술은 없습니다. '주의 부작용'이란 표현이 없는 약병은 없고 수술이나 시술할 때 "부작용은 전혀 없습니다."라고 말할 수 있는 의사는 없습니다. 수술하거나 약과 약물을 주입하는 의학적 처방은 한편으론 독으로써 독을 치료하는 방법이기 때문입니다.
 급한 불이라면 일단 어떻게든 끄고 볼 일입니다. 더러운 물 깨끗한 물 가릴 때가 아니지요. 급한 대로 불을 껐다면 불을 끈 후의 뒷정리를 잘해야 합니다. 불이 났으면 불을 끄는 것만큼 뒷정리도 중요한 법이니까요.

생활에 큰 지장 없이 잘 살아오던 사람이 있습니다. 어느 날 병원 진료에서 암 선고를 받습니다. 선고가 내려진 순간 속절없이 몸이 무너져 내립니다. 그 후부터는 말할 수 없는 고초를 겪습니다. 우리 주변에서 흔하게 벌어지는 일입니다.

온갖 고통을 감내하며 치료를 받아도 그리 더 오래 사는 것 같진 않습니다. 이런 분들이 그냥 삶을 산다면 어땠을까요? 몸이 안 좋으니 좀 더 주의 깊게 몸을 돌보겠지요. 평소 건강할 때의 컨디션보다는 못하겠지만 그래도 큰 탈 없는 일상을 살 수 있진 않을까요?

조금이라도 더 오래 사는 것이 목표[45])가 아니라면 한번 생각해 볼 문제라 생각됩니다.

곤도 마코토는, 80세 이상 고령 사망자를 해부하면 대부분 암이 발견된다. 지금 일본에는 100세 이상 노인 인구가 수만 명에 달한다. 그런데 100세 이상 일본인의 사망 원인 중 가장 큰 비중을 차지하는 것은 자연사(노쇠사)다. 이 말은 즉, 암인 줄 모르고 몇십 년을 그냥 평소대로 살다가 세상을 떠난 사람이 많다는 의미이다. 암은 다름이 아니라 자연스런 노화 현상이라고 말합니다.

---

45) 오래 사는 것이 목표라 하더라도 암의 치료(수술, 방사선, 항암)가 더 오래 살게 하는 것 같진 않습니다. 암 수술은 대개 수술 후 재발 없이 5년 경과되면 완치라고 판정합니다. 하지만 암 수술뿐 아니라 방사선이나 항암치료를 하지 않고 5년 이상 생존하는 경우는 얼마든지 있지요. 이후 추가로 5년을 더 사는 것 또한 충분히 가능하구요. 수술 뒤 5년이 지나기 전이든 후든 재발하는 경우가 얼마든지 있습니다. 그런데 수술 후 재발하면 상황은 상당히 심각해집니다.

현대의 발달 된 의료 기계와 세밀해진 약 처방은 생명을 더 유지할 수 있게 합니다. 그러면서 때가 되어 '돌아가야' 할 사람들을 억지로 붙잡아 놓습니다. 하루하루를 강제로 버티게 합니다.

현대 의과학은 인간의 평균수명을 괄목할 만하게 늘여놨습니다. 덕분에 백세시대가 도래했다고 자랑스러워합니다. 그러면서 온갖 약을 몸속에 밀어 넣습니다. 밥으로 배를 채우는지 약으로 배를 채우는지 모를 지경입니다. 약물에 찌들면서 인간 존재의 귀함과 신성함은 점점 제 본성을 잃어 갑니다.

질병은 점점 세분되고 있고, 또 새로 생겨나고 있습니다. 원래 질병에 대한 관념이나 정보가 적을수록 질병에 걸릴 가능성은 작아지게 되어 있습니다. 불안감이 병을 끌어오기 때문입니다.

온갖 병에 대한 정보가 가득한 세상입니다. 아는 것이 힘일까요, 모르는 게 약일까요. 이러지도 저러지도 못할 때는 그저 딱 중간, 중용을 택하면 됩니다. 적당히 알고 적당히 모르면 됩니다. 그러면서 몸을 건전하게 돌보는 방법을 익히면 됩니다. 그 방법을 꾸준히 실천해서 자기 몸에 대한 확고한 자신감을 가지면 됩니다.

이반 일리히(1926~2002. 오스트리아). 신학자요 철학자인 그는 20세기 최고 사상가 중 한 명이라는 찬사를 받기도 했지요. 그는 1970년대에 이미 『병원이 병을 만든다』라는 책으로 그 시절 의료계를 비판하며 사람들에게 경고와 조언을 했습니다. '의료의 개입이 최소한으로 행해지는 세계가 이상적'이라고 했으며, '건강의 기본은 고통, 질병, 죽음과 자율적으로 싸우는 능력'이라고 말했습니다.

병원의 진료와 처방을 기다리는 수많은 사람들을 봅니다. 의료기관에 매여서 살아가는 현대인들의 삶을 돌아봅니다. 오직 아는 것만이 힘이라고 강조하는 의료인들을 봅니다. '모르는 게 약일 수도 있는데...'를 생각하며 이반 일리히의 말을 한 번 되새겨 봅니다.

여러분은 건강을 돌보는 일에 얼마나 자율적입니까? 그리고 얼마나 자주적입니까?

이반 일리히의 경고는 반세기가 지나가는 지금까지도 우리에게 경각심을 일깨워 주고 있습니다.

이반 일리히는 1992년 암 선고를 받습니다. 그는 병원 치료를 거부하고, 운동과 자기 수양을 통해서 극복해 갔습니다. 고통이 심할 때는 아편 등의 진통제를 이용하기도 하지만 최선을 다해 통증을 받아들이고 감내했습니다.

그에게 있어서 병은 '피하려고 해서는 안 되는 시련으로서 자기 직면의 기회'였습니다. 그는 병을 얻음으로써, 삶을 또 다른 시선으로 바라보게 되는 것을 감사했습니다. 전체적 삶에 대한 숙고는 우리를 고귀하게 만들 수 있다고 여겼습니다.

무엇보다도 그는 '자기 스스로' 살았습니다. 암 선고를 받은 후 '10년 동안'을 의욕적이고 활기찬 삶을 살다가, 왔던 곳으로 돌아갔습니다. 그때 나이 76세였습니다.

세 번째 이야기
건전한 몸을 위한 치유46)에 대해서

우리가 겪고 있는 어떤 질병이든지 간에 스스로 숨 쉴 수 있고, 움직일 수 있고 음식을 삼키고 소화 시킬 수만 있다면 회복이 가능합니다. 질병에서 벗어나겠다는 확고한 의지가 있다면 그 질병을 스스로 없앨 수 있습니다.

인간의 몸에는 원래 건강하게 되돌리려고 하는 자연의 힘이 있기 때문에
의사는 그것을 돕는 것이 임무이다.
인간은 태어나면서 우리 몸속에 백 명의 의사를 가지고 태어난다.

-히포크라테스-

하나, 현대의 치료행위

현대의 의료시스템은 지나치게 약이나 병원에 의존하게 합니다. 현대 의료 행위는 병의 근본적인 원인을 없애기보다는 눈에 보이는 부분만을 없애는 데 주력하고 있습니다. 그래서 드러난 증상만을 완화하거나 잠재우는 방식으로 진행합니다. 치료를 위한 처방 약은 신경의 흐름과 호르몬 작용을 인위적으로 제어합니다. 인체의 자체 면역기능도 약이

---

46) 치료와 치유는 좀 다른 개념입니다. 몸의 상처는 치료라는 말을 쓰지, 치유한다는 말을 쓰지 않습니다. 마음의 상처는 치유한다고 표현하지, 치료한다는 표현은 잘 하지 않습니다. 또한 우리는 자연치유력이라고 하지만 자연 치료력이라고 하지 않습니다. 즉 치유는 좀 더 본질적이며, 드러나지 않는 내적 부분을 포함한 의미라고 할 수 있겠습니다.

대신합니다.

약을 남용하면 신경의 흐름과 호르몬 작용은 혼란을 겪습니다. 면역 계통도 무력해집니다. 건강을 지켜주기 위한 의술이 오히려 건강함을 잃게 하는 모순적인 상황이 벌어지고 있는 것이지요.

정신없이 바쁘게 돌아가는 현대인의 삶은 쉬기가 어렵습니다. 단 며칠을 쉬어도 이런저런 지장이 생길 수 있는 구조입니다. 그러니 몸이 아프면 당장 급하게 의사나 약사의 도움이 필요합니다. 이러한 구조가 현대 의학이 일시적이고 단편적인 치료 쪽으로 발달하게 된 가장 큰 이유가 아닐까? 생각해 봅니다.

병원(약물) 치료 후 재발 되는 경우가 많습니다. 다른 부위에 이상이 생기거나 하는 경우도 많습니다. 심지어는 병이 오히려 더욱더 깊어지는 것을 보기도 합니다. 해결되지 않은 원인 때문입니다.

사고에 의한 내외상 치료, 응급처치, 치명적 바이러스나 세균, 맹독 치료 등 몇몇 경우는 현대 의학의 탁월한 부분입니다. 하지만 대부분의 현대 의료 행위는 일시적인 방편일 뿐입니다. 근본적인 치료를 하지 못합니다.

자식을 키울 때 억압을 많이 하는 부모가 있습니다. 행위를 강요하는 부모도 있습니다. 억압과 강요를 많이 받은 사람일수록 건전한 사회 구성원이 되긴 어렵습니다.

약물은 세포 활동이나 신경 흐름을 강제합니다. 강제로 억누르거나 인위적으로 활성화시킵니다. 인위적이고 강요된 흐름에 적응된 세포와 신경이 건전함을 유지하기는 어렵습니다. 결국은 골골거릴 상황은 계속 생겨나고 그만큼 병원 갈 일은 많아집니다. 평생 병원과 약에 의존하는 삶이 이어지게 되는 것이지요.

자연의 생태계는 자체적으로 질서와 균형을 유지하는 시스템을 갖추고 있습니다. 자연의 일부인 인간의 몸 역시 자체적 질서와 균형을 유지하고 있습니다. 그런데 약은 특정한 부분을 표적으로 삼아 억지로 강화하거나 무력화시킵니다. 이런 억지스러운 방법이 지속되면 인체의 신경계나 내분비계, 면역계 등이 교란됩니다. 인체의 생태계 질서가 무너지는 것이지요.

지금 인류가 겪고 있는 문제들, 특히 기후 문제 또한 자연의 생태계가 교란되었기 때문입니다.

물론 몸에 해로운 세포나 해로운 바이러스 같은 것들은 당연히 강제로 무력화시킬 필요가 있습니다. 하지만 약과 너무 친해지면 약에 대한 내성이 생깁니다. 그러면 더 이상 약이 소용없게 될 수 있습니다.

인체 내부 장기들은 서로 부족한 부분의 에너지를 주고받으며 상부상조하고 있습니다. 인체의 생태계가 교란되면 인체의 상부상조 시스템이 깨집니다. 질서와 균형 시스템이 무너지면서 에너지 편향성이 생깁니다. 어느 부분의 에너지는 비정상적으로 빠르게 소진되어 조기에 종료됩니다. 반면 어느 부분의 에너지 소진은 느려집니다.

약의 힘 때문에 필수기능은 유지하지만 스스로 움직이지 못하면서도 살 수 있습니다. 대소변을 제대로 가리지 못하면서 5년이고 10년이고 살아갈 수도 있습니다. 심지어는 의식이 없는 채로 수년을 살 수도 있습니다. 그러니 무조건 약에 의존할 일은 아니지요.

나이가 들어가면서 장기들의 에너지는 차츰 줄어들어 쇠약해집니다. 그리고 때가 되면 에너지가 모두 소멸하면서 심장이 정지되어 죽음을 맞게 됩니다. 정상일 경우 그렇습니다.

약의 남용47)은 정상이 아닙니다. 약을 남용하면 '잘 사는 삶'도 '잘 죽는 죽음'도 어렵게 할 수 있습니다. 자연스러운 삶을 어렵게 할 수 있습니다. 생생하게 살다가 원하는 곳에서 죽는 것을 어렵게 할 수 있습니다.

인간 존재는 적절한 운동이나 호흡, 식사 조절 등을 이용해서 약 없이 살아갈 수 있습니다. 심각한 외상이 아닌 한 그렇습니다.

인간 존재는 '깊고 그윽한 본성'을 내면에 품고 있습니다. 이 '깊고 그윽한 본성'은 은근하고 은밀합니다. 드러나지는 않지만 언제나 삶에 영향을 주지요. 그러면서 더 나은 쪽으로 삶을 견인 해주는 역할을 하고 있습니다.

우리 안에 내재 된 '깊고 그윽한 본성'은 신경계통을 통해 신호를 보냅니다. 이 신호를 우리는 '마음'이라는 시스템을 통해서 전달받습니다. 약물이 몸에 쌓이면 신경 시스템이 혼란해집니다. 작동이 정상적으로 잘 되질 않습니다. 자기 내면의 '깊고 그윽한 본성'과 마음 간의 소통이 어려워질수록 자주적, 자발적 힘은 약해집니다. 약에, 의사와 약사에 더 의존하게 되는 것이지요. 그러면서 몸과 마음은 건강함을 점점 더 잃어 갑니다.

뇌신경계가 교란되면 치매와 같은 인지장애를 겪을 가능성도 커집니다. 인지장애 환자의 수는 해마다 늘어나고 있습니다. 의약품 소비량 역시 해마다 늘어나고 있습니다. 노령인구가 늘어나니 당연할 수 있으

---

47) 미국의 경우 만성통증에 시달리는 사람이 성인 인구의 20%에 달한다. 미국 안전위원회(NSC)의 자료에 따르면 오피오이드(모르핀, 펜타닐, 옥시코돈, 하이드로코돈, 트라마돌, 하이드로몰폰, 메타돈 등 마약성 진통제의 통칭)의 오남용으로 사망한 비율(2017년)이 96명당 1명 꼴로 교통사고(103명당 1명)보다 많았다. 2017년 약물 오·남용에 따른 사망자는 7만200명이며, 하루 평균 130명의 미국인이 오피오이드 중독(약물중독)으로 숨졌다고 미 질병통제예방센터(CDC)는 설명했다. 메디소비자뉴스. 2019. 4. 29.

나 인지장애 환자의 증가율은 노령인구의 증가율을 훨씬 압도합니다.[48] 약물은 신경계를 교란하니 당연한 결과라 생각됩니다.

현대 의공학은 아주 세밀한 부분까지도 감별해 내는 기계장치를 개발합니다. 그 장치로 질병을 조기 발견해서 치료하게 됐다고 하면서 의학 발전을 자축합니다. 그러는 와중에 신중하지 못하고 성급히 몸을 가르는 행위가 일상다반사로 벌어지고 있습니다.

주변에 있는 산이나 계곡 등은 오랫동안 지각 변동을 겪어 왔습니다. 그러면서 자연스럽게 지금의 형태로 자리 잡았습니다. 지금의 형태를 이룬 데에는 틀림없이 어떤 이유가 있기 마련입니다. 그런데 계곡을 메꾸고, 산을 밀어 버리고, 강바닥을 긁어냅니다. 인위적이고 강제적으로 그 형태를 바꾸어 버린다면 좋은 미래를 기대하긴 어렵습니다. 아니 오히려 커다란 재해로 이어질 수도 있습니다.

자연을 인위적으로 과도하게 다루면 잠재되었던 위험이 언젠가는 터지기 마련입니다. 사람의 몸 역시 그렇습니다. 그 자리를 지키고 있어야 할 부분이 없어지면 십중팔구 다른 문제가 발생하게 됩니다.

인체는 고도로 정밀한 인공지능이 내재 된 기계장치와 유사한 부분이 있습니다. 그렇다고 자동차 수리하듯 부품을 바꾼다는 생각은 정말 위험한 생각입니다. 인체 시스템은 아주 특별합니다. 각 부분은 고유의

---

48)* 국민건강보험공단은 20일 '경도인지장애' 질환으로 진료 받은 사람이 2012년 6만3000명에서 2017년 18만6000명으로 늘어나 **연평균 24.2%**의 증가율을 보였다고 밝혔다. 또 치매질환 진료인원은 2012년 29만 6000명에서 2017년 49만 1000명으로 **연평균 10.7%** 늘었다. 뉴시스. 2018. 9.20.
　* OECD에 따르면 2011년 부터 2020년까지 한국의 65세 인구 **연평균 증가율은 4.4%**로 OECD평균 2.6%를 뒤어넘는다. 한국경제. 2024. 4.9.
　* 최근 10년간 한국의 **65세이상 고령인구는 연평균 4.2%** 증가해 고령화 속도가 일본(2.1%)보다 2배 빨랐다. 디지털 타임즈. 2021. 11.15.

에너지를 가지고 있습니다. 독립적이지만 서로 유기적인 밀착 관계를 유지하고 있습니다.

인체 어느 한 부분에 변화가 생기면 에너지 흐름에도 변화가 생깁니다. 유기적 연결성에 영향을 미칩니다. 동시에 에너지 변화에 맞는 새로운 심리적 상황이 생겨납니다. 사람은 누구나 자신의 심리적 상황에 맞게 자기 삶과 주변 환경을 만들어 갑니다. 심리적 상황이 바뀌면 그동안 구축해 놓았던 삶과 주변 환경에 미묘한 변화가 동반됩니다.

지구의 자연은 오랫동안 황폐해져 왔습니다. 인위적이고 강제적으로 변해 왔습니다. 이 변화는 지금도 계속되고 있습니다. 지금 인류는 심각한 기후 문제와 환경문제를 겪고 있습니다. 이는 마치 지구의 심리 상황을 보는 듯합니다.

육체에 인위적으로 가해진 변화가 '나'라고 하는 존재에 이로움으로 작용할까요? 아니면 해로움으로 작용할까요? 이에 대한 답은 그 경험 후에 자신만이 알 수 있겠지요.

둘, 질병 예방을 위해서

질병 예방을 위해서는

첫 번째, 몸에 더 이상 독소가 쌓이지 않게 하는 것입니다.

과로, 과음, 과식, 과스트레스, 과한 운동, 수면 부족 등등은 몸에 독소가 쌓이게 합니다. 과로, 과음, 과식, 과스트레스, 지속되는 과격한 움직임을 피합니다. 잠을 충분히 잡니다.

두 번째, 인체 순환시스템을 활발하게 작동시켜 주는 것입니다.

인체의 순환 시스템은 혈액의 흐름이나 면역과 관련된 림프액의 흐름, 신경의 흐름 등을 의미합니다. 또한 인체의 생명 활동에 관련된 소화와 흡수, 분해, 합성, 이동, 저장, 배출 등의 신진대사 작용 등을 의미합니다. 그럼으로써 몸의 자체적 정화와 방어시스템을 확고하게 구축하는 것입니다. 몸이 잘 순환되면 심리적 스트레스 속에 매몰되지도 않습니다. 마음 역시 잘 순환되기 때문입니다.

몸의 자체적 정화와 방어의 힘을 기르기 위해서는 운동 만한 것이 없습니다. 운동할 때는 숨을 깊이[49] 쉬어 주어야 하며, 몸이 깨어나도록 해야 합니다. 몸을 깨어나게 한다는 말은 몸의 감각을 잘 인식해야 한다는 의미입니다. 즉 몸을 잘 성찰해야 한다는 의미입니다. 이를 위해서는 직접 움직이되 몸의 반응이나 자극, 상태를 가만히 관찰하고 인식합니다.[50]

세 번째, 병을 예방하는 데 운동만큼 중요한 것이 음식 섭취법입니다. 과식은 '절대 금물'입니다. 남이 '어떤 음식을 먹었더니 좋더라' 했다고 덩달아 따라가긴 마시길 바랍니다. 사람마다 각자 입맛이 다릅니다. 자신 몸에 맞는 음식이 다르기 때문입니다. 특히 누군가 "커피 한잔 드세요." 하며 권한다고 다 덥석 드시진 마십시오, "어유! 고맙습니다. 근데 지금은 생각이 없네요."라고 단호하게 말할 수 있어야 합니다.

찬 음식(음료)은 내장을 차갑게 하여 경직시키므로 삼가야 합니다. 음식 섭취법에 관해서는 2장 '올바르게 먹기' 편에서 충분히 강조하였으니 필요한 경우 한 번 더 참조 바랍니다.

네 번째, 하루 중 적당한 때에 마음을 차분히 가라앉히는 명상 시간을 챙겨보시길 권합니다.

---

49) 깊은 숨 쉬기 ; 폐 전체를 이용한 심호흡. 또는 심박수를 빠르게 해주는 운동(유산소 운동)을 할 때의 호흡.
50) '몸이 성찰' 편(p88) 참고.

마음을 차분히 가라앉히는 것을 어렵게 생각할 필요는 없습니다. 의자에 편안히 푹 기대어 앉아, 찬찬히 긴장을 풀어주는 것만으로도 충분합니다. 몸에 긴장감을 풀어주는 것은 더없이 좋은 마음 기도와 명상입니다. 몸이 곧 마음이며 마음이 곧 몸이니까요.[51]

긴장을 풀 때는 온몸이 마치 물처럼 흘러 녹아내리는 것을 상상하면 좋습니다. 그러면서 물과 함께 떠내려가는 것을 상상해 보는 것입니다. 또는 몸을 허공에 둥둥 띄워 놓은 것을 상상해도 좋습니다.

입을 살짝 벌려놓으면 긴장 풀기가 좀 더 수월합니다. 코와 입으로 온몸 가득 숨을 들이쉬고 입으로 후~하고 토해낸 후 긴장을 풀어주면 더 좋은 이완 효과를 볼 수 있습니다. 앞서 언급한 '숨 잘 쉬기' 편을 참고하시면 좋을 듯합니다.

몸이 이완되면 마음이 편해지고 마음이 편해지면 삶이 온유해집니다. 질병은 삶이 온유한 사람을 두려워합니다.

마지막으로, 삶을 대하는 태도, 습관 된 생활의 부정적 측면을 성찰해 보는 것입니다.

부정적 사고와 감정은 현실의 삶을 과도하게 폭주하는 쪽으로 잘 이끌고 갑니다.

일상을 바라보는 시선이 부정적 사고 속에 매몰되어 있지는 않은지, 부정적 감정에 잘 휩싸이는지, 편향된 행위, 움직임을 지속하는지 등을 살핍니다. 부정적 사고, 부정적 감정의 반복은 삶을 부정적인 방향, 즉 질병 같은 부정적 육체 현실로 이끌고 갑니다. 또한 편향된 움직임은 인체의 근골을 비틀어지게 합니다. 그 결과 내부 장기는 압박받고, 신경이나 혈액의 흐름은 나빠집니다.

---

51) 이 부분에 대해서는 '4장 영혼에 대하여' 편에서 자세히 다루어 보겠습니다.

부정적 사고와 감정, 편향된 움직임을 성찰함으로써 그릇된 습관들을 긍정적이고 조화로운 방향으로 향하도록 합니다.

부정적 습관을 고치려면 강한 인식의 전환이 필요합니다. 긍정과 올바름을 지향하는 명상을 통해 인식의 전환을 이룹니다. 인식의 전환은 습관 된 부정적 생활 태도를 바로잡게 합니다. 생활 태도의 변화는 질병으로부터 해방된 건전하고 온전한 삶으로 이어집니다.

셋, 질병의 내외적 원인

대부분 질병은 몸 안의 노폐물(독소) 때문에 생겨납니다. 몸의 순환 기능이 원활하지 않으면 노폐물이 잘 쌓입니다.

냉기가 있거나 경직되어 있거나 비틀어져 있으면 몸의 순환 기능이 원활하게 작동하질 않습니다. 폭음이나 폭식, 과로 등은 순환 기능을 망가뜨립니다.

몸의 순환 기능을 악화시키는 삶을 선택하게 하는 것은 우리네 마음입니다. 마음은 몸을 차갑게 하거나 따뜻하게 하거나를 선택합니다. 몸을 경직시키고 비틀리게 하는 삶을 선택하는 것도 마음입니다. 폭음, 폭식, 과로로 이끄는 것도 마찬가지구요.

그러니 질병이 생기는 원인에는 마음이 자리하고 있습니다.

앞서 '질병 성찰하기' 편에서도 언급했지만, 질병은 근원적으로 영적 차원에서부터 비롯됩니다. 영적 차원에서 마음을 움직이고, 마음은 몸을 움직입니다.

질병은 자신의 깊은 내면에서 스스로(에고)에게 부여한 것입니다. 깊은 내면인 영혼은 실험적이며 창조적인 활동을 좋아합니다. 질병은 한편으로는 실험적이고 창조적인 활동의 일환입니다.

영혼의 상태로는 질병을 경험할 수 없습니다. 질병은 물질 몸이 겪습니다. 영혼은 물질 몸의 경험을 통해서 한층 더 성숙해집니다. 영혼은 질병을 겪는 상황을 통해서 무언가 배우기를 시도합니다. 실험합니다. 또한 무언가를 해소하고자 모색하기도 합니다.

인간 존재는 다차원적입니다.

예를 들자면 식물 의식이 점이라면 동물 의식은 선입니다. 에고 의식은 면입니다. 영혼의 의식은 입체입니다. 영혼은 점, 선, 면, 입체 모두를 이해합니다. 에고는 점, 선, 면까지 이해합니다. 입체적 영혼 의식의 특성은 면의 의식인 지금의 에고 입장에서는 불가해한 측면이 많습니다.

질병을 선택한 영혼의 입장을 에고로서는 받아들이기 어렵습니다. 그렇다고 문제를 해결하기가 어렵지만은 않습니다. 복잡한 과정이나 단계를 거칠 필요도 없습니다. 점을 이으면 선이 되고, 선을 이으면 면이 됩니다. 입체는 면을 이어주기만 하면 됩니다.

질병에서 벗어나기 위해서는 그냥 몸에 집중합니다. 단순합니다. 적극적인 몸의 움직임(운동)으로 기혈을 잘 순환시켜 주면 됩니다. 노폐물(독소)을 배출하면 됩니다. 부차적으로는 몸의 비틀림을 바로 잡아 줍니다.

만일 몸을 못 움직일 정도로 병이 심각한 상황이라면 일단 육체의 생존력을 높여 주어야 합니다. 이때는 숨을 깊이 잘 쉬어 주고 자신에 맞는 음식을 잘 섭취해야 합니다.

몸을 순환시키고 바르게 하기에 집중하다 보면 마음은 자연스럽게 평온해집니다. 운동과 함께 평온해짐을 '의도'하면, 즉 '운동하고 나서 내 마음은 평온해진다'라고 마음먹으면 훨씬 더 빠르게 평온해집니다.

명상을 통한 마음가짐으로도 마음은 평온해질 수 있습니다. 하지만 마음 작용만으로 얻어지는 평온함은 길게 가지 못합니다. 몸과 마음은 분리할 수 없습니다. 마음 작용만으로 얻어지는 평온함은 몸의 꼬달림에 의해서 쉽게 사라질 수 있습니다.

몸과 더불어 마음이 평온해지면 거칠었던 성정(性情)이 순화됩니다. 내면이 고요해집니다. 이 고요함은 근원적인 평온함입니다. 근원적 평온함이 자리 잡으면 영혼이 원했던 질병의 경험이 완료되었다는 신호입니다. 결국 질병에서 온전히 벗어날 수 있게 됩니다.

넷, 치유를 위한 제언

육체의 지나친 피로감으로 인한 병이라면 무조건 휴식해야 합니다. 과하게 소진된 육체 에너지를 보충해야 합니다. 그렇지 않은 경우라면 무조건 움직이고 운동해야 합니다. "스스로 사색하고 스스로 탐구하고 자기 발로 서라."라고 칸트는 말합니다. 몸을 움직일 수 있는 상황이라면 건강을 위한 운동법을 찾아야 합니다. 그리고 행해야 합니다.

운동은 그릇됨 없는 적절한 것이어야 합니다. 그릇된 운동이란 지나치게 과하다거나 몸을 비틀어지게 하는 편향된 것이거나, 순환에 대한 고려 없이 강화에만 치우쳐 몸을 경직시키는 것입니다. 과한 운동도 때론 필요할 때가 있지만, 그 과함이 병을 불러들일 수 있으니, 주의가 필요합니다.

치유를 위한 운동을 할 때는 문제가 되는 특정 부위에 너무 신경 쓸 필요는 없습니다. 아니 오히려 무심하게 모른척하는 편이 더 낫겠군요. 문제 부위에 너무 신경을 쓰면 과민해집니다. 질병에 걸리면 걱정스럽고 두려운 마음이 생깁니다. 과민함은 걱정과 두려움을 더 증폭시킵니다. 걱정과 두려움은 치유에 별로 도움이 되지 못합니다.

인간의 몸은 유기적입니다. 각 기관들이 서로 긴밀하게 연관되어 있습니다. 그러므로 통합적인 측면에서 몸 전체를 고르게 순환시켜야 합니다. 그래야 병을 효과적으로 치유할 수 있습니다.

몸을 움직일 때는 가급적 몸이 후끈하게 열이 나게 해야 합니다. 몸속 냉기는 질병의 입장에서는 최상의 조건입니다. 몸 안이 훈훈하면 질병은 안절부절못하다가 결국은 떠나게 될 것입니다.

자주적이고, 자율적이며 근본적인 치유를 위한 방법을 정리해 보겠습니다.

이 방법은 '스스로 움직임이 가능한 경우'에 한정됩니다.

* 병이 깊은 경우(움직임이 버거운 경우)
㉠숨 잘 쉬기 ㉡올바르게 먹기 ㉢보온(냉기 해소) ㉣순화(이완)

* 병이 깊지 않은 경우(움직이는 데 별 지장 없는 경우)
㉠순환과 정렬 ㉡숨 잘 쉬기 ㉢올바르게 먹기 ㉣보온(냉기 해소) ㉤순화(이완)

'숨 잘 쉬는 것'과 **'올바르게 먹는 것'**은 생존에 필수적인 조건입니다. 그러니 생존이란 측면에서도 제일 중요한 부분이겠지요. 앞의 내용 중 '숨 잘 쉬기'와 '올바르게 먹기' 부분을 다시 한번 참고하시면 되겠습니다.

생존의 문제를 넘어서면 다음은 몸을 움직여 적극적으로 질병을 몰아내야 합니다.

순환과 정렬에 관해서도 앞서 '바르게 운동하기'에서 자세히 설명했습니다.

보온(냉기 해소), 수많은 질병의 중요한 원인 중의 하나가 바로 냉기입니다. 특히 냉한 복부는 병 걸리기에 매우 좋은 환경입니다. 냉장고의 찬 음식과 에어컨의 서늘함은 뱃속을 차갑게 합니다.

몸이 차가워지면 경직되고, 몸이 경직되면 인체의 순환 시스템에 장애가 생깁니다. 면역능력과 노폐물(독소) 처리, 신진대사 능력이 저하됩니다. 질병이 자리 잡기 좋은 환경이 된다는 말이지요. 특히 암세포는 열을 싫어해서 몸이 차가울수록 암세포는 즐거워합니다.

몸에서 한기가 느껴질 때는 바로 옷을 껴입거나 해서 몸을 따뜻하게 해야 합니다. 근력운동이나 심장과 폐를 강화하는 유산소 운동은 비교적 짧은 시간에 몸에 열을 내게 하는 운동입니다. 평상시 몸이 냉한 편이라면 적극적으로 근력을 사용하거나, 유산소 운동을 하거나 해서 몸에 열을 내어 냉기를 몰아내야 합니다.

순화(이완), 질병 대부분은 정서적, 심리적 부분에서 기인합니다. 보다 궁극적으로는 심층 내면인 영적(영혼) 부분으로부터 비롯됩니다.

일단 질병을 일으키는 궁극적 원인인 심층적(영적) 부분은 사실 거의 알아채기 어려우므로 한쪽으로 젖혀두겠습니다.

마음이 질병의 밑바탕이라는 말은 마음의 부딪침이 질병의 원인이라는 의미입니다. 이 마음의 부딪침은 그냥 단순하게 스트레스라고 생각하면 이해하기 쉽겠군요. 스트레스는 '팽팽하게 당긴다'는 의미의 라틴어 어원에서 나온 단어라고 하는데요. 즉, 마음의 긴장 상태를 의미하는 것입니다.

적이나 짐승 등에게 언제 어디서 습격받을지 모르던 시대가 있었습니다. 그 시절에는 마음의 긴장 상태가 생존을 위한 필수 요건이었을 겁니다. 팽팽한 긴장 상태는 순간 반응을 빠르게 하니 긴장하는 만큼 생존 가능성이 컸겠지요.

하지만 지금은 주거를 비롯한 여러 환경이 안정적입니다. 이런 환경에서 지속되는 마음의 긴장감은 오히려 건강과 생존을 위협하는 요소가 되어 버렸습니다.

현대인은 너나 할 것 없이 누구나 스트레스를 겪으며 살아가고 있습니다. 스트레스를 받으면 우리 몸은 경직되고 차가워지며 신체의 부조화는 더 심해집니다. 폭음과 폭식을 하게 되기도 합니다. 사람들을 괴롭히는 스트레스는 현대의 복잡해진 환경만큼이나 다양해졌습니다. 질병 역시 복잡하고 다양해졌습니다. 그러니 사람들이 질병 하나쯤 달고 사는 것은 어쩌면 당연할 수도 있겠습니다.

질병의 원인인 스트레스에서 벗어날 수 있는 명상을 권유하는 분들이 점차 늘어나는 추세입니다. 명상은 마음의 이완을 위한 좋은 도구이니까요. 그런데 마음은 몸과 불가분의 관계입니다. 마음의 이완 문제는 몸의 이완이 병행되어야 좋은 효과를 볼 수 있습니다. 몸의 문제는 마음의 문제와 분리할 수 없습니다. 마음의 문제는 몸의 문제를 같이 고려하지 않으면 해결할 수 없습니다.

마음에 관한 몸의 연관성 문제는 더 나아가서 영적 부분과의 연관성으로까지 이어집니다.

번잡한 삶을 잠시 뒤로하고 명상을 해보면 마음이 편해짐을 느낍니다. 그러나 다시 일상으로 돌아오면 얼마 지나지 않아 예전과 똑같아지는 것을 경험합니다. 잠시 이완됐던 마음이 다시 경직된 것이지요.

마음은 잠시 이완되더라도 어느 순간 다시 경직될 수 있습니다. 하지만 마음이 순화되어 있으면 잘 경직되지 않습니다. 마음이 순화되어 있으면 스트레스 같은 긴장 상태는 애초부터 잘 생겨나지도 않습니다. 생겨나더라도 금방 사라지지요.

마음을 순화하려면 몸을 순화해야 합니다. 마음의 순화는 몸의 순화와 분리해서는 이룰 수 없습니다. 몸이 순화되면 질병이 뿌리를 내리기 어렵습니다. 스트레스 같은 심리적 노폐물이든 물질적 이유에서 생긴 노폐물들이든 인체에 뿌리를 내릴 수 없습니다. 몸 어딘가에 자리 잡기 전에 몸의 순환시스템이 자체적으로 흘러가게 해 버릴 테니까요. 집 마당에 뱀이 출현한다면 그 뱀이 싫어하는 환경을 만들면 됩니다. 그럼 뱀은 머물지 않고 떠나겠지요.

어떤 병이든 예방이나 치료를 위해서는 몸을 순화시키면 됩니다. 순화된 몸에서는 질병이 생겨나질 않습니다. 암세포도 생겨나질 않습니다. 행여 생겨나더라도 자리 잡지 못하고 흘러가 사멸해 버립니다.

마음의 순화를 위해서 몸으로 하는 운동으로는 요가 스트레칭 만 한 것이 없습니다. 마음의 경직은 몸속 내장 경직이 깊이 관여합니다. 요가 스트레칭은 몸속 내장 경직을 풀어주기에 좋은 동작들이 많습니다. 인체의 외부적 부드러움은 마음의 이완과 관계있고 인체의 내부적 부드러움은 마음의 순화와 관계있습니다.

그런데 가만히 관찰하면 질병과 함께하고 싶어 하는 경우도 간혹 있는 듯합니다. 이런 경우는 몇 가지 이유가 있을 수 있는데요. 하나는 은연중에 현 상태가 지금의 나에게 더 유리하기 때문입니다. 예를 들면, '환자'라는 명찰을 달고 있으면 아프다는 이유로 주변 사람들에게 위로와 지속적인 배려를 요구할 수 있습니다. 더 나아가서는 주변 사람을 통제할 수도 있습니다. 그리고 귀찮은 일들을 아픔으로 도피하거나 회피할 수 있습니다.

또 한 가지는, 그 질병을 '나'의 일부로 받아들였기 때문입니다. 질병과 오랫동안 함께 하다 보니 질병을 자신과 동일시해 버린 것이지요. 이런 경우 질병에서 벗어나는 것은 곧 나를 버리는 것이 되어 버립니다. 나를 저버리는 심리적 박탈감이 두려워집니다. 이러한 이유로 은연중에 질병에서 벗어나는 것을 거부하게 될 수 있습니다.

 이러한 마음가짐을 가지고 있는 한 전능한 신이 있다고 할지라도 치료할 수 없습니다.

 질병에서 벗어나려면 '진심으로' 낫고자 하는 의지가 있어야 합니다. 치료의 기적을 행하기 전 '네가 진정으로 낫기를 바라느냐?'라고 한 성자의 말씀을 다시 떠 올려봅니다.

다섯, 몸 다스림(움직임, 운동)의 중요성

 몸 다스림, 즉 운동의 중요성을 또 강조합니다.

 질병은 영적인 부분에서 비롯되어 마음의 관문을 거쳐서 육체에 발현되는 것입니다. 그러므로 이 문제를 역순으로 거슬러 올라가면서 해결할 수 있습니다. 육체적 부분을 바로잡아 마음의 문제를 해결하고 영적인 부분에 영향을 미칠 수 있게끔 하는 것이지요.

 몸은 정직합니다. 마음은 드러나 보이지 않습니다. 그러니 속이기도 쉽습니다. 음흉한 마음을 가졌어도 겉으로는 고상한 척, 거칠어도 온유한 척할 수 있습니다.

 영적인 부분은 더욱 드러나지 않으니 더 잘 속일 수 있습니다. 실상은 그렇지 못하지만, 영적으로 숭고한 척할 수 있습니다.

 하지만 몸은 절대 속일 수 없습니다. 경직된 몸으로 부드러운 척할 수 없고, 비틀어진 몸으로 바른 척할 수 없습니다. 행동이 점잖지 못하면서 점잖은 척할 수는 없습니다.

그래서 저는 무엇보다도 '몸'의 중요성을 강조합니다. 우리가 이 물질 세계를 살아가는 동안은 확실히 그렇습니다.

이 세상을 살아가는 동안 몸이 관여하지 않는 것은 없습니다. 호흡도 몸으로 행하는 것이니 몸의 행법, 즉 운동입니다.

사실 엄밀하게 보자면 명상 등을 통해 마음을 다스리는 방법 역시 몸으로 하는 방법입니다. 명상은 뇌의 작동과 관계가 있기 때문입니다. 명상은 눈에 안 보입니다. 눈에 안 보이니 실체화하기 어렵습니다.

우선 눈앞에 보이는 육체적 부분에 집중하다 보면 마음의 문제도 해결되어 갑니다. 몸과 마음은 서로 뗄 수 없는 불가분의 관계에 있으니까요. 몸과 영적인 부분과의 관계 역시 마찬가지입니다.

몸을 '조금이라도 더' 건전하게 되돌려 놓으면, 마음 또한 조금 더 건전하게 자리를 잡습니다.[52] 그러면 건전해진 마음은 질병의 기원인 영적 부분에 영향을 미치기 시작합니다. 질병의 기원은 영적인 부분에 있습니다. 그러니 몸을 통해서 마음의 변화를 이끌고, 마음의 변화를 통해서 영혼의 의도에 변화를 끌어내는 것이지요. 즉, '질병을 경험'하고자 했던 영혼의 의도는 '질병에서 벗어남'이라는 의도로 바뀌는 것입니다.[53]몸을 잘 다스리면 질병의 근원인 영혼의 의도를 움직일 수

---

52) 심리적 문제라 하더라도 몸을 제외시킨다면 장기적으로 좋은 효과를 기대하기 어렵습니다. 마음은 몸과 서로 얽혀 있는 관계입니다. 몸을 통한 접근 없이는 심리적인 문제라도 근본적으로 해결하기 어렵습니다. 심리적(마음) 문제를 심리(마음)로만 접근하면 마치 쓰레기를 보이지 않게 덮어버리는 것처럼 초기에는 충분히 해결된 것처럼 보일 수도 있겠지만 장기적으로는 십중팔구 몸의 꼬달림에 의해서 다시 원래대로 되돌아가 버립니다. 몸은 마음을 견인하기 때문입니다.
53) 마지막 장 '결정된 미래, 결정된 운명은 없습니다' 편에서 이야기를 좀 더 자세히 풀어 보겠습니다.

있습니다. 신은 몸을 잘 다스리는 자에게 복을 베풀어 줍니다.

질병에서 벗어난 후에는 3장의 '바르게 운동하기' 편에서 언급한 ㉠ 순환 ㉡정렬 ㉢강화의 세 가지 사항을 유념하며 운동을 지속합니다. 그리고 숨도 잘 쉬어 주고, 입맛에 따라 음식도 잘 섭취합니다. 그러면 향후 질병을 예방할 수 있고 결국은 질병에서 자유롭게 됩니다.

여섯, 치유와 긍정적 사고의 관계, '심리적 암시'

사람들은 '나는 이런 사람이다'라는 관념의 틀을 가지고 있습니다. 병을 오래 앓으면 '나는 환자야'라는 관념의 틀이 생깁니다.

사람은 통상 자기 최면에 많이 빠집니다. 최면은 자기암시입니다. '나는 환자'라는 관념의 틀은 자기암시로 작용합니다. 스스로 환자라는 최면에 빠집니다. 부정적 자기암시는 삶을 부정적으로 이끕니다. 긍정적 자기암시는 삶을 긍정적으로 이끌어 갑니다. '환자'라는 부정적 자기암시에 빠져 있으면 '건강한 몸'을 되찾기 어렵습니다.

명상, 요가는 모두 최상위 긍정적 최면 기법이라고 할 수 있습니다. 그래서 명상과 요가를 통해 건강을 회복한 사람들이 많습니다.

자기암시는 종교에서는 매우 중요한 부분을 차지합니다. 믿음은 특히 종교에서는 없어서는 안 되는 첫째 요소이지요, 자기암시와 믿음이 서로 맞물리면 의식구조 자체를 바꾸어 버릴 수도 있습니다. 사이비 종교들이 판을 칠 수 있는 이유입니다.

우리들의 마음에서 나오는 자기암시와 믿음은 체내 호르몬과 신경계통에 모종의 자극을 유발합니다. 몸에도 직접적으로 영향을 미치는 것이지요,

자기암시와 관련해서 '플라시보 효과'와 '노시보 효과'에 관해서 알아

보도록 하겠습니다.

'플라시보'는 환자를 안심시키기 위해 주는 위약, 즉 가짜 약을 일컫는 말입니다. 이 위약이 환자의 심리상태에 영향을 끼쳐서 실제로 환자의 상태가 좋아지게 되는 현상을 '플라시보 효과'라고 합니다.

"할머니 손은 약손, 길동이 배는 똥배". 흥얼거리는 할머니 손에 배를 맡겼던 경험을 가진 분들이 계실 겁니다. 실제로 할머니 손에 배앓이를 고쳤던 경험을 해 보신 분들도 제법 계십니다.

플라시보 효과의 기원을 알 수는 없습니다. 아마도 고대 주술사들의 주술로까지 거슬러 올라가야 하지 않을까 싶습니다. 플라시보 효과가 나름 체계적으로 알려지기 시작한 것은 1882년 프랑스 약리학자 에밀 쿠에의 약 처방에서 기원했다고도 합니다.

프랑스에서 약국을 운영하던 쿠에에게 어느 날 저녁 통증을 호소하는 손님이 찾아옵니다. 마땅한 약을 찾을 수 없던 쿠에는 고심 끝에 말하지요 "아! 이 약은 나만 사용하는 건데, 특별하게 손님한테만 드립니다. 저도 이 약의 효과를 독특히 보고 있거든요. 하지만 내일 날이 밝으면 병원에 꼭 가보셔야 합니다." 그리고는, 아무 약성이 없는 알약을 하나 집어 들고는 정성껏 포장해서 건네주었지요 하지만 내심 마음이 불편했습니다. 그런데 며칠 후 그 손님이 방문해서 놀라운 소식을 전합니다.

"선생님 그 약의 효과가 보통이 아니던데요 그 약을 먹고는 몸이 말끔하게 나았습니다." 이때부터 에밀 쿠에는 '말에 대한 신뢰와 확신이 병을 치료할 수 있다'는 믿음으로 연구를 시작합니다. 그리고 말에 대한 믿음의 공식을 하나 만듭니다.

"날마다 모든 면에서 나는 점점 좋아지고 있다."
-에밀 쿠에

진통제를 투여하지 않고 진통제를 투여했다는 말만으로도 진통 효과
를 본다거나, 위약으로 감기 환자를 빠르게 회복시키고, 관절염 환자와
파킨슨병 환자들이 위약 수술(가짜 수술)로 증상이 개선된 예들은 실
험을 통해서 이미 입증된 사실들입니다. 심지어는 가짜 약인 줄 알고
복용해도 치료 효과를 본다는 연구 결과54)도 있지요.

　종교의 부흥회에서 병이 치유되었다고 느끼는 사례도 플라시보 효과
의 하나라고 볼 수 있겠습니다. 물론 참가자들 모두가 성공적인 효과
를 보진 못했습니다. 그렇더라도 그 효과가 틀림없이 존재한다는 것을
부정하진 못합니다.

　플라시보 효과에 의해서 환자는 실제로 나아졌다고 느끼지만 검진 결
과상 나아지지 않은 때도 많다고 합니다. 하지만 나아졌다는 믿음이
지속되고, 병의 요인인 폭음이나 폭식, 과로와 같이 좋지 못한 습관들
만 멈춘다면 틀림없이 낫게 되어 있습니다.

　플라시보 효과와 반대가 되는 현상을 '노시보 효과'라고 합니다. 예를
들자면 사람들에게 맑은 공기를 흡입시킨 뒤에 두통이나 메스꺼움을
일으키는 독소가 함유되었다고 말합니다. 그리고 한 사람이 공기를 마
시고 그런 증상을 나타내는 모습을 거짓으로 보여 줍니다. 그러면 실
제로 대다수가 두통이나 메스꺼움을 느끼게 됩니다.55)

---

54) 2016년 10월 이스라엘 의대 팀은 가짜 약이라는 것을 환자가 알아도 치료
　　효과가 있다는 연구 결과를 발표했습니다. 실험 결과, 플라시보 약(가짜 약)이
　　라고 알고 먹은 그룹의 치료효율(30%)이 아무것도 안 먹은 그룹(9%)보다 3
　　배 높았다고 합니다. 연구진은 "이 약이 여하튼 효과가 있다는 의료진의 긍정
　　적 설명과 의료시스템의 신뢰가 플라시보 효과의 핵심"이라는 논평을 냈습니
　　다. -중앙SUNDAY. '김은기의 바이오토크' .2017.2.26. 참고-
55) 1998년 11월 미국 테네시주의 고등학교에서 일어난 일이라고 합니다. 한 교
　　사가 휘발유 비슷한 냄새를 맡고 두통, 호흡장애, 현기증을 호소 했습니다 그
　　후 그 학교 교사와 학생 100여 명이 비슷한 증상으로 병원을 찾았다고 합니
　　다. 하지만 질환의 원인을 밝혀내진 못했습니다. 단지 친구가 아픈 것을 본 뒤

이러한 예는 심리적 암시가 '실제적'으로 몸에 작용한다는 사실을 알게 합니다. 그러니 평상시에 부정적 부분에 지나치게 마음 쓰지 않도록 주의할 필요가 있습니다. 부정적인 부분에 의식의 초점이 가는 순간 부정적 자기암시가 작용하기 시작합니다. 그리고 몸은 이 부정적인 암시에 반응합니다. 즉, 몸이 질병이나 사고, 싸움 등을 유발하도록 움직인다는 의미입니다.

심리적 암시는 타인과의 '관계'에도 마찬가지로 적용됩니다. 부정적인 마음을 누군가에게 보내면 상대는 부정적 암시에 반응합니다. 예를 들어 누군가에게 '이 썩을 *', '기분 나쁜 *' 하고 부정적 마음을 가지면, 그 누군가는 부정적 마음을 품은 사람을 떠올렸을 때 괜스레 기분이 나빠질 수 있습니다.

반대로 누군가를 향한 사랑담은 마음은 그 사람과의 관계를 긍정적으로 이끌 수 있습니다.

어쩌면 병원에서 회복되는 많은 경우가 '병원 치료나 약에 대한 믿음'이라는 자기암시가 작용했는지도 모를 일입니다. 그러니 병원 치료나 약에 의존하게 되었다면 오롯한 믿음을 가지고 맡기는 것도 중요해 보입니다. 예를 들자면, 몸에 약물을 주입하게 됐을 때, '이 약이 내 몸 안에 있는 질병 덩어리를 녹여서 몸 바깥으로 빠져나가게 한다' 하거나, '이 약은 내 몸을 새롭게 한다'와 같은 자기암시를 하는 것이지요. 하지만 이러한 암시 작용은 일시적이고 한정적일 수밖에 없습니다.

에 그런 증상이 나타났다는 결론을 내렸다고 합니다. 이런 현상을 '집단 심인성 질환'이라고 명명합니다.

영국의 어빙 커시라는 심리학자가 실험을 통해서 입증합니다. 어빙 커시는 대학생들에게 맑은 공기를 흡입시킨 뒤에 두통이나 메스꺼움을 일으키는 독소가 함유되었다고 거짓말을 합니다. 실험 대상자의 절반에게는 한 여자가 공기를 마시고 그런 증상을 나타내는 모습을 보여주었습니다. 여자가 고통을 느끼는 장면을 목격한 실험 대상자일수록 유사한 증상이 나타났습니다. -조선닷컴 [Why][이인식의 멋진 과학] '노시보 효과'. 2009.06.13. 참고-

향후 육체의 컨디션은 약을 통한 믿음만으로 좋게 유지할 수는 없는 노릇이니까요.

대부분의 약물 치료는 늘 부작용이 잠재합니다. 병의 근원적인 부분을 해결해 주지 못합니다. 그러니 치료 후, 병이 생기게 된 원인에 대한 성찰이 중요합니다. 안 그러면 그 원인에 의해서 다시 재발하게 되거나 다른 부분에 또 다른 이상이 생기게 될 것입니다.

운동을 통한 몸 관리도 절대로 필요합니다. 몸의 움직임은 순환과 관계있고 순환은 몸의 정화와 관계가 있는 것은 틀림없는 사실입니다.

미국의 저명한 외과 의사 버니 시겔56)은, 곧 죽을 것이란 시한부 진단을 받았어도 예상과는 달리 살아남은 많은 사람을 지켜봅니다. 그리고 말합니다. "나는 새삼스럽게 불치의 병은 있을 수 없으며 불치의 사람만이 있을 뿐이라는 확신과 함께 밝은 전망을 갖게 되었다."라고.

마음에 믿음이 실리면 그 믿음에 대한 암시가 작용하기 시작합니다. 자신의 의도에 믿음을 실어주면 잠재된 가능성이 드러납니다. 믿음과 함께 합리적인 방식으로 실행에 옮기면 실현 가능성은 매우 커집니다.

그리스도교의 성자 예수는 치유에 대한 기적을 행할 때는 '낫기를 원하는가?'라고 물으며 나아짐에 대한 확신이 있는지를 물었습니다. 믿음이 있는지를 확인한 것이지요.57)

---

56) 미국의 통합의학을 추구하는 외과의사. 내 마음의 아스피린「두 번째 인생」등의 저서가 있다.
57) 예수께서는 치유가 되면 "이것은 내가 아니라 하느님께서 행하신 것이다."라는 말도 빼놓지 않았습니다. 비종교인인 저는 절대적 신을,
   '존재하는 모든 것, 또는 우주 만물의 원형, 즉 우주 만물을 생성시킨 에너지의 원형'이라는 시각으로 보고 있습니다.
   현대 물리학자들은 오랜 연구 끝에 다음과 같은 결론해 도달합니다.

'하늘은 스스로 돕는 자를 돕는다'라는 말이 있습니다. 스스로 돕는 자를 돕는 하늘은 어쩌면 바로 자기 자신에 대한 깊은 믿음 즉, 자기 자신의 내적 힘이 아닐까 생각해 봅니다.

"우주는 상상할 수 없을 정도의 어마어마한 에너지로 응축되어 있던 '한 덩어리 점'의 폭발에서 비롯되었다." "그로부터 무수히 많은 별이 탄생했고 생명체들이 생겨나 지금에 이르게 된 것이다."

인간 존재를 비롯해, 우주 안의 모든 것은 '우주 에너지의 원형(신, 하늘, 하느님)'으로서 응축되었던 '한 덩어리 점'에서 파생된 하나의 파편들입니다. 육체로 살고 있는 지금의 '나'는 '고차원적 나'인 영으로부터 비롯되었습니다. 결국 '하느님께서 행하신 것이다'라는 말은 '고차원적 자신인' 영'에 의해서 스스로 치유가 되었다'. 라는 의미입니다.

4장
영혼에 대해서

"

몸이 조화롭고 건전해지는 만큼
마음은 온전해지고 평온해집니다.
또한 그만큼 에고의 시야는 맑아집니다.
누구나 어느 부분은 성숙하지만, 어느 부분은 미숙합니다.
미숙함이 성숙함으로 무르익을 때마다
깨달음은 찾아옵니다.
더 이상 깨달을 것이 없을 때
우리들 존재의 신성함은 완성됩니다.

"

이 책을 이해하기 위해,
영혼과 에고(ego)는 매우 중요한 개념입니다.
그 개념에 관해 간단하게나마 소개하고자 합니다.

영혼에 대한 이해 없이 에고를 이해하기 어렵고
에고에 대한 이해 없이 영혼을 이해하기는 어렵습니다.

 '영혼'이나 '에고'라는 말이 생소하신 분들에게는
이 부분이 다소 어렵고 복잡하게 느껴질 수도 있습니다.
하지만 전체적인 맥락 안에서 내용을 찬찬히 정독하다 보면
넉넉하게 이해하실 수 있을 겁니다.

영혼이나 에고의 개념에 대한 이해가 거추장스럽다면
이후에도 반복 설명되는 부분이 많이 있으니,
대충 읽어보셔도 좋습니다.
그 후, 차차로 다시 읽어보시면 됩니다.

첫 번째 이야기
영혼으로서의 '나'

하나, 영혼에 대해서

　사람들 대부분은 지금 '나'의 모습이 전부라고 생각하고 있습니다. 하지만 지금의 나는 '전체적인 나'가 부분적으로 투영된 모습입니다. 이 전체적인 나를 '영혼'이라고 합니다. '영혼'은 지금의 '나'보다 심층적인 자기 자신입니다. 오히려 지금의 나보다 더 본질적인 모습이라 할 수 있습니다.

　존재인 '나'는 이 세상에 태어나기 전에 이미 영혼의 상태로 살고 있었습니다. 이 세상의 시간관념으로 보자면, 어떤 영혼은 수백 년을 존재해 왔을 겁니다. 또 어떤 영혼은 수천 년을 존재해 왔을 거구요, 어쩌면 수만 년을 존재해 온 영혼도 있을지 모르겠군요. 영혼의 차원을 생각해 보면 이 세상에서 나이가 많고 적음을 따지는 것은 별 의미가 없어 보입니다.

　우리는 지금 육체의 감각으로 생활하고 있습니다. 육체의 눈으로 보고, 귀로 듣고, 코로 냄새 맡고, 입으로 먹습니다. 우리가 영혼을 지각하지 못하는 이유는 이 물질 육체 감각에 의지해 왔기 때문입니다. 영혼은 비물질적 존재이기에 육체의 감각으로는 인지할 수 없습니다.

　우리들의 본질적인 모습은 영혼입니다. 하지만 물질적 감각에 매몰된 상태에서 이 본질에 관심을 두기가 쉽진 않습니다. 눈앞의 현상에 너무 집중한 나머지 그 뒤에 펼쳐져 있는 광대한 실상을 보지 못하는 것이지요. 거칠고 자극적인 감각에 익숙해지면 부드럽고 온화한 감각은 잘 느껴지지 않는 법입니다.

영혼이나 존재의 본질 등을 운운하는 것은 현실과 동떨어진 관념으로만 느낄 수도 있을 겁니다. 당면한 현실적 삶의 버거움을 감당하기도 벅찰 테니 말이지요. 그렇더라도 이 본질적인 부분에 대해서 너무 망각하지 않았으면 하는 것이 바램입니다.

오히려 본질적인 부분을 의식하다 보면 현실의 버거움과 고난 들을 훨씬 수월하게 대할 수도 있습니다. 먼 곳을 응시하면 눈앞이 사물이 크게 인식되지 않는 것처럼 말이지요.

산에서 길을 잃으면 눈앞보다는 전체적인 지형을 봐야 길 찾기가 수월합니다.

영혼 상태로 존재하던 우리는 물질세계에서 육체의 몸으로 살고 있습니다. 육체 상태에서 우리들은 물질적 기쁨과 즐거움, 쾌락과 탐욕, 사랑 등과 같은 감정들을 경험합니다. 슬픔과 분노, 두려움과 싫어함, 배척감, 증오나 미움 등 같은 감정들도 경험합니다. 영혼 상태에서는 이런 감정들을 경험할 수 없습니다. 영혼에는 소위 '마음', 즉 '에고적 마음'이라는 것이 없기 때문입니다. 다만 정서적 느낌들이 마음을 대신할 뿐이지요.

영혼의 정서는 지금 육체의 몸으로 느끼는 정서와는 사뭇 다릅니다. 현실과 꿈속에서의 정서적 느낌을 비교해 보면 이해하는 데 도움이 되리라 여겨집니다.

대부분 꿈은 변이의식 상태의 느낌입니다. 변이의식 상태에서의 정서적 느낌은 크게 다릅니다.[58] 이 변이의식 상태는 가끔 마법과 관련된

---

58) p.39 참고

판타지 영화에서 종종 다루곤 합니다. 육체에서 분리된 몸으로 다른 차원을 경험하는 장면이 그런 경우입니다. 배역을 맡은 배우들은 이 경험을 현실과 똑같은 느낌으로 연기를 하지요. 하지만 분리된 몸의 변이의식 상태에서의 경험은 그렇지 않습니다. 현실에서의 느낌과는 크게 다릅니다.

 영혼은 삶의 안내자 역할을 하고 있습니다. 드러나지 않는 곳에서 삶을 은연중에 안내하고 있습니다. 영혼이 삶을 안내할 때는 직접 대놓고 하지는 않습니다. 마음을 통합니다. 마음을 움직입니다. 마음을 매개로 은밀하게 안내합니다. 그래서 마음이 불안정하거나 격정으로 가득하면, 영혼은 안내자로서 역할을 제대로 수행하지 못합니다.

둘, 영혼은 시공간을 초월해서 존재합니다

 '영'과 '혼'은 엄밀히 보면 서로 다른 의미를 지닙니다. 그런데 이 책에서는 영과 혼을 하나로 묶어 '영혼'이라고 했습니다.
 영과 혼은 모두 비물질 세계를 살아갑니다. 육체를 가지고 살아가는 지금의 나는 물질세계를 살아갑니다. 비물질 세계와 물질세계를 살아가는 나를 구분한다는 측면에서 '육체적 나' 그리고 영과 혼을 묶어서 '영혼'이라고 표현했습니다.

 영과 혼을 구분해서 보자면 '혼'은 시간에 구속되지 않지만, 공간에는 구속됩니다. 혼으로서의 '나'는 시간을 의식하지 않습니다. 혼의 세계에서 시간의 흐름은 의미가 없습니다. 과거와 현재와 미래는 순차적으로 진행되지 않고 뒤섞여 혼재합니다.
 혼의 몸 상태로는 지구 대기권의 물리적 영역을 벗어나지 못합니다.
 혼의 세계에서 혼은 자기 존재와 관련된, 인연 있는 영역에서는 공간적 자유를 누리지만 그 외의 영역에서는 제한받습니다. 그러나 그 한계선에 완전히 제한받지는 않습니다. 예를 들자면, 물질세계에는 비공개 제한구역이란 곳이 있습니다. 이 구역은 출입이 완전히 제한된 곳은 아닙니다. 다만, 관계자 또는 허가증이 있어야 출입할 수 있지요. 혼의 세계에서 출입이 제한된 곳을 출입하기 위해서는 안내자의 도움이 필요합니다. 또는 아주 강한 '의지와 집중' 그리고 '용기'가 필요합니다. 용기를 가지고 강한 의지로 집중하면 들어갈 수 있습니다. 마치 물질세계의 제한구역에 슬쩍 담을 넘어 들어가는 것처럼 말이지요. 혼은 동서남북의 방위 개념 또한 없습니다.

'영'은 시·공간 모두의 제약을 받지 않습니다. 혼의 몸으로는 물리적으로 지구 대기권 영역을 넘을 수 없지만 영의 몸으로는 가능합니다. '영'이라는 존재 상태의 입장으로 보자면, 물리 우주는 하나의 위장시스템입니다. 즉, 우리가 바라보는 우주의 물리적 모습은 '영'의 존재 상태에서는 더 이상 의미가 없습니다. 영 상태에서는 혼과 달리 공간적 제약 없이 자유롭습니다. 어쩌면 이 자유로움도 우리 우주에 한정되어 있는지는 모르겠습니다.

우주 물리학자들은 우리 우주가 확장하는 중이라는 근거를 제시해 왔습니다. 그렇다면 지금의 우리 인식 체계로 무한하다고 알고 있는 이우주 너머에 또 다른 우주[59]가 존재한다는 추론이 가능합니다. 우주가 확장하려면 확장을 위한 '공간'이 있어야 하기 때문입니다. 그 '공간' 어디에선 또 다른 우주가 우리 우주처럼 확장하면서 존재하고 있을지도 모릅니다. 그 '공간'의 무한성을 봤을 때, 다른 우주들이 무수히 많

---

59) 평행우주와는 다른 우주입니다. 평행우주는 지금 우리들이 살고 있는 우주(지구)와 같은 우주(지구)가 같은 공간이지만 다른 차원에도 존재하고 있다는 이론입니다. 같은 공간에 서로 다른 주파수대의 파장들이 중첩해서 존재하는 것처럼 말이지요.

이 존재할 수도 있습니다.

혼이 물리적 지구 대기권을 벗어나지 못하는 것으로 추론해 볼 때, '영'의 공간적 자유로움도 물리적 우리 우주 안에서만 가능한지 모르겠습니다.

3차원으로 분류되는 이 물질세계에서는 시간과 공간에 따른 제약을 받습니다. 시간의 흐름과 이곳에서 저곳으로 이동할 때 필요한 물질적 에너지와 방향성은 하나의 법칙처럼 작용하지요. 이런 법칙을 따라야 하는 이 세상을 영혼의 입장에서 살아간다면 어떻게 될까요? 아마도 시간과 공간 개념을 상실한 채로 사회생활을 제대로 영위하지 못하고 곤란에 처하게 될 겁니다.

셋, 영혼은 같은 형상을 서로 다르게 인식합니다

육체의 시각은 고정적이지만 영혼의 시각은 가변적입니다. 영혼의 차원에서 하나의 석탑을 보고 있다고 가정해 보겠습니다. 처음에는 분명히 석탑입니다. 하지만 바라보면서 상념이 개입되면, 즉 나무라는 관념이 개입되면 그 석탑은 목탑으로 변합니다.

또한 영혼의 시각은 상당히 주관적입니다. 물질세계에서는 어떤 하나의 물체를 여러 사람이 볼 때 서로 같은 것으로 인식합니다. 길을 지나가는 진돗개는 내 눈에나 다른 사람의 눈에나 모두 진돗개일 뿐이지요. 하지만 영혼의 시선으로 볼 때는 모두 다르게 보일 수 있습니다. 나는 진돗개로 보지만 어떤 이는 푸들로 볼 수 있습니다. 어쩌면 호랑이로 볼 수도 있겠군요. 영혼은 물질적 시각으로 보지 않고 관념적 시각으로 보기 때문입니다.

영혼의 시선 앞에 '개'라고 인식되는 동물이 있을 때, 개에 대한 충직성이나 애완에 대한 관념은 그 개를 진돗개나 푸들로 보게 합니다. 만약 개를 보는 순간 공격성의 관념이 강하게 생겨난다면 그 개는 늑대나 호랑이로 보일 수도 있습니다.

또 예를 들자면, 신의 사자나 예언자라는 존재가 영혼 앞에 나타났다고 가정해 보겠습니다. 여러분이 만일 이슬람교도라면 그 존재는 평소 자신이 생각하던 모하메드의 형상으로 보일 겁니다. 하지만 만일 그리스도교인이거나 불교도 인이라면 그 존재의 모습은 예수나 불보살의 형상으로 보입니다.

영혼의 차원에서 보자면, '하느님'을 부르짖는 사람은 오직 하느님밖에 볼 수 없고, '알라'를 부르짖는 사람은 오직 알라밖에 볼 수 없습니다. 영혼의 세계에서는 자신이 보려는 부분만 볼 수 있고 들으려는 부분만 들을 수 있습니다. 지금의 물질세계에서도 보고 싶은 것만 보고 듣고 싶은 것만 듣는다는 말이 있습니다.

우리는 자신이 볼 수 있는 것만 보고, 들을 수 있는 것만 듣습니다.

영혼의 시선이 가변적인 것처럼 영혼의 관점은 무척이나 유연합니다. 사람들은 대화할 때 '그 사람은 이런 사람이야'라고 한다거나 '나는 원래 그래'라는 말을 아무렇지 않게 합니다. 하지만 영혼에는 있을 수 없는 일입니다. 모든 것은 순간순간 끊임없이 변하는 것임을 알기 때문입니다.

혼의 세계에서는 가변적이지만, 물질세계에서처럼 형상이나 환경이 어느 정도 고정되거나 구체성을 띱니다. 혼의 상태에서 경험되는 환경은 어느 정도 견고합니다. 자신이 원하는 대로 마구잡이 식으로 쉽게 바꿀 수는 없습니다.

우리가 꿈을 꿀 때 꿈속에 나타난 배경이나 환경이 있습니다. 이 배경이나 환경은 완전히 고정되어 있지는 않지만 그렇다고 마음대로 쉽게 바꿀 수도 없습니다. 바꾸려면 아주 강한 집중력과 상상력이 필요합니다. 하지만 영의 상태에서는 원하는 대로 주변 환경을 수시로 손쉽게 바꿀 수 있습니다. 영의 세계에서 '형상'의 개념은 별 의미가 없습니다.

혼으로서 혼의 세상을 바라볼 때는 형상들이 기본적으로 펼쳐져 있는 것을 볼 수 있습니다. 마치 우리가 꿈을 꿀 때 꿈의 배경이 되는 환경이 존재하는 것처럼 말이지요. 그러나 영의 세계에는 배경, 환경이 존재하지 않습니다.

'영으로서의 나'라는 자의식이 형상에 대한 관념을 내기 전까지는 아무 형상을 보지 못합니다. 아니, 보지 않는 것이지요. 보려는 의지가 작동하지 않는 한 보이지 않습니다. 보려는 의지가 작동하면 그 의지가 의도하는 바에 따라 형상이 나타납니다.

넷, 영혼은 여성이면서 동시에 남성입니다

영혼은 남성이기도 하고 여성이기도 합니다.

불교에는 '보살'이라는 존재들이 있습니다. 깨달은 자, 더 이상 성취할 것 없는 자인 부처의 경지에 이르렀지만, 어떤 이유에 의해서 부처가 되기를 미룬 존재들을 말합니다. 이 보살들의 이미지는 남성인 것 같기도 하고 여성인 것 같기도 하지요.

영혼은 여성도 남성도 아닙니다. '성(性)'이란 관점에서 중도입니다. 아마도 '보살'은 양성의 중도를 온전히 갖춘 영혼의 상태를 상징하는 것이 아닐까, 생각됩니다.

세상에는 지극히 여성스러운 여자가 있습니다. 지극히 남성스러운 남자가 있습니다. 반대로 지극히 남성스러운 여자도 있고, 지극히 여성스러운 남자도 있지요. 존재인 영혼은 물질 세상의 음양을 대표하는 여자, 남자라는 양극단을 교차 경험함으로써 존재 의식의 폭을 확장하고 있습니다. 존재로서 우리는 여러 번을 여성으로서 또한 남성으로서 살아왔습니다. 여러 번을 여자로서 살아온 남자에게는 내면에 여성스러움이 충분히 녹아 있을 겁니다. 여러 번을 남자로서 살아온 여자라면 남성스러움이 충분히 녹아 있을 거구요. 현재 여성스러움과 남성스러움이 내면에서 조화를 이룬 사람은 남녀의 경험이 충분한 영혼입니다.
 여자를 경멸하고 무시하는 남자는 아직 여자로서의 경험이 부족한 것입니다. 남자를 경멸하고 무시하는 여자는 아직 남자로서의 경험이 부족한 것이구요. 그러니 결국은 자신이 경멸하고 무시하던 그 몸으로 또 다른 삶을 살면서 부족한 부분을 메우게 될 것입니다.
 남자로서의 삶이 지긋지긋하다면 다음은 철저한 여자로, 여자로서의 삶이 지긋지긋하다면 다음은 철저한 남자로 태어날 가능성이 짙습니다. 그러면서 우리는 중도를 배우고 터득해 나갑니다. 이런저런 물질적 환경의 경험 들을 통해 자신의 존재를 성장시켜 갑니다.
 이 세계에서 존재의 성장을 완성 시킨 자, 더 이상, 이 세상 삶을 통해서 배울 것이 없는 자는 얼마지 않아 부처가 됩니다.

 몸이 노쇠해지면 보통은 '나(에고)'의 힘 역시 약해집니다. 영혼은 에고가 약해질 때 부분적이더라도 자신을 더 잘 드러낼 수 있습니다. 그래서 나이가 들면 여성은 남성스러워지고 남성은 여성스러워지는 현상을 경험합니다. 영혼은 남성이기도 하고 여성이기도 하기 때문입니다.

다섯, 영혼은 윤리나 도덕적 가치에 매이지 않습니다
 사회규범이 없다면 이 세상은 어떻게 될까요? 아마도 뒤죽박죽 혼란스러워지겠지요. 윤리나 도덕, 법규 같은 규범은 이 세상의 질서를 유지하게 하는 불가피한 요소입니다.

영혼의 세계에서는 이러한 규범들이 필요하지 않습니다. 규범 없이도 조화로운 삶과 질서가 유지되는 세상이니까요. 그렇긴 하지만 영혼의 세계에도 도덕적 행위나 가치의 기준이 되는 보편타당한 법칙이 존재하긴 합니다. 제가 이해하기로는 무언가를 강요하거나 가로막는 것 같은 '억압 행위', '간섭하는 행위'가 있다면 그 세계에서의 비도덕적이고 비윤리적인 행위라고 할 수 있을 것 같습니다.

사실 이 세상도 영혼의 세계와 마찬가지로 규범 없이 온전하게 질서를 유지할 수 있습니다. 사람들 개개인이 모두 건전하고 조화로운 사고를 한다면 말이지요.

영혼은 이 세상의 윤리나 도덕, 법규 같은 사회적 가치에 매이지 않습니다. 그러니 전생[60]의 부모가 이생에선 자식이 될 수 있습니다. 전생의 연인이나 원수지간이 이생에선 부자(녀)나 모자(녀), 사제(師弟), 형제자매, 동료가 될 수 있습니다.

사람들은 각자 자기만의 자의식을 가지고 살아갑니다. 백인백색(百人百色)이란 말이 있습니다. 개개의 자의식들은 서로 다른 성격을 갖지요. 모두가 다르니 나의 입장과 상대의 입장 그리고 제3자의 입장은 모두 다릅니다.

우리는 같은 상황을 다르게 인식합니다. 삶의 상황을 접했을 때, 그 상황을 마주 대하는 태도는 모두 다릅니다. 그에 대한 해석도 다 다릅니다. 그래서 자신과 상대 그리고 제3자 입장이라는 서로 다른 인식에 대한 경험은 모두 필요합니다.

의식은 경험을 통해 얻어지는 다양한 인식과 느낌만큼 확장됩니다.

---

60) 윤회는 당연한 현상입니다. 이 윤회에 관해서는 마지막 장에서 좀 더 살펴볼 것입니다.

우리는 자기 존재의 의식을 확장해 가고 있습니다. 그 확장을 통해서 성장합니다.

 만일 자신뿐 아니라 상대와 제3자의 입장을 모두 오롯이 이해하고 받아들일 수 있다면 상대가 되어보는 경험은 필요하지 않겠지요. 즉, 또 다른 생을 살면서 상대의 역할을 해 보지 않아도 된다는 의미입니다. 이미 그런 경험을 모두 해 보았다는 의미이기도 하지요.

 영혼의 입장에서 이 세상은 다양한 경험의 장소입니다. 그 경험을 통해 알고자 하는 배움의 터전입니다.

 수없이 많은 생을 살고 나서야 깨달음을 얻을 수 있다는 말이 있습니다. 물론 이 수없이 많은 생의 횟수에는 개인 차가 많이 있습니다.

 깨달음은 신성(神性)함과 가까워지는 것입니다. 이 신성함은 삼라만상의 경험을 통한 인식을 자신 안에 녹여내면서 완성해 가는 것입니다. 우리는 신성함을 완성해 가기 위해서 끊임없이 깨달아 가고 있습니다.

 영혼의 차원에서 삶을 살아가는 사람은 규범에 얽매이거나 얽매는 것을 원치 않습니다. 그렇다고 사회규범을 무시하진 않습니다. 자신의 자유를 중시하고 남의 자유를 존중합니다. 그리고 사회규범을 지키되 유연하게 대하며 그 안에서 가능한 한 자유로움을 만끽합니다.

여섯, 영혼의 마음은 바람처럼 자유롭습니다

 영혼에는 마음이란 것이 없지만 고집이나 애착, 집착을 일으키는 에고적 마음에 대비해 본다면, '영혼의 마음'은 바람처럼 자유롭습니다.

 '나'라는 의식이 처음 생겨났을 때를 생각해 봅니다. 그리고 그 상태를 가만히 숙고해 봅니다. 아마도 처음에는 그저 아무것도 아닌 상태로 존재했을 겁니다. 어떤 이는 이 상태를 '공(空)'이라고 하고, 어떤 이는 이 상태를 '무(無)'라고 하고, 또 어떤 이는 이 상태를 혼돈(카오스)이라 합니다. '나'라는 자각이 없으면 그저 혼돈(카오스)입니다. 무엇을 인식하기 위해서는 인식의 주체가 있어야 합니다. 그 주체인 내가 없으니 인식할 수 없습니다. 의식도 없습니다. 아무것도 없습니다. 공(空)이요 무(無)인 것입니다. 저는 이 상태를 깊은 잠 속에 빠진 상태라고 표현해 봅니다.

 깊은 잠 속에 빠지면 아무것도 인식할 수 없습니다. 나도 없고 너도 없고 아무것도 없습니다. 나라는 의식도 인식할 수 없습니다. 그러다가 문득 무언가를 느끼기 시작합니다. 느낀다는 것은 인식하기 시작했다는 것입니다. 인식하기 시작했다는 것은 의식이 생겼다는 의미겠지요.

 어렸을 적 잠에서 막 깨어났을 때가 생각이 납니다. 깊은 잠 속에서 어렴풋이 잠이 깨면 처음엔 몽롱한 채로 주변을 느낍니다. 몽롱한 상태에서는 꿈인지 생시인지, 내가 나비를 꿈꾸고 있는지 나비가 나를 꿈꾸고 있는 것인지[61] 애매모호합니다. '나'라는 구분이 모호합니다. 시간이 지나면 그 느낌이 조금씩 선명해집니다. 주변을 좀 더 구체적으로 인식하기 시작합니다. 주변을 구체적으로 인식하면서 '나'에 대한 자각도 확실해집니다.

---

[61] 「장자(莊子)」의 제물편(齊物篇)에 나오는 내용을 빌려왔습니다. 원문과 해석은 다음과 같습니다.
"昔者莊周爲胡蝶 然胡蝶也 自喩適志與 不知周也 俄然覺 則然周也 不知 周之夢爲胡蝶與 胡蝶之夢爲周與 周與胡蝶 則必有分矣 此之謂物化."
"지난 밤 꿈에 나(莊周)는 나비가 되었다. 훨훨 꽃 사이를 즐겁게 날아다녔는데 너무 기분이 좋아서 내가 나인지도 몰랐다. 그러다 문득 꿈에서 깨어보니 나였다. (꿈이 너무 생생한지라 비몽사몽간에 보니)내가 꿈에서 나비가 되었는지 나비가 꿈에서 내가 되었는지 알 수가 없었다. 나와 나비 사이에는 필히 구별이 있을 거다."

주변의 무언가를 구체적으로 인식하기 시작하면 그 무언가와 상호작용하고 싶어집니다. 어떤 '욕구'가 생깁니다. '욕구'는 활동을 위한 가장 원초적인 차원입니다. 조물주의 창조에 대한 욕구가 없었다면 우주는 생겨날 수 없었을 테지요.

영혼의 욕구는 순수하고 온화합니다. 반면에 물질 세상을 살아가는 우리는 상당히 거친 욕구를 지니고 있습니다. '육체'라는 요소 때문입니다.

육체에 의해서 거칠어진 욕구를 저는 욕망이라 하고 싶군요. 즉, 순수하던 영혼의 욕구 작용은 육체의 감각과 본능이 합쳐지면서 욕망으로 바뀝니다. 그렇다고 욕망이 불순하다는 말은 아닙니다. 욕망도 그 자체로는 순수합니다. 다만 욕망은 영혼의 욕구에 육체의 감각이 '덧씌워져' 생겨난 것입니다. 영혼의 욕구는 '덧씌워지기 전'이란 의미에서 순수합니다. 영혼은 욕망이 없습니다.

이 세상의 삶은 늘 '욕망'을 따라갑니다. 이 욕망을 충족시키지 못하면 마음이 조급해지고 무거워집니다. 상처를 받기도 합니다. 영혼은 우리가 통상적으로 알고 있는 마음이 없습니다. 대신 정서적 느낌이 마음의 자리를 차지하고 있지요. 마음은 욕망을 따라갑니다. 영혼은 욕망이 없으니 따라갈 마음도 없습니다. 마음이 없으니, 번뇌도 없고 번뇌가 없으니 안온함을 누립니다.

영혼은 모든 경험을 있는 그대로 받아들입니다. 이렇다 저렇다 하는 분별없이 경험을 그저 정서적으로 느끼고 그 느낌을 저장합니다. 저장된 느낌을 통해서 영혼은 성장합니다. 저장된 느낌들은 동시에 영혼을 움직이는 동력이기도 합니다. 느낌을 뒤섞어 재편성하며 무언가 창조활동을 도모합니다. 새로이 저장된 느낌은 새로운 창조의 에너지가 됩니다.

혹시 여러분 꿈에서 깨어난 후 '아련함과 함께 포근하고 아늑한 느낌'을 받아본 적이 있으신가요? 영혼의 전반적 정서적 느낌이 그렇습니다. 영혼 상태에서는 주로 그런 느낌을 누리며 살아갑니다. 그래도 영혼의 마음(영혼의 정서)이 어떤 것인가를 굳이 묻는다면 "어린아이 같이 때 묻지 않은 순수함입니다."라고 답하는 것이 가장 좋을 듯합니다. 그리스도교의 성자가 "하느님의 나라는 어린이들과 같은 사람들 것이다."(마태 19,13-15)라고 말씀하신 데는 다 이유가 있었던 것이지요.

우리는 눈에 보이는 육체적 자신을 '나'의 전부라고 인식하고 있습니다. 하지만 '나'의 보다 더 근원적인 모습은 눈으로 볼 수 없는 어린아이처럼 순수한 '영혼으로서의 나'입니다. 다만 지금의 '나'가 인식하지 못할 뿐입니다. 두 눈을 깜박이며 세상을 바라보는 어린아이를 상상해 보십시오. 우리는 모두 그렇게 세상을 살 수 있습니다. 성자께서 말한 하느님의 나라를 소유할 수 있습니다.

'영혼의 마음'은 순수한 열정과 순수한 의지, 그리고 지적 의도를 가지고 무언가를 하고자 하는 욕구 작용입니다.

이 세상에서는 열정이나 의지, 지성 등을 사용할 때는 육체라는 시스템을 통해야 합니다. 그러니 육체의 의식이 자동으로 개입합니다. 육체의 뇌라는 신경 시스템을 통하면서 육체의 감각이 개입합니다. 육체의 감각에 의한 본능이 자동 개입합니다. 영혼의 욕구 작용은 육체 의식이나 육체의 감각 작용 같은 간섭이 없으므로 순수합니다.

영혼은 이 세상에서 우리가 이해하고 있는 통상적인 에고 차원의 마음이 없지만, '영혼의 마음'을 이 세상의 마음에 대비해 본다면 아래처럼 표현해 봄직합니다.

　매 순간을 성찰하는 마음, 깨어있는 마음은 영혼의 마음입니다.
　범사에 감사하는 마음, 있는 그대로를 받아들이는 마음은 영혼의 마음입니다.
　나와 타인을 서로 사랑하는 마음, 자비로운 마음은 영혼의 마음입니다.
　담담하고 소박한 마음은 영혼의 마음입니다.
　잔잔하고 고즈넉한 마음은 영혼의 마음입니다.
　옳음, 그릇됨, 잘함, 못함을 따지지 않는 마음, 남을 심판하지 않는 마음은 영혼의 마음입니다.
　물 같이 자연스러운 마음, 바람처럼 자유로운 마음은 영혼의 마음입니다.
　큰 감정적 동요 없이 삶을 관조적으로 바라보며 포용하는 마음은 영혼의 마음입니다.
　과거와 미래에 매이지 않는 마음, 지금 이 현재의 순간을 살아가는 마음은 영혼의 마음입니다.
　우월하고 열등하고를 따지지 않는 마음, 평등한 마음은 영혼의 마음입니다.
　욕심 없이 열정을 다하는 마음, 창조적인 마음은 영혼의 마음입니다.
　귀를 기울이고 배우는 마음, 자신 내면을 끊임없이 성장시키려는 마음은 영혼의 마음입니다.

　그럼으로써,
　존재하는 모든 것인 신성(神性)으로 향하는 마음은 영혼의 마음입니다.

만일 주변에 누군가가 위와 같은 마음으로 살고 있다면,
그는 영혼의 마음으로 삶을 살아가는 사람이라 할 수 있을 겁니다.
　성숙한 영혼의 소유자일수록 이러한 마음으로 삶을 살아갑니다. 사람들은 대부분 어느 부분은 성숙하지만, 어느 부분은 미숙합니다. 미숙함

이 성숙함으로 무르익을 때마다 깨달음은 찾아옵니다. 더 이상 깨달을 것이 없을 때 신성함에 도달합니다.

두 번째 이야기
영혼에서 육체로

하나, 영혼에서 육체로

육체는 영혼의 그릇입니다. 좀 더 정확하게 말하자면 영혼의 탈 것입니다. 영혼이 타고 다니는 도구란 의미이지요. 육체는 자체의 의식과 감각을 갖춘, 지극히 정묘하게 만들어진 영혼의 탈것입니다.

존재인 영혼은 물질 육체에 탑승해야 물질 세상을 경험할 수 있습니다. 영혼의 존재로는 이 물질세계에서 살아갈 수 없습니다. 마치 물속에서 자유롭게 다니려면 잠수함이 필요하고 우주공간에서는 우주선이 필요한 것처럼 말이지요. 지금의 '나'라는 의식은 물질 육체라는 탈 것에 영혼이 탑승하면서 생겨납니다.

지금 물질 세상에서 살고 있는 인간 몸에 영혼이 없다면, 영혼이 탑승하지 않는다면 어떻게 될까요? 육체 자체의 의식, 즉 기초적 의식만이 작용하게 될 겁니다. 물에 빠지면 허우적거린다거나, 배고프면 먹는다거나 할 것이고, 간지러우면 웃고, 고통을 주면 울고 할 겁니다. 거기에 학습이 행해진다면 모종의 사고방식이나 행동 패턴이 생겨나겠지요. 이때의 사고방식이나 행동 패턴에는 각자의 육체적(호르몬이나 뇌 신경계를 비롯한 오장육부 등) 특성이 작용합니다. 그러므로 똑같은 환경과 똑같은 학습에도 삶을 대하는 태도는 각자 다르게 나타납니다.

각자 개성을 가진 영혼이 개별적 특성을 가진 육체와 결합하면서 '지금의 나'라는 개별적 자의식이 생겨난 것이지요.

영혼의 세계에서 영혼으로 존재하던 우리는 잉태 과정을 거쳐 육체에 스며듭니다.[62] 이때부터 우리는 '육체적 나'의 삶을 살아가기 시작하지요.[63] 그 후 영혼과 육체는 서로에게 적응하는 과정을 거치며 유아기를 보냅니다. 계속 성장하며 육체는 견고해지고 에고 의식은 확실해집니다. 에고 의식이 확실하게 자리를 잡을수록 영혼 의식은 점차 뒤로 물러납니다. 영혼 의식이 완전히 뒤로 물러나면 전생을 비롯하여 영혼으로 존재하던 자신의 기억을 모두 잊어버립니다. 그리고 적당한 때가 되면 스스로 완전히 봉인합니다. 스스로 봉인하는 이유는 새로운 시각이 필요해서입니다. 완전히 새로운 시각으로 세상과 삶을 마주하기 위해서입니다.

전생의 기억을 잊는 것이 존재 의식의 확장에 훨씬 유리합니다. 우리가 전생을 고스란히 기억하며 생을 살아가면 그 기억에 묶여버리게 됩니다. 지금의 배우자가 전생에 원수였다거나 어머니나 아버지였다고 가정해 보십시오. 친구의 배우자가 전생에 나의 배우자였다고 가정해 보십시오. 그런데 그 전생의 기억을 잊지 않고 있다고 생각해 보십시오. 참 난감할 겁니다. 우리는 서로의 역할을 바꾸어 보기도 하면서 여러 생을 살아갑니다. 상대 입장이 되어봐야 폭넓게 삶을 이해할 수 있기 때문입니다.

전생의 기억에 묶이면 선택의 방향은 한정됩니다. 자유를 상실하고 과거에 속박됩니다. 삶은 축소됩니다. 삶이 한정되고 속박되면 그만큼 경험할 수 있는 삶의 폭은 좁아집니다. 발전의 기회 역시 줄어듭니다.

전생에 상인으로 살던 기억은 다시 상인으로 살기 쉽게 합니다. 학자였던 기억은 계속 학자의 삶으로 인도하기 쉽습니다. 상인으로만 살면

---

62) 영혼이 육체에 스며들어오는 때는, 잉태와 탄생의 사이 어느 시점입니다.
63) 지금도 우리는 영혼의 세계에서 영혼으로서 삶을 살아가고 있습니다. 즉, 영혼의 나와 육체적 나는 두 세계에서 동시에 살아가고 있습니다.

학자를 이해하기 어렵고, 학자로만 살면 상인을 이해하기 어렵습니다.

우리는 삶에 대한 경험과 이해의 폭을 넓혀가며 자기 존재 의식을 확장하는 중입니다. 존재인 영혼은 새로운 육체 속에서 또 다른 '나'로서 또 다른 삶을 경험해 갑니다. 이것은 하나의 새로운 도전이기도 하지요.

둘, 육체적인 나, 에고(ego)

'현재의 나'는 '영혼 상태의 나'가 육체와 결합, 동화되면서 생겨난 나입니다. '영혼으로 존재하던 나'가 이 세상에 태어나면 육체의 의식과 감각에 덮어씌워집니다. 이때 생겨난 '나'라는 자의식을 '에고(ego)'[64]라고 합니다. 에고 의식은 영혼이 물질 육체 속으로 스며들어 생겨난 의식입니다. 영혼 세계에서의 삶의 주체는 영혼이지만, 물질세계에서 삶의 주체는 바로 에고입니다.

물질적 몸이 없어도 우리는 틀림없이 존재합니다. 물질적 몸을 벗어난 상태에서는 과도한 기쁨이나 즐거움, 슬픔, 괴로움, 애착, 분노, 탐욕, 염증 같은 감정들이 없습니다. 거친 감정들은 사라지고 순화된 정서적 느낌들이 그 자리를 대신하지요.

물질세계 일상의 삶 속에서 감정은 거칠어지기 쉽습니다. 감정이 거칠어져 생겨난 격정은 우리들의 마음을 뒤흔들며 고통을 겪게 합니다. 하지만 순화된 정서적 느낌은 깊음과 얕음, 짙음과 옅음, 상승과 하강

---

64) 에고(ego)는 사전적으로는 인식과 행위의 주체로서 '나', 즉 일상적으로 우리가 '나'라고 할 때의 자기 자신을 말합니다. 자아(自我)라고 번역합니다. 이 책에서는 이 에고를 영혼이 육체와 결합함으로써 생겨난 나로 정의하고 '육체적 나'와 '에고'라는 표현을 함께 사용하고 있습니다. 영혼도 물론 자아가 있습니다. 영혼의 자아와 구분해서 에고를 '외적(육체적)자아', 영혼을 '내적 자아'라고 합니다. 불교에서는 에고를 아상(我相)이라고 표현합니다.

그리고 친밀감이나 이질감, 원근감 같은 경험의 리듬을 타게 합니다.

이 세상에 태어나면 부드럽고 온화한 영혼의 감각에 육체의 거칠고 자극적인 감각이 덮어씌워집니다. 지금의 우리들의 성품[65]은 영혼의 성품[66] 위에 육체의 감각이 덧씌워진 것입니다.

영혼은 육체 안에 머무는 동안, 에고적 감각과 성품에 삶의 주도권을 넘겨줍니다. 그러고는 에고의 깊은 속으로 들어가 모습을 감춥니다.

물질세계에서 영혼은 보이지 않는 안내자 역할을 하며 에고인 나와 관계를 유지합니다. 하지만 에고인 나는 영혼이 자신의 안내자 역할을 하는 것을 잘 인식할 수 없습니다. 다만 마음의 깊은 곳에서나 어렴풋이 알아챌 수 있을 뿐입니다.

영혼은 순수합니다. 육체의 의식이나 육체의 감각이 섞이지 않았기 때문입니다. 영혼의 순수함은 쾌, 불쾌와 편함과 불편함을 구분 짓지 않습니다. 행복과 불행을 구분 짓지 않습니다. 그런 감각이나 감정을 인식하지 않습니다.

그래서 영혼은 마음의 맺힘이나 고집, 집착 같은 것이 없습니다. 우리는 영혼의 상태로는 경험할 수 없는 부분들을 에고라는 또 다른 나를

---

65) 에고의 기본적인 성품은 '분별함'입니다. 삶의 괴로움은 대개 이 분별함에서 비롯됩니다. 선악이나 맑고 탁함, 옳고 그름, 받아들임과 배척함, 과거와 미래 등을 분별함으로써 우리는 좋음과 싫음, 즐거움과 괴로움, 기뻐함과 슬퍼함, 탐닉함과 지루해함 등의 감정을 느낍니다. 분별하는 마음이 강할수록 뒤따르는 그 감정들도 강해지고, 그럴수록 우리는 삶의 번뇌를 격하게 경험합니다. 불교의 해탈함이란 곧, 에고를 초월함이라 할 수 있겠군요.

66) 영혼의 기본적인 성품은 '분별없음'입니다. 즉, 선악이나 맑음과 탁함, 그리고 좋음과 싫음, 옳고 그름, 행, 불행을 분별하지 않습니다. 불교의 큰 사찰에 가면 보통 '불이문'이라는 것이 있습니다. '해탈문'이라고도 불리는 이 문은 '분별없음'을 의미하는 상징이지요. 분별없음의 경지는 곧 해탈의 경지이기도 합니다.

통해서 경험하고 있습니다. 그런 경험을 통해서 존재의 다양한 측면을 이해하며 스스로 '앎'의 영역을 확장하고 있는 것이지요.

영혼은 번뇌가 없지만 에고는 번뇌 속에 살아갑니다. 번뇌하는 이유는 번뇌함 역시 존재인 우리의 의식 확장에 필요한 요소이기 때문입니다. 영혼은 에고의 모든 경험을 느낌으로 받아들이고 그 받아들인 것을 양분 삼아 존재의 나무를 키워나갑니다.

에고로서의 나는 영혼의 입장에서는 '편협함' 자체입니다. 반면에 영혼은 잠재력과 가능성 그 자체입니다. 마치 끝 모를 우주를 항해하는 우주선의 선장이라고나 할까요? 무한한 가능성을 탐구하며 여행하는 것은 선장의 의무입니다.

그렇지만 세상 사람들은 '편협한 나'인 에고에 사로잡혀 있습니다. 이것은 영혼이 육체와 결합하면서 물질 육체의 감각 속에 갇혔기 때문입니다. 그럼으로써 그 속성에 강하게 영향을 받기 때문입니다.

엄밀히 말하면 영혼이 육체에 갇힌 것은 아닙니다. 스스로 자신이 숨어 버린 것이지요. 존재인 영혼은 자신을 육체 안에 가둠으로써 갇힌 상태의 경험을 합니다. 갇힌 상태, 즉 에고 상태의 경험은 영혼으로써는 할 수 없는 경험입니다. 이런 경험을 통해 우리 존재는 스스로 확장해 가고 있습니다.

삶을 앞서간 많은 현자 들은 공통적으로 에고에서 벗어나라고 가르칩니다. 우리는 스스로 선택한 에고 상태에서 충분한 만큼 벗어날 수 있습니다. '충분한 만큼'이란 표현을 쓴 이유는, 물질세계에 살고 있는 한, 에고에서 완전히 벗어나기는 어렵기 때문입니다. 그 이유는 '영혼과 에고와의 관계'에서 설명하겠습니다.

에고에 몰입할수록, 즉 에고가 강할수록 마음의 맺힘이나 고집, 집착,

죽음에 대한 두려움들을 강하고 격하게 경험합니다. 마음을 괴롭게 하는 이런 경험들은 우리네 삶을 힘겹게 합니다. 하지만 이러한 경험들을 통해 얻어지는 삶의 이해는 우리를 더욱 성숙하게 하기도 합니다. 힘겨운 삶의 경험들은 삶에 대한 이해의 폭을 넓혀줍니다. 그 경험들에 대한 느낌은 영혼의 저장고에 담깁니다. 존재라는 나무의 양분이 됩니다.

그러니 힘겨운 경험들도, 힘겹지만 결국은 좋은 경험들입니다. 다만, 이러한 경험에 매여 있다면, 이러한 경험을 통해 성숙함의 기회로 삼지 못하고 마음속에 담아두기만 한다면, 이 책에서 말하는 잘 죽는 죽음은 어려워집니다.

마음의 맺힘이나 고집, 집착, 죽음에 대한 두려움들은 에고에 완전히 몰입함으로써 생겨나는 부산물들입니다. 영혼으로 존재하던 우리는 육체에 동화된 채 에고로서 세월을 보냈습니다. 그 와중에 자기 본질을 잠시 잊어버린 것이지요. 마치 배우가 배역에 너무 집중한 나머지 본래의 자기 모습을 잃어버린 것이라고나 할까요.

여러분은 에고 상태를 충분한 만큼 벗어날 수 있습니다. 영혼으로서의 자기 본래 정체성을 되찾을 수 있습니다. 남은 생을 지금보다 잘 살 수 있습니다. 누구라도 잘 죽는 죽음을 맞이할 수 있습니다.

셋, 에고와 육체의 관계

육체는 에고를 지탱하고 유지해 주는 힘의 근원입니다. 그래서 에고는 육체의 감각에 집착합니다. 생각하고, 보고, 듣고, 먹고, 말하고, 냄새 맡고, 감촉을 느끼고 하는 감각에 집착합니다. 에고는 자신을 낳게 한 육체를 유지하게 하는 쪽으로 움직입니다. 에고의 최상 과제는 육체의 생존입니다. 에고적 욕망이 강할수록 육체의 감각을 충족시키려는 쪽으로 움직입니다.

때로는 에고인 내가 육체의 감각적 요구를 거부하기도 합니다. 이는 이성이 하는 일입니다. 육체적 욕구를 이성적으로 절제하는 것이지요. 적당한 절제는 좋습니다. 장려해야 합니다. 하지만 절제가 지나치면 육체의 감각을 억지로 억누르고 통제합니다. 이것은 역설적이지만 에고가 육체의 감각에 집착하기 때문입니다. 누군가에 집착할 때 상대를 억누르며 통제하려 하는 것처럼 말이지요. 통제는 언제나 혼란에서 출발합니다. 휘둘려 혼란해지는 것이 두려우니 통제하려는 것이지요.

한정된 공간에서 에너지는 줄지도 늘지도 않습니다. 다만 변화할 뿐입니다.[67] 어느 부분의 감각 에너지를 억누르면 그만큼의 강도로 다른 감각이 솟구칩니다. 그러면 그 솟구치는 감각들과 마주해야 합니다. 역시 육체의 감각에 휘둘리게 됩니다. 이 휘둘림과 투쟁하다 보면 에고는 단단해지고 사나워집니다.

에고인 나는 육체를 적절하게 조절하며 활용해야 합니다. 육체의 감각을 충분히 누리면서 만끽할 수 있어야 합니다. 그런데 에고가 육체적 감각에 집착하기 시작합니다. 감각을 쫓거나 거부하는 데 집착합니다. 육체를 활용해야 할 에고가 오히려 육체에 휘둘리게 되는 것이지요.

'나'는 육체의 감각을 타고 삶을 누려야 하는데 감각에 휘달리니 삶이 정신없습니다. 삶의 여유는 사라지고 '나'는 점점 산만해집니다. 산만하니 삶이 혼란스럽습니다.

---

67) 에너지 보존법칙; 고립된 계(공간)안에서 에너지는 완전히 사라지거나 새롭게 생겨나지 않는다는 물리법칙.

육체의 감각에 매몰되지도, 억지로 막아내려고도 하지 말고 그저 그 감각에 자연스러워져야 합니다. 자연스럽게 어울릴 수 있어야 합니다. 그러기 위해서는 아래 사항을 실천하면 됩니다.

'몸을 적절하게 돌보면서 몸을 조화롭게 유지할 것'
'몸을 활발하게 움직이고 감각들을 활용할 것'

앞서 말했지만, 몸을 활발히 움직이는 것은 인체의 순환을 좋게 하는 것과 관계가 있습니다. 인체의 순환 시스템은 근골(筋骨)을 바르고 조화롭게 유지할 때 더욱 잘 작동합니다. 몸과 마음의 이상적인 상태는 근골을 바르게 유지할 때 더 잘 찾아옵니다. 인체의 순환 시스템은 혈액의 흐름이나 면역과 관련된 림프액의 흐름, 신경의 흐름을 의미합니다. 인체의 생명 활동에 관련된 소화와 흡수, 분해, 합성, 이동, 저장, 배출 등의 신진대사 작용 등을 의미합니다. 이러한 순환 활동이 원활할수록 우리 몸의 감각 작용은 원만해집니다. 감각 작용이 원만하다는 것은 감각 기능이 넘쳐나지도 부족하지도 않다는 의미이기도 하지요. 넘쳐나면 짓눌려지고 부족하면 공허해집니다. 적절한 조절과 활용이 어려워집니다.

몸을 조화롭게 유지하면서 활발히 움직이면 에고인 나는 육체의 감각에 휘둘리지 않게 됩니다. 육체의 감각을 자연스럽게 잘 활용할 수 있습니다.

에고가 육체의 감각에 휘둘리거나 그 감각들을 억압하지 않을 때,
에고가 감각들에 매이지 않으면서 그 감각을 충분히 활용하며 누릴 수 있을 때,
우리 삶은 보다 더 풍요로워집니다.

넷, 영혼과 에고의 관계

에고라는 자의식은 영혼이 물질 육체와 결합함으로써 생겨난 것입니다. 영혼 의식은 물질 육체와 결합함으로써 에고 의식으로 바뀝니다.

영혼은 판단하지 않습니다. 분별하지도 않습니다. 판단하고 분별하는 것은 지성적(知性的)인 영역의 일입니다. 영혼은 지성적으로 판단하지 않고 분별하지 않습니다. 그저 지각(知覺)합니다. 그래서 영혼의 지성을 '순수지성'이라 표현하기도 하지요.

우리들이 일상에서 판단하고 분별하는 것은 에고의 작용입니다. 에고의 분별과 판단에는 영혼의 지각 작용에 육체, 주로 뇌가 개입합니다. 에고는 뇌를 통해서 분별하고 판단합니다. 에고의 지적 작용인 지성은 뇌라는 시스템을 통해야 합니다. 그래서 늘 상 육체의 조건에 영향을 받습니다. 뇌의 신경들은 다른 인체 계통의 신경들과 연결되어 있기 때문입니다.

일상에서 육체의 간섭을 최소화하면 우리는 순수지성에 가까워집니다. 즉 에고의 작용을 최소화하면 판단과 분별없이 생각, 지각할 수 있습니다. 판단과 분별없이 생각한다는 것은 모든 것을 있는 그대로 받아들인다는 의미입니다.

에고가 판단하고 분별할 때는 지성만 작용하진 않습니다. 늘 감성이 개입합니다. 우리들이 일상에서 분별하고 판단할 때는 언제나 지성적 부분과 감성적 부분이 서로 협력합니다. 지성과 감성이 서로 협력하고 결합하면 이성(理性)이 생겨납니다. 이성은, 에고가 본능적 충동이나 욕망에 좌우되지 않게 합니다. 논리적이고 합리적으로 생각하게 합니다.

생의 에너지가 다 되어갈 즈음 생을 지탱하는 육체의 기능이 약해지면 이성(理性) 작용 역시 덩달아 약해집니다. 이성의 바탕인 지성과 감성은 육체의 영향을 받기 때문입니다.

 몸에 근육이 없으면 육체 활동은 불가능해집니다. 그런데 이 근육은 툭하면 뻣뻣해져서 뻐근함이나 통증을 유발합니다. 과하게 발달하면 움직임이 불편해지고 치우쳐 발달하면 몸이 비틀어지지요. 이 비틀림은 질병의 원인이 되기도 합니다. 내장근육의 경직은 심지어는 죽음까지도 초래합니다. 심근경색 같은 경우가 좋은 예가 되겠군요. 근육을 잘 다스리지 못하고 올바르게 활용하지 못했기 때문에 생기는 일입니다.
 영혼의 입장에서 에고는 마치 몸의 근육처럼 작용하고 있습니다. 근육 없이 못 움직이는 것처럼 에고 의식 없이는 사회생활을 정상적으로 하기란 거의 불가합니다. 영혼의 사고방식은 에고의 이성적 사고와는 완전히 다르기 때문입니다.
 비바람이 몰아치는 삶의 격랑 속이라도 에고를 잘 다스리면 고뇌가 덜합니다. 영적 삶을 살아간다 해도 에고가 우락부락한 근육처럼 힘을 쓴다면, 그 삶은 에고의 욕망을 충족시키기 위한 기반이 될 뿐입니다.

 인간 존재는 다차원적입니다. 영혼은 에고보다 정묘한 차원입니다. 보다 본질적인 심층 차원의 '나'입니다. 영혼은 물질세계를 에고로써 살아가면서 존재의 폭과 경험을 넓혀가고 있습니다. 의식을 확장해 가고 있습니다.
 영혼의 입장에서는, 보다 효과적으로 의식을 확장할 필요가 있습니다. 그 효과적인 확장을 위해 영혼은 에고를 적절하게 조절하며 활용하고 선용해야 합니다. 하지만 이 적절한 조절의 의미가 에고에 대한 간섭은 아닙니다. 필요할 때면 언제든 조언할 준비가 되어 있는 멘토 역할이라고나 할까요?

영혼은 에고의 부모 역할을 하지만 결코 자식의 삶에 간섭하지는 않습니다. 물질세계에서의 삶은 영혼이 아닌 에고가 주도합니다. 영혼은 에고로서 존재하는 나의 안내자 역할을 하고 있습니다. 그렇지만 안내자 역할을 대놓고 하지는 않습니다. 에고적 삶을 간섭하지 않기 위해서입니다. '에고인 나' 역시 영혼과 마찬가지로 독립적인 개인성을 가지고 있습니다.[68] 독립된 개체의 자유 의지는 간섭해서는 안 되는 법입니다. 하지만 필요에 따라서 조언은 할 수 있습니다. 영혼은 조언을 통해서 '간접적인 안내자' 역할을 할 따름입니다.

우리 존재의 본질은 영혼입니다. 그렇다고 해서 지금의 물질 세상을 살아가고 있는 '육체적 나'가 비본질적이라는 말은 아닙니다.

육체를 가지고 에고로서 살아가고 있는 '나'는 비유하자면, 일렁이는 바다의 물결입니다. 바위에 부딪혀 부서지는 파도의 포말과 출렁거리는 물결은 바다의 일부일 뿐입니다. 지금의 육체를 입고 살아가는 모습 역시 일부일 뿐입니다. 빙산의 일각입니다.

다섯, 에고와 마음과 욕망

영혼이 육체와 결합하면 영혼의 욕구 작용도 합쳐집니다. 영혼의 욕구는 육체 본연의 감각에 의한 본능적인 욕구와 섞입니다. 즉, 뇌신경을 이용해서 생각하고, 보고, 듣고, 먹고, 냄새 맡고, 감촉을 느끼고, 배설하고 하는 등의 육체적 욕구와 섞입니다. 그러면서 에고는 영혼과는 사뭇 다른 독자적 욕구를 갖습니다. 이 에고의 욕구 작용을 마음이라

---

68) 우리가 꿈을 꿀 때 만나는 모든 사람은 바로 자신이 만들어 낸 것이지만, 독립적인 개체로 존재합니다. 에고는 영혼이 만들어 낸 것입니다. 영혼에 의해 만들어진 에고 역시 독립적인 개체로 존재합니다.

고 합니다. 에고는 자신의 욕구 작용인 마음을 동력 삼아 활동합니다.

마음의 의미는 상당히 포괄적이라 정의 내리기가 쉽진 않습니다. 그래도 한마디로 정의 내려 보자면 '에고의 욕구 작용'이라는 말이 가장 적절해 보입니다. 하나 더 추가하자면 '에고의 욕구가 생겨나는 곳'이라고 하면 족할 듯합니다. 이곳은 '마음의 심연'이란 표현이 어울려 보입니다.

'마음'에는 에고의 삶을 사는 우리가 통상적으로 이해하고 있는 의미가 있습니다. 하지만 영혼은 에고와는 완전히 다른 색깔을 가지고 있습니다. 그래서 앞서 영혼은 마음이 없다는 표현을 했습니다. 굳이 '영혼의 마음'이라고 표현한다면 에고 입장에서는 이해하기 어려운 부분이 많습니다. 영혼의 욕구 작용과 에고의 욕구 작용은 상당히 이질적이기 때문입니다. 마치 기름과 물처럼 말이지요.

물질세계를 살아가는 동안 영혼과 에고는 늘 함께할 수밖에 없습니다. 육체의 테두리 안에서 늘 함께합니다. 이 공존을 위해서 이질적이지만 서로의 욕구를 조율합니다. 물과 기름은 잘 섞일 수 없습니다. 그래서 끊임없이 조율합니다. 아무튼 잘 섞일 수 없지만 특이하게도 섞여 있습니다. 그래서 마음은 상당히 복잡 미묘하고 이중적입니다.

일상의 삶 속에서 에고와 마음은 하나처럼 작용합니다. 우리에게 마음이라고 하는 욕구 작용이 없어진다면 어찌 될까요. 이때 에고는 그냥 '멍'한 상태로 있게 됩니다. 간혹 욕구 작용 없이 무의식적이고 기계적으로 움직이는 경우가 있습니다. 이때 역시 에고는 '멍' 합니다.

때로는 이 '멍'한 상태가 필요하기도 합니다. 에고가 '멍'해져서 힘을 발휘하지 못할 때, 이때 우리는 비교적 '순수한 나'에 근접할 수 있습니다. '멍'한 상태는 순수한 나, 본연의 자신, 즉 영혼 상태의 자신과 조우 할 수 있는 이상적인 조건이 되기도 합니다.

'욕망'은 에고와 관련된 욕구입니다. 에고는 영혼이 육체에 스며들어 생겨난 자아입니다. 에고의 욕구를 영혼의 욕구와 구분한다는 측면에서 욕망이라고 합니다. 에고의 욕구인 욕망은 육체와 관련 있습니다.

욕망은 그 자체로는 정적(靜的)이지만 마음을 움직이는 힘이 있습니다. 욕망은 마음에 올라탄 채로, 마음을 움직이며 늘 마음과 함께합니다. 마음은 욕망이 없이는 작용할 수 없고 욕망은 마음이 없으면 동력을 잃습니다.

예를 들어 육체의 위장이 비면 육체는 배고픔을 느낍니다. '배고픔'이라는 욕망 자체는 그냥 타고난 본능이요 육체의 감각입니다. 정적이지요. 배고파지면 배고픔을 해소하기 위한 모종의 움직임이 생깁니다. 갓난아기 같으면 입을 벌려 울음을 울 것이고, 성숙해지면 냉장고를 뒤적입니다. 마음이 작용한 것이지요. 코밑에 향수를 갖다 대면 냄새가 납니다. '냄새 맡음'이란 욕망 자체는 그냥 타고난 본능적 감각입니다. 정적이지요. 냄새가 좋다, 나쁘다, 무슨 냄새지? 같은 움직임이 생깁니다. 마음이 작용한 것이지요.

밀림 속 자연과 함께 살아가는 원주민이 숲 사이에 흩뿌려진 돈을 발견합니다. 눈으로 봅니다. 보고자 하는 욕망 자체는 그냥 본능입니다. "어? 뭐지?" 하고 주워봅니다. 마음이 작용한 것입니다. 살면서 돈에 대한 경험은 돈에 대한 관념을 갖게 합니다. 그 관념은 에고라는 자의식에 합해지지요. 돈뭉치를 보면 욕망이 생깁니다. 보통은 그렇습니다. 돈에 대한 욕망 자체는 정적입니다. 돈뭉치를 보는 순간 돈과 관련된 상념들이 지나갑니다. 마음이 작용하는 것이지요.

> 30년 전쯤 '부시맨'이라나 영화가 있었습니다. 비행기를 몰던 조종사가 콜라를 마시고는 바깥으로 휙 하고 내다 버리는 것으로 영화는 시작하지요.

이 콜라병은 마침 그 아래 사막을 지나가던 아프리카 원주민(부시맨) 앞 모래에 박힙니다. 부시맨은 갑작스레 하늘에서 떨어진 특이한 물건을 신기해하며 부락으로 가져갑니다.

이 병은 밀가루 반죽을 문질러 펴기에도 좋고, 두드려 빻기에도 좋고, 더군다나 묘한 소리를 내기도 합니다. 처음에는 서로 돌려가며 하늘(신)이 주신 선물이라고 즐거워하며 사용합니다.

그런데 용도가 좋다 보니 부락민들이 탐을 내기 시작합니다. 그때부터 싸움이 시작됩니다. 보다 못한 족장은 이 병을 다시 하늘(신)에게 돌려주기로 마음먹고 주인공에게 그 임무를 맡깁니다.

온갖 고초를 겪은 후 주인공은 결국 그 병을 하늘(높은 산 위에서 구름이 깔린 산 아래로 던져서)로 돌려줍니다.

콜라병을 모르던 부시맨들이 그 병을 보는 순간 병에 대한 욕망을 갖게 됩니다. 그리고 병을 사용하면서 편리성에 대한 마음이 생겨났지요. 하지만 결국 이 욕망과 마음은 부족민 서로 간의 반목과 싸움의 원인이 됩니다. 그 병(욕망과 마음≒에고)을 버림으로써 본래의 순수함(영혼)으로 돌아간 것입니다.

영혼의 욕구는 순수합니다. 그렇다고 욕망이 불순하다는 이분법적 의미의 말은 아닙니다. 욕망도 그 자체로는 순수합니다. 다만 욕망은 영혼의 욕구에 육체의 감각이 '덧씌워져' 생겨난 것이므로 '덧씌워지기 전'이란 의미에서 순수란 표현을 쓴 것뿐입니다. 영혼은 욕망이 없습니다.

영혼의 욕구는 존재 의식의 확장, 앎의 확장과 관련되어 있지만, 에고와 육체의 욕구인 욕망은 육체적 감각에 이끌립니다. 감각적 편안함, 즐거움, 쾌락 등과 관련되어 있습니다.

육체는 쾌감이나 편함, 즐거움을 느끼는 감각은 받아들이려고 하고 불쾌감이나 불편함, 괴로움을 느끼는 감각은 배척하려 합니다. 육체의 본능입니다. 에고 의식과 마음은 쾌감과 편함, 즐거움을 쫓습니다. 에고 의식과 마음은 육체와 불가분의 관계를 맺고 있으니 당연한 일입니다.

우리는 쾌감이나 편안함, 즐거움을 느낄 때 행복해하고, 불쾌감이나 불편함, 괴로움을 느낄 때 불평하고 불행해하지요. 그래서 우리는 쾌감과 편안함, 즐거움을 얻으려는 욕망과 늘 함께합니다. 그런데 공교롭게도 이 욕망 때문에 우리는 불쾌해하고 불편해하기도 합니다. 괴로워합니다. 행복하려는 마음 때문에 분노하고, 증오하며, 시기하고, 질투합니다. 그리고 암울함에 빠지고 슬퍼하고 괴로워합니다. 아이러니하게도 행복하려는 마음 때문에 불행해지는 것이지요.

영혼은 쾌, 불쾌와 편함과 불편함, 즐거움과 괴로움을 구분 짓지 않습니다. '행복하다 불행하다'를 따지지 않습니다. 영혼은 그런 감정이나 감각을 인식하지 않습니다. 영혼은 그저 있는 그대로를 받아들이며 그 상태를 느낄 뿐입니다. 그래서 영혼은 번뇌가 없지만 에고는 번뇌 속에 살아갑니다.

육체와 에고와 마음과 욕망은 서로 불가분의 관계로 연결되어 있습니다. 이 연결 관계의 가장 기본이 되는 토대는 육체입니다. 욕망이 없어도 육체는 생명을 유지할 수 있고, 에고와 마음이 없어도 육체는 생명을 유지할 수 있습니다. 하지만 육체 없는 욕망도, 에고도, 마음도 없습니다.

우리는 육체의 조율을 통해서 욕망과 마음과 에고를 적절하게 다스릴

172

수 있습니다. 적절하게 조절할 수 있습니다.

여섯, 육체와 에고와 마음과 영혼의 관계

영혼은 에고를 적절하게 조절하고 활용해야 하며, 에고는 육체를 적절하게 조절하고 활용해야 합니다. 영혼과 에고와 육체는 서로 긴밀한 관계를 맺고 있습니다. 특히 육체와 에고는 '육체가 곧 에고다' 할 정도의 밀착 관계를 유지합니다.

에고는 '물질 몸69)'이라는 렌즈를 끼고서 세상을 바라보고 경험하고 있습니다. 볼록하거나 오목하거나 우둘투둘하거나 깨진 안경렌즈를 생각해 보십시오. 그 안경을 낀 사람의 시야는 렌즈 상태에 영향을 받을 수밖에 없을 겁니다. 육체와 에고의 관계는 마치 이와 같습니다.

존재인 우리는 이 세상에서 에고로서 살아가고 있습니다. 다른 차원에서 영혼의 관점으로 세상을 살던 우리는 물질세계에서 에고의 관점으로 세상을 경험하고 있습니다. 에고는 언제나 육체의 시스템을 통해 무언가를 인식합니다. 그 인식에 대한 느낌은 영혼에 저장됩니다. 에고의 경험이 어떻든지 영혼은 그 경험을 흡수합니다.

---

69) 인간 존재의 몸은 물질적 몸인 육체도 있지만 비물질적 몸도 있습니다. 우리들 '영혼으로서의 나'는 혼체(아스트럴체) 또는 영체(멘탈체)로 불리는 비물질 몸을 가지고 있습니다. 혼의 몸은 감정이 배제된 순수한 감성 상태의 비물질 몸이며, 영의 몸은 이성이 배제된 순수한 지성 상태의 비물질 몸입니다.

기쁘고 슬픔, 괴롭고 즐거움, 좋아함과 싫어함, 웃음과 분노 같은 '감정'은 순수한 '감성' 상태로 존재하던 혼이 육체와 결합함으로써 생겨납니다. 물질세계에서 사리를 분별하고 판단하는 '이성'은 순수한 지성 상태로 존재하던 영이 육체와 결합함으로써 생겨납니다. 혼체와 영체는 육체 속에서 중첩된 채 존재합니다.

이 세상을 살아갈 때, 물질 몸은 에고를 육체의 본능적 욕망에 이끌리게 하고, 혼의 몸은 에고를 감성적인 욕망에 이끌리게 하며, 영의 몸은 에고를 지성적인 욕망에 이끌리게 합니다.

'영혼의 나'는 '육체적 나'의 조언자요 안내자입니다. 이 역할을 매개하는 것은 마음입니다. 영혼은 내면 깊은 곳에서 신호를 보내서 '내적 욕구'를 일으킵니다. 마음의 심연을 자극하는 것이지요. 그러면 마음은 에고를 움직여 그 욕구를 따라가게 합니다.

마음의 심연에서 올라오는 '내적 욕구'를 에고가 적절하게 수행하려면 마음이 온전하고 평온해야 합니다. 마음이 산만하고 불안정하면 영혼의 신호를 에고가 제대로 읽어낼 수 없습니다.

에고로서의 내가 차분한 마음으로 깊이 숙고하거나 몰입할 때 은연중에 영혼의 조언이 와닿는 경우가 많습니다. 그러니 마음을 차분히 가라앉히는 시간을 자주 만들어야 합니다.

영혼은 소곤거리는 아주 작은 내면의 소리입니다. 소곤거리는 소리는 비바람이 몰아치는 때라면 들을 수 없습니다. 그래서 마음이 격정에 휘둘릴 때 영혼은 방관하는 자세를 취합니다. 조언해도 그 조언은 격정 속에 묻혀 버릴 테니까요.

격정에서 벗어났을 때 영혼은 조언을 준비합니다. 그리고 마음이 차분하게 가라앉기를 기다립니다. 마음이 차분해진 틈 사이로 조용히 소곤거립니다. 그때 귀를 기울이면 마음의 심연에서 울리는 소리를 감지할 수 있습니다. 그 소리[70]는 귀로 들을 수 있는 소리는 아닙니다. 다만 그 소리는 마음의 울림으로, 느낌으로 다가옵니다.

몸이 조화롭고 건전해지는 만큼 에고의 시야는 맑아지고 넓어집니다.

---

70) 부처님의 가르침 중(금강경)에는 이런 구절이 있습니다. '약이색견아(若以色見我), 이음성구아(以音聲求我), 시인행사도(是人行邪道), 불능견여래(不能見如來).'

해석하면 이렇습니다. '만약 형상으로 나를 보려고 하거나, 음성으로써 나를 구하는 사람이 있다면, 이 사람은 삿된 도를 행하는 사람이니, 올바른 깨달음을 얻을 수 없다.'

진정한 신은 아무도 모르게 움직입니다. 나도 알 수 없고 너도 알 수 없습니다. 주변 누구도 알 수 없습니다.

몸이 조화롭고 건전해지는 만큼 마음 역시 온전해지고 평온해집니다. 그리고 그만큼 영혼은 조언자, 안내자의 역할을 제대로 수행할 수 있습니다.

이때 삶은 각 존재들의 발전을 위한 가장 이상적인 방향으로 펼쳐집니다.

일곱, 에고에서 벗어난다는 것에 대해서

예로부터 성현들은 한결같이 에고에서 벗어나야 한다고 가르쳐 왔습니다. 에고의 작용은 거칠고 편협하기 때문입니다.

에고라는 자의식은 몸의 영향을 받을 수밖에 없습니다. 그러니 에고에서 벗어나려면 육체적 조건에 영향을 받지 않아야 합니다. 즉, 질병, 신경이나 호르몬, 기타 인체 상태의 영향에 의한 정서적 심리적 영향으로부터 자유로워야 합니다. 이 말은 곧 몸이 조화롭고 건전해야 한다는 의미입니다. 또한 물질 몸을 잊을 수 있어야 한다는 의미이기도 합니다.

그러면 몸이 조화롭고 온전한 상태가 아닌데도 불구하고 자유로워질 수는 없을까요? 만일 몸의 작용을 잊을 수 있다면 우리는 '에고'라는 상태에서 벗어나 자유로워질 수 있습니다. 몸의 걸림이 마음에 어떠한 영향도 미칠 수 없게 한다면 에고로부터 자유로워질 수 있습니다.

우리는 간혹 몸 상태와는 관계없이 몸을 잊고 에고에서 벗어난 분들을 만날 수 있습니다. 이런 분들은 대부분 고요한 성품을 지니고 있습니다. 타인의 삶에 대해 이런저런 간섭이 없습니다. 그러니 간섭받는 걸 달가워하지도 않습니다. 다른 이의 시선을 신경 쓰지 않습니다. 어떠한 삶을 살든, 비록 노숙자의 삶이라도 자신의 삶을 기꺼이 살아갑니다. '가장 평범한 사람이 훌륭한 도인이다'라는 말처럼 있는 그대로 삶을 포용하고 잔잔하게 살아갑니다.

몸이 지극히 조화로운 상태가 되면 몸을 잊고 돌보지 않아도 됩니다. 몸이 조화롭지 않은 상태인데 돌보지 않는다면 어찌 될까요? 아마도 대부분은 질병이라는 상황과 맞닥뜨리게 될 것입니다.

몸에 질병이 생기면 에고는 그 질병으로 인한 심리적 정서적 영향을 받게 되어 있습니다.

과연 질병 등 몸의 부정적인 상황 속에서도 에고로부터 온전하게 자유로워질 수 있을까요?

세 번째 이야기
현실의 '매트릭스'

옛 시절, 멀리 있는 친구와 다음 약속을 정할 때는 "오늘 참 반가웠네, 달포 후 낭만주막에서 해가 중천에 떴을 때쯤 만나세!" 아마도 이랬을 겁니다. 달포 후 즈음이 되면 주막 주변을 어슬렁거리겠지요. 지나가는 파랑이[71]도 바라보고, 떠다니는 구름도 쳐다보고, 번지르르해 보이는 신사나 마음씨 고와 보이는 숙녀를 힐끗거리기도 하면서요. 기다리는 중에 꾸벅꾸벅 졸기도 합니다. 가만히 눈을 감고 상념에 빠지기도 하구요.

아주 먼 거리라면 그렇게 며칠을 지낼지도 모릅니다. 그 기다림과 생각함 사이, 바라보기와 졸기 사이, 그 속에는 정서적인 여유가 넉넉하게 자리하겠지요.

요즘은 사방 어디에나 광고들이 널려 있습니다. 사람들은 너도나도 휴대폰을 손에 들고 있습니다. 어지러운 광고들과 휴대폰에 시선이 고정되어 한순간의 여유로움도 누리지 못하고 있습니다. 지금의 시대 상황입니다.

이런 시대에 영혼의 힘은 봉인되고 에고의 욕구가 기세등등해진 것은 어쩌면 당연한 일인지도 모르겠습니다. 그 와중에 우리 삶 주변에는 '말세'라 불리는 일들이 흔하디흔해졌습니다. 어렸을 적에 주변 어른들이 "에그 말세군, 말세야!" 하는 말을 종종 하신 것이 떠오릅니다. 사

---

71) 파랑이는 저희 집 진돗개 이름입니다. '파랑'은 바다 물결을 의미합니다.

회적으로 어처구니없거나 지나치게 폭력적인 일이 벌어질 때면 흔히 쓰던 표현입니다.

우리는 지금, 이 세상에서 에고로서 살고 있습니다. 우리들의 깊은 내면에는 영혼이 거주하고 있습니다. 영혼은 필요할 때면 언제든지 조언할 준비를 하고 있습니다. 영혼은 가능하면 삶을 조화로운 쪽으로 안내하려 합니다. 그런데 이 세상 삶을 주도하는 에고가 기세등등해집니다. 그 기세가 얼마나 강한지 영혼의 존재를 아주 망각할 정도입니다. 그러다 보니 영혼의 감각과 성품은 깊숙이 가라앉아 버립니다. 가라앉다 못해 아예 봉인되다시피 하지요. 영혼이 봉인되면 봉인된 만큼 에고의 삶은 자극적이고 강렬한 쪽으로 잘 향합니다.

에고가 삶을 지배한다면 영혼은 안내자로서 어떤 역할도 수행하지 못합니다. 자극적인 감각을 좋아하는 에고는 강렬한 쪽으로 삶을 이끌어 갑니다. 폭주를 잘합니다. 그러면서 우리는 점점 본연이 모습을 잃어 갑니다.

현실의 삶에서 물질적 욕망은 늘 앞서가기 마련입니다. 또한 삶의 부딪힘은 늘 생기기 마련입니다. 그렇더라도 자기 존재의 심원한 부분을 망각하진 말아야겠습니다. 삶의 부딪침 속에 매몰되지는 말아야겠습니다.

우리 존재는 물질 세계에서 육체적 욕망을 안고 세속적으로 살아가고 있습니다. 영혼의 안내는 육체적, 세속적 욕망이 정신적이고 영적인 욕구와 조화를 이룰 수 있게 도와줍니다. 삶의 여러 부딪침을 슬기롭게 헤쳐 나갈 수 있게 도와줍니다.

에고의 힘이 과해질수록 육체적 욕망과 정신적 욕구의 조화는 깨지기 쉽습니다. 세속적 욕망과 영적 욕구의 조화 역시 쉬이 깨집니다. 슬기로움을 발휘해야 할 때, 에고의 힘이 과하면 그 슬기로움은 빛을 보기 힘듭니다. 그러다가 에고가 삶에서 영혼이 내미는 손을 완전히 뿌리치는 순간이 옵니다. 이때 에고는 고삐 풀린 망아지처럼 천방지축 날뛰기 시작합니다. 오직 자신의 물질적, 육체적 욕망을 충족시키기 위해 뛰어다닙니다. 주변이 파괴되거나 말거나 개의치 않습니다. 질서가 헝클어지거나 말거나 사방으로 날뜁니다.

결국은 스스로 파멸의 길을 따라갑니다.

> 오래전에 본 '매트릭스'라는 SF영화가 기억납니다. 기계문명이 고도로 발달한 가상의 미래세계가 배경이었지요.
>
> 먼 훗날 컴퓨터의 인공지능(인간의 에고)이 극한으로 진화합니다. 그리고는 인간들을 통제하기 시작합니다. 통제가 극에 달하더니 결국은 인간의 의식(영혼)까지도 지배합니다.
>
> 인간들을 철저하게 통제하는 데 성공한 인공지능은 모든 인간을 기계 안에서 잠재웁니다. 인공지능 컴퓨터는 잠자는 인간들의 생체 에너지를 자신의 동력으로 사용하지요.
>
> 이 때 몇몇 깨어난 인간들이 현실을 파악합니다. 컴퓨터의 통제에서 벗어나는데 성공한 그들은 다른 인간들을 깨우기 위해서 노력합니다. 인간의 본래 삶을 찾아 인공지능과 대결을 벌입니다.

영화 '매트릭스'의 이야기는 지금의 현실에서도 펼쳐지고 있습니다.

그리스도교의 신약성경 요한묵시록 편에 등장하는 아마겟돈(하르마게돈)은 인류 역사의 마지막 즈음에 악의 세력이 선한 세력을 맹공격하기 위해 모여드는 장소입니다. 아마겟돈은 선과 악의 세력이 겨루게 될 최후 결전지를 상징하는 일반적인 명칭으로도 사용되고 있습니다.

선과 악이 겨루는 인류 최후의 전쟁은 미래에 벌어질 사건이 아닙니다. 아마겟돈(하르마게돈)72)은 미래의 특정한 지역을 상징하는 것이 아닙니다. 그 사건은 바로 지금 이 자리에서 진행되고 있습니다. 우리의 몸과 마음 안에서 진행되는 중입니다.

그리고 그 최후 전쟁의 결과는
바로 우리 자신, '나(에고)'의 선택에 달려 있습니다. 우리는 어떤 것이든 선택할 자유가 있고 그 선택을 책임질 의무도 있습니다.

---

72) 요한 묵시록 16장 16절에 한 번 언급되어 있습니다.

5장
잘 죽기 위한 마음 돌보기

"

인간 존재는
무한한 가능성을 품은 존재입니다.
우리는 자신과 주변 환경을
스스로 만들어 나가는 중입니다.

물 같은 자연스러움과 바람 같은 자유로움은
우리들 마음의 본래 모습입니다.

"

첫 번째 이야기
맺힌 마음 풀어내기

예전에 인상 깊게 본 '라스트 모히칸(1992)'이라는 영화가 있었습니다.

이 영화는 18세기 아메리카 대륙이 배경입니다. 미국 독립 이전, 영국과 프랑스가 대륙을 차지하려고 쟁탈 전쟁을 벌이고 있습니다. 원주민들(아메리칸 인디언)이 주인인 땅을 두고 두 나라가 전쟁을 벌이는 중입니다.

아메리칸 인디언들도 영국과 프랑스 편으로 갈려 싸웁니다. 이 영화에서는 '모히칸족'은 중립을 지키고 있습니다. '휴런족'은 프랑스 편에 서 있습니다.

'모히칸 족'은 추장 칭가지국과 그의 아들 웅카스, 영국인이지만 모히칸 추장에 길러진 호크아이만이 남은 상태입니다.

대륙을 차지하기 위한 영국과 프랑스의 전쟁은 격렬해집니다. 어느 쪽에도 속하길 원치 않은 모히칸족은 영국군의 징집 명령을 거부하고 은거중입니다.

그들은 우연히 휴런족의 공격으로부터 영국군 사령관의 두 딸인 코라와 엘리스, 그의 일행을 구하게 됩니다. 그리고는 호크아이는 코라와 웅카스는 엘리스와 운명처럼 사랑에 빠지게 되지요.

우여곡절을 겪으며 호크아이와 코라는 살아남지만 웅카스와 엘리스는 죽게 됩니다.

영화 라트모히칸은 모히칸 마지막 추장 칭가지국이 아들 웅카스의 넋을 저세상으로 보내며 '먼 허공을 응시하는 것'으로 끝을 맺습니다.

'멀리 허공을 응시하는 초로(老)의 인디언 모습'. 슬픔을 인내하는 그 모습 안에는 그윽함과 부드러움, 담담함과 중후함이 동시에 묻어 있었습니다. 그 인디언의 내 마음속 이미지는 지금까지도 울림으로 남아있습니다.

나이가 들어갈수록 성품은 유연해져야 합니다. 세파에 휩쓸리지 않는 담담함과 중후함이 마음속에 넉넉하게 자리 잡을 수 있어야 합니다. 삶을 대하는 태도는 점점 너그러워져야 합니다. 그러다가 생의 에너지가 다 소진되었을 때 자연스럽게 죽을 수 있어야 합니다. 저는 그러기를 소망하며 그렇게 될 것입니다.

하지만 주변을 돌아보면 연륜이 더해가도 여전히 마음의 불편함을 안고 사는 모습을 봅니다. 언행의 거침과 가벼움이 더해감을 봅니다. 여전히 번뇌 속에 살아가고 있음을 봅니다. 죽음을 두려워하며 자의든 타의든 억지스럽게 생을 연장하고 있음을 봅니다.

무엇이 마음을 불편하게 하고 삶을 고뇌하게 할까요? 무엇이 자연스럽게 받아들여야 할 죽음을 자연스럽지 못하게 할까요?

스트레스라는 말은 우리나라 사람들이 가장 흔하게 사용하는 외래어라고 합니다. 흔한 만큼 누구나 스트레스를 받으며 살아가고 있다는 것이겠지요.

스트레스에는 정신적 스트레스가 있고 감정적인 스트레스가 있습니다. 또한 육체적인 것도 있습니다. 스트레스는 그때그때 해소하지 않으면 조금씩 쌓이기 마련입니다. 정신적인 스트레스[73]가 누적되면 신경계통

---

73) 정신적 스트레스는 관계 속의 갈등, 직장, 학업, 이사, 금전적인 부분 등의 고민에서 비롯됩니다. 감정적 스트레스는 슬픔이나 분노, 두려움, 부끄러움, 절망감, 실망 같은 감정들에서 비롯됩니다.

에 과부하가 생깁니다. 신경이 과도하게 날카로워져서 각종 신경질환이 생깁니다.

감정적인 스트레스가 누적되면 마음속에는 맺힘이란 덩어리가 만들어집니다. 이 덩어리를 우리는 '한(恨)이라 부르기도 합니다. 우리나라 사람들에게 잘 생기는 화병이란 것이 있습니다. 감정적 스트레스가 쌓여 마음속에 응결되면서 생긴 병입니다.

육체적인 스트레스를 대표하는 것은 육체적 피로입니다. 이 피로가 누적되면 질병으로 이어집니다. 선천적 질병을 제외한 모든 질병은 정신적, 감정적, 육체적 스트레스가 복합적으로 작용해서 생겨납니다.

때로 감정적, 정신적 충격으로 인해서 단번에 치고 들어오는 스트레스도 있습니다. 이런 종류의 스트레스를 트라우마[74]라고 합니다.

하나, 맺힌 마음에 대해서

정신적, 감정적인 스트레스가 풀리지 않은 체 마음 안에 머물고 있다면, 이것을 맺힌 마음이라 하겠습니다.

마음이란 무엇일까요?

행위의 근간에는 무언가를 하고자 하는 욕구가 자리하고 있습니다. 우리는 이 물질세계에서 에고로서 삶을 살아가고 있습니다. 에고의 삶을 사는 우리의 욕구 작용을 마음[75]이라고 합니다.

사람 내면의 깊은 곳에는 '어떤' 욕구가 있습니다. 추상적이던 초기의 어떤 욕구는 시간이 지나면서 차츰 구체화 됩니다. 욕구가 구체화 되면 욕구를 현실화시키고자 하는 의도가 생겨납니다. 그리고 이어서 의

---

74) trauma(외상후 스트레스 장애): 재해를 당한 뒤에 생기는 비정상적인 심리적 반응 - 사전 참조
75) 4장 '에고와 마음과 욕망' 참고.

지가 발동되지요.

의도와 의지에 감성이 더해지면 열정이란 것이 생겨납니다. 이 열정은 우리를 행동하고 움직이게 하는 힘입니다. 그러니 모든 행위의 근간에는 에고의 욕구 작용인 마음이 있는 것이지요.

간혹 열정도 없고, 의지도 없으며 별 감정적 느낌도 일어나지 않을 때도 있을 겁니다. 그렇더라도 무언가를 하기는 하겠지요. 이 무언가를 하게끔 이끄는 힘이 곧 마음입니다.

마음은 스스로 편리하고 유리한 쪽으로 움직입니다. 마음은 우리에게 '싫다 좋다, 옳다 그르다'와 같은 분별을 일으키게 합니다. 이 분별심으로 우리는 기쁨과 슬픔, 고통과 즐거움, 사랑과 증오, 혐오감과 친근감 같은 감정들의 극단을 경험합니다.

분별하는 마음은 옳다고 생각하는 것은 그냥 받아들입니다. 좋다, 즐겁다고 '판단'하는 것도 그냥 받아들입니다. 하지만 그르다거나 싫다, 고통스럽다고 '판단'하는 것은 배척하고 거부 합니다. 분별과 판단함에 의해서 마음은 강하게 거부하지만 어쩔 수 없이 받아들일 때가 있습니다. 강제적으로 받아들일 수밖에 없는 상황을 겪을 때도 있습니다. 이때면 감정적으로 고통스러움을 느낍니다. 고통스러운 느낌의 감정적 충격이 강렬할 때. 그 강렬함으로 인해 마음에 각인되기 쉽습니다. 강렬한 감정이 마음속에 각인이 되면 '맺힘' 상태로 남게 되는 것입니다.

앞서도 말했지만, 마음은 이중적입니다. 좋기도 하지만 싫기도 한 경우가 있습니다. 이런 이중적 마음이 들 때면 내면에는 부딪침이 생깁니다. 이 부딪침이 강해도 그 강도만큼 충격이 생깁니다. 이러한 충격은 무의식에 각인이 되어 잘 드러나지 않습니다. 잘 드러나지 않는 만큼 이런 맺힘은 인식하기 어렵습니다.

에고의 욕구 작용인 마음 때문에 감정도 생겨나고 욕망도 생겨납니다. 감정과 욕망은 비교적 자유롭게 발산하고 자연스럽게 흘러야 합니다. 또한 가급적 충분한 만큼 충족되어야 합니다.

살다 보면 감정과 욕망을 과도하게 억제하는 경우가 많습니다. 감정이나 욕망 에너지들은 마치 풍선과 같습니다. 한쪽을 억압하면 다른 쪽이 불쑥 솟아나 비대해집니다. 이마저도 억압하면 감정과 욕망을 일으키는 마음 안에 에너지 덩어리가 형성됩니다. 이 에너지 덩어리는 분해되지 않는 한 마음속에 똬리를 틀고 있습니다. 역시 마음의 맺힘이 된 것입니다.

그렇다고 감정과 욕망을 막무가내식으로 발산하고 충족시켜선 안 되겠지요. 막무가내식 행보는 화를 부르기 마련입니다. 자유로움이 과해지면 무질서해지고 위험해집니다. 그러니 반드시 자유로움에는 적당한 통제와 절제가 병행되어야 합니다. 자유로움을 적절하게 통제하고 조절하지 않으면 삶의 질서는 무너집니다. 삶은 위험스러워지고 혼란해집니다.

자연스럽게 흐르는 강물은 평화롭습니다. 그런데 거대한 바윗덩어리가 어디선가 날라 와서 강의 중간에 박힌다고 상상해 보십시오. 갑자기 강바닥에 거대한 구멍이 생기는 것을 상상해 보십시오. 그러면 그 부분에서 물의 흐름은 격해지면서 큰 파장이나 소용돌이를 일으키겠지요. 맺힌 마음은 흐름을 격하게 만드는 바윗덩어리나 웅덩이 같은 것이 마음 안에 생긴 것입니다.

감정적인 충격들 대부분은 시간이 흐르면 차츰 잊혀 질 것입니다. 하지만 어떤 경우는 시간이 지나도 당시의 느낌이 재현되는 것을 경험합니다. 이것은 과거의 강렬한 기억이 마음속에 각인되어 있기 때문입니다. 보통은 가슴이 답답하고 마음이 무거워지는 느낌 정도겠지만, 때에 따라서 주체하지 못할 감정적 두려움이나 분노를 느끼게도 합니다.

 맺힌 마음은 아물지 않은 마음속 상처입니다. 몸에 상처 부위가 있는 곳은 약한 자극에도 아픕니다. 마음의 상처 역시 그렇습니다.
 맺힌 마음은 마음속 똬리를 틀고 있는 억압된 에너지 덩어리입니다. 이 에너지 덩어리는 잠재하다가 어디서든 어떤 방식으로 갑자기 튕겨 나갈 수 있습니다. 똬리 에너지가 크다면 마치 웅크린 스프링이 튕겨 나가듯 주체하기도 통제하기도 어렵습니다.
 맺힌 마음은 마음속 깊이 파인 감정의 웅덩이요 덩어리입니다. 마음 속 웅덩이들, 덩어리들은 삶을 요동치게 합니다.

둘, 맺힌 마음과 삶
 마음속 맺힘 들은 사회적 삶 속에서 스트레스를 주고받게 하는 원인 을 제공합니다.
 마음속에 한 번 맺힘이 생기면, 그 맺힘은 중력처럼 작용합니다. 그러 고는 지속해서 영향을 미칩니다. 우리 주변에는 마음에 부정적인 영향 을 미치는 것들이 넘쳐납니다. 마음에 생긴 맺힘이란 중력은 부정적 영향을 미칠 수 있는 요소들을 끌어당깁니다. 마음을 부정적인 방향으 로 이끕니다. 마음을 폭풍 속으로 밀어 넣습니다.

 마음속 맺힘 들은 웅크리기를 잘합니다. 그래서 평소에는 잘 드러나 지 않습니다. '웅크림'에는 눌린 스프링 같은 에너지가 있습니다. 그래 서 불현듯 튀어 나가곤 합니다. 이 튀어 나감은 대개 폭발하는 화산처 럼 표출됩니다. 대표적인 것은 분노입니다. 분노는 에너지이고 에너지는 사용되어야 합니다. 그래서 분노가 정당할 때 적당한 분노는 필요한 부분이기도 합니다.

때에 따라서는 이 에너지가 외부적 표출 없이 과도하게 억압되기도 합니다. 이 경우 폭발의 방향은 내부로 향할 수 있습니다. 부지불식간에 자기 자신을 공격하거나 하면서 말이지요. 이때 육체적으로 어떤 병증이 생겨날 수 있습니다. 마치 자가 면역질환처럼 스스로 파괴해 버리는 것이지요.

간혹 알 수 없이 울컥하는 마음이 들 때가 있습니다. 이런 경우는 주로 마음의 심연 속 맺힘이 작용했기 때문입니다. 또는 전생에서 강렬하게 각인된 감정과 관련 있습니다.

주변 사람과 골 깊은 갈등이 오랫동안 계속되는 경우가 있습니다. 이 문제는 장시간 작용하던 오래 묵은 맺힘과 관련됐을 가능성이 큽니다. 전생에서 풀지 못한 문제가 이번 생으로까지 이어진 것이지요.

맺힘의 문제는 일방적 이유로 인해 생겨나지는 않습니다. 한 손을 아무리 휘저어도 손뼉 소리를 낼 수는 없습니다. 사회적 관계 속 삶의 부딪침은 기본적으로 쌍방의 문제에서 비롯되는 것입니다. 서로 부딪침이 있을 때는 자신도 문제의 원인이 될 수 있음을 수용할 수 있어야 합니다. 그렇지 않은 한 부딪침은 끊임없이 계속됩니다. 졸졸 따라다니며 서로를 괴롭힙니다.

비단 고통만은 아닙니다. 즐거움이나 기쁨도 강렬할 때는 마음이 충격을 받습니다. 본질적으로 말하자면 즐거움이나 기쁨도 강렬하면 마음에 각인 될 수 있습니다. 역시 맺힌 마음이 될 수 있습니다. '중독'도 그런 경우 중 하나입니다.

삶을 무겁게 하고 혼란하게 하는 마음의 응어리는 새로운 응어리의 씨앗입니다. 이 씨앗은 과거 응어리를 양분 삼아 새로운 응어리를 만들어 냅니다. 이 응어리들이 쌓여가는 만큼 마음의 무거움은 더해집니다. 마음의 무거움이 더해지는 만큼 삶은 무거워지고 죽는 것도 무거워집니다.

셋, 맺힌 마음과 잘 죽는 죽음의 관계

'에고인 나'는 보다 '광대한 나'의 일부분입니다. 마치 일렁이는 파도가 바다의 부분인 것처럼 말이지요. '영혼으로서의 나'가 바다라면 '에고로서의 나'는 파도입니다.

영혼은 에고로서 살고 있는 삶이 일시적이란 것을 압니다. '영혼으로서의 나'는 죽어 자신이 돌아가야 할 때도 알고 있습니다. 그래서 영혼에 조금 관심을 기울이면 죽음을 자연스럽게 겪을 수 있습니다.

삶은 죽음으로 향해가는 과정입니다. 삶의 최종 목적지는 죽음일 수밖에 없습니다.

살아가는 과정, 즉 죽음으로 가는 과정은 에너지를 소진해 가는 과정이기도 합니다. 누구든 자신의 에너지를 다 소진하면 죽습니다.

에너지는 움직임의 원천입니다. 에너지가 있으면 움직일 수 있습니다. 우리 몸은 급작스러운 사고나, 심정지 같은 상황이 아니면 생명 에너지가 남아 살게끔 되어 있습니다.

육체의 에너지는 살아가면서 점차 소진되어 갑니다. 그래서 나이가 들면 인체의 기능들이 약해집니다. 에너지가 많이 소진되었기 때문입니다.

감정도 에너지입니다. 감정 에너지도 소진해 갑니다. 인체 에너지와 마찬가지로 나이가 들면 감정 에너지들은 소진되고 감정적으로 덤덤해 집니다.

그런데 맺힌 감정의 에너지들은 폭발적이며 파괴적인 경향이 있습니다. 그러니 맺힌 감정의 광폭한 에너지를 평소에 사용하기는 쉽지 않습니다. 물론 이런 에너지들을 무차별적으로 사용하는 사람들도 있긴 하지만 대부분은 그렇지 못합니다. 우리에게는 이성이라는 것이 있기 때문입니다. 평소에 맺힌 감정들은 이성의 통제 덕에 겉으로 잘 드러나지 않습니다. 사용되지 않습니다. 사용되지 않은 '맺힌 감정'의 에너지는 보통 잠재된 상태로 존재합니다. 언제든 활동할 기회를 노리면서 말이지요.

생의 에너지가 다 되어갈 즈음이면 이성도 힘을 잃습니다. 이성의 바탕인 지성과 감성은 육체의 영향을 받기 때문입니다. 이성이 힘을 잃으면 통제되던 맺힌 감정 에너지는 활동할 기회를 얻습니다. 감정 에너지가 활동하려면 오장육부를 통해야 합니다. 하지만 오장육부가 노쇠해진 탓에 활동이 쉽지 않습니다.

에너지의 속성은 활동성입니다. 사용되지 않은 에너지는 언제든 활동 가능한 상태로 잠재합니다. 남아있는 맺힌 감정 에너지는 활동할 곳이 생길 때까지 웅크리고 있습니다.

한편 모든 생명체의 '생존 욕망'은 다른 욕망과는 달리 마지막까지 힘을 유지합니다. 육체의 생존 욕망은 가장 원초적인 본능의 영역입니다. 이 생존 욕망 에너지는 본능적으로 생존하기 위한 방향으로 움직입니다.

노쇠해진 '육체의 생존 욕망'은 웅크리고 있던 맺힌 감정으로서는 활동하기 더없이 좋은 장소입니다. 활동할 곳을 찾은 맺힌 감정 에너지는 원초적 생존 욕망으로 스며듭니다. 맺힌 감정 에너지가 더해지면서 육체의 생존 욕망은 더욱 강해집니다.

에고는 육체를 기반으로 존재합니다. 에고와 육체는 거의 동일화되어 있습니다. 육체의 생존 욕망이 강해지면서 에고의 생존 욕망도 덩달아 강해집니다.

영혼은 에고의 안내자입니다. 영혼은 때가 되면 육체를 버리고 왔던 곳으로 돌아가고 싶어 합니다. 때라는 것은 육체의 에너지가 거의 소진 되어갈 때입니다. 하지만 에고의 욕망이 강해지면 상대적으로 영혼은 안내자로서의 힘을 잃습니다. 안내자 없이 전권을 잡은 에고는 어떻게든 더 살아보려 애를 씁니다. 맺힌 감정 에너지가 더해진 육체의 생존 욕망 에너지를 지지대 삼아 악착같이 생명 연장을 갈구합니다. 온갖 약물과 장치, 심지어는 젊은 혈액을 수혈하면서까지 말이지요.

죽는다는 것은, 왔던 곳으로 돌아가는 과정입니다. 이생으로 왔다가 저 생으로 가는 것은 지극히 자연스러운 것입니다.

충분히 살았고 노환으로 스스로 거동을 못 한다면, 노환으로 제정신을 유지하지 못한다면, 노환으로 자기 의지로 대소변을 가리지 못한다면, 죽어야 하는 때가 맞습니다. 모질다고 생각될지라도, 수긍하기 어렵더라도, 그것이 자연의 순리입니다. 바람직 한 것입니다. 하지만 그렇지 못한 것이 현실이기도 합니다.

자연스럽게 잘 죽으려면 마음속에 맺힌 것을 풀어낼 수 있어야 합니다. 행여 온전히 풀어낼 자신이 없더라도 가급적 최대한 순화 시킬 수 있어야 합니다.

'마음속 맺힌 것이 남아있으면 자연스럽게 잘 죽을 수 없다.' 라고 단언할 순 없습니다. 하지만 마음속 맺힌 감정을 풀어내는 것은 자연스럽게 잘 죽을 수 있는 확실한 길 중 하나입니다.

넷, 물 같이 흘러가는 마음

누구든지 개인으로서 당당하게 살아가야 할 권리가 있습니다.

마음은 '나(에고)'의 중심입니다. 마음에 맺힘이 있으면 '나'의 중심이 불안정해집니다. 중심이 불안정하면 자존감이 약해지고 당당함이 위축됩니다.

마음에 맺힘은 마음 한편에 남겨진 덩어리입니다. 인간 존재는 탐구자입니다. 마음의 덩어리를 간직한 이는 맺힌 마음을 탐구하는 사람입니다. 맺힘이 자기 삶에 어떤 영향을 미치는지에 대한 탐구를 하는 사람입니다. 그 탐구로 인해서 삶은 일시적으로 황폐해질 수 있습니다. 하지만 의식의 한 측면을 한층 더 깊어지게 하기도 합니다. 이런 의미에서 마음속 맺힘은 내적 성장을 위한 하나의 방편이기도 합니다.

독자 여러분들이 쌓아온 경험들과 가치를 존경하는 마음으로 지지합니다. 하지만, 그 연륜 속에 남아있는 맺힘에 대해 반드시 염두에 두어야 할 부분이 있습니다. 그것은 마음속 맺힘은 타인에 의해 만들어진 것이 아니라는 점입니다. '어떤 사람이나 상황이 나의 마음속에 맺힘을 만들었다'라는 생각은 옳지 않습니다. 마음속 맺힘은 삶의 탐구를 위해 자기 내면이 선택[76]한 것입니다.

마음속에 상처를 남긴 '상황'이나 '누군가'는 상처의 경험을 촉발하는 스위치 역할을 한 것일 뿐입니다. 상처의 경험을 통해 삶을 탐구합니

---

76) 이 문제는 마지막 장에서 좀 더 다루어 볼 것입니다.

다. 그러니 한편으로는 마음속 상처는 탐구에 도움이 되는 '감사한 일'이기도 한 것이지요.

원망하는 마음은 내적 성장에 별 도움이 되지 않습니다. 원수를 사랑하라는 말도 있습니다. 하지만 사실 원수는 절대 사랑할 수 없습니다. 인간적으로 말이지요. 그 말인즉슨, '원수는 증오해야 할 대상이 아니다. 원수는 다만, 우리를 더욱 튼튼하게 하고 성장하게 하는 촉매제로써의 역할을 하는 존재이다.'라는 의미이지요.

'물 같은 자연스러움. 바람 같은 자유로움'

이는 우리 인간 존재의 본래 모습입니다. 우리 본래의 모습처럼 마음이 물처럼 자연스럽고 사유가 바람처럼 자유롭다면 마음속에 맺힐 것도 맺힐 일도 없습니다.

'과거의 상처라는 망령이 자신의 마음을 어지럽히고 있다'라는 생각은 지양해야 합니다. 오히려 '과거의 상처로 내 경험은 풍부해졌고 그 상처로 나는 더욱 튼튼해졌다'라고 생각해야 합니다.

부정적 사고방식을 강화할 필요는 없습니다. 스스로 그 암시를 각인시킬 필요도 없습니다. 그렇지만 부정적 암시에 낚여서 과거의 경험에 매이는 것이 현실입니다. 그 속에 갇혀서 상처받고 고뇌하는 모습이 현재의 자신이기도 합니다.

인간의 감정은 물 같은 것입니다. 그래서 감정은 늘 흘러갑니다. 흐르는 물은 잡거나 묶어 둘 수 없습니다. 물을 묶어두려면 가두거나 얼려야 합니다. 특정한 감정에 집착하면 감정이 얼어 덩어리가 됩니다. 맺힌 마음은 감정의 덩어리입니다.

인간은 무한한 가능성을 지닌 존재입니다. 인간은 과거에 매이거나 하는 존재가 아닙니다. 매여 있다면 그 이유는 스스로 매임으로 인해 생기는 경험들과 마주하기를 바랐기 때문입니다. 그러기 위해서 특정한 감정에 집착하여 감정을 가두고 얼려놓은 상태를 경험합니다. 어떤 경험이든 그 경험은 자신의 의식 세계에 포함됩니다. 그만큼 의식은 확장됩니다. 그럼으로써 우리는 끊임없이 성장해 갑니다.

마음속 맺힘의 문제들을 어떻게 풀어야 할까요? 삶을 옥죄는 마음속 맺힘 들을 풀기 위해서는 다음과 같이 다짐만 하면 됩니다.
'나는 내 안에 맺힌 것을 풀고 자유로워질 것이다.'

집을 나서기만 하면 어디든 푸른 하늘 아래입니다. 조금만 걸어가면 드넓은 대지에 설 수 있습니다. 누구나 걸림 없는 자유로움을 느낄 수 있습니다. 문을 열어젖히기만 하면 됩니다. 그 문이 육중하게 느껴질 수는 있겠지만 자물쇠로 잠긴 문은 아닙니다. 설사 자물쇠로 잠긴 문일지라도 주변에는 문을 열 방법이 얼마든지 있습니다.
두손 두발이 묶인 몸이라면 당연히 움직이지 못합니다. 하지만 마음은 바람과도 같은 것입니다. 마음은 어느 무엇으로도 묶어 둘 수도 묶일 수도 없습니다. 과거의 마음속 상처에 묶여 있는 것은 마치 자기 손으로 목을 조르면서 답답해하고 있는 형국입니다. 이런 상황에서는 스스로 조르고 있던 손을 스스로 풀기만 하면 됩니다.
그리고 다음과 같은 주문을 외워줍니다.

'나는 무한한 가능성을 품은 존재이다.
나는 내 자신과 주변 환경을 스스로 만들어 나간다.

어느 무엇도 내 마음을 묶어 둘 수 없다.
나의 마음은 물처럼 자연스럽고 바람처럼 자유롭다.'

가능하다면 입 바깥으로 큰 소리로 내뱉습니다. 큰 소리는 자신의 의지를 확고하게 하는 행위입니다. 소리를 내기가 어려우면 마음속으로 강하게 외칩니다. 앞서 암시의 중요성을 강조한 바 있습니다. 강한 외침은 자기 암시를 강화합니다.

그다음은 앞으로 나올 실천 방법을 '몸'으로 실행하면 됩니다.

어쩌면 어떤 사람들은 맺힌 마음을 안고 살기를 원할지도 모릅니다. 마음의 맺힘을 안고 살아가는 삶은 무척 버겁습니다. 그러나 그러한 버거운 감정을 안고 살아가는 것이 삶의 진정한 의미라고 생각할 수도 있기 때문입니다.

그렇더라도 한편으로는 삶을 즐겁게 살고 싶은 마음이 있을 겁니다. 이 마음을 끌어내면 됩니다.

'버거운 감정을 안고 살아감'이라는 마음과 '가벼운 감정으로 즐거이 살아감'이라는 두 마음이 서로 왕래할 것입니다. 용기를 가지고 즐거이 살아가는 상상을 자꾸 반복해야 합니다. 그러면 버거운 감정을 안고 살아가고자 하는 마음은 힘을 잃습니다.

어찌 되었든 아래의 방법을 포함해서 앞으로 소개하는 몇 가지 움직임들을 '꾸준히' 실행해 보길 바랍니다. 그러면 결국은 맺힌 마음 상태에서 벗어나 자유로워질 수 있습니다.

마음속에 맺힌 것을 풀면 그동안 삶을 불편하게 만들었던 많은 문제를 풀어낼 수 있습니다. 마음속 맺힘을 풀어낼수록 앞으로의 삶은 더 안온해집니다. 영혼이 육체를 떠나는 죽음의 과정은 자연스러워집니다.

죽기 직전까지 건강하게 사는 것은 어렵지 않습니다. 원하는 곳에서, 원하는 때에 바로 죽는 것도 어렵지 않습니다. 마음을 먹고 그 마음에 맞게 몸으로 실천만 하면 됩니다.

자신의 현재 삶을 주관하는 것은 과거의 자신이 아닙니다. 다가올 미래의 자신도 아닙니다. 또한 전지전능한 신이 우리의 삶을 주관하는 것도 아닙니다. 모든 일은 '현재의 자기 자신'이 주관하는 것입니다.

창조주 신이 있을지라도 그 신은 우리 삶에 관여하지 않습니다. 심판하지도 않습니다. 어쩌면 신은 까마득히 오래전, 이 우주와 생명체를 창조하고, 우주에 변화 원리와 생명체에 자유 의지를 부여한 것으로써 할 일을 끝냈다고 할 수 있습니다.

신은 그저 자신이 만들어 놓은 뭇 생명체들을 지켜볼 뿐입니다. 성장하고 발전하기를 기대하며 묵묵히 지켜봅니다. 우주의 변화, 창조물의 변화를 지켜봅니다. 무한한 사랑을 품고서 말이지요.

다섯, 삶의 체험과 영혼의 양분

마음속에 맺힘을 지니고 살아가는 여러분!

그동안 여러분은 '마음속 맺힘'을 어깨에 짊어지고 왔습니다. 고뇌의 십자가를 힘겹게 지고 지금 이 자리까지 왔습니다. 그리고 그 맺힘으로 인한 문제를 충분히 겪었습니다.

기나긴 세월 인고하며 살아온 삶은 정말이지 누구라도 존경받아 마땅합니다. 하지만 이제는 그 고뇌를 훌훌 털어버려야 할 때입니다. 어깨 위에 올려진 무거운 짐을 내려놓아야 할 때입니다.

삶은 행위이자 체험입니다. 체험의 느낌을 알아가는 과정입니다. 괴로운 체험은 괴로움을 알아가는 과정입니다. 즐거운 체험은 즐거움을 알아가는 과정입니다. 우리는 수많은 행위를 하며 살아왔습니다. 그로 인한 체험이라는 디딤돌을 하나하나 밟고서 이 자리에 서 있습니다.

누군가의 체험은 편안했을 겁니다. 마치 평탄한 길에 잘 놓아진 보도블록을 밟으며 걷는 것처럼 말이지요. 또 누군가의 체험은 울퉁불퉁한 험한 산길을 오르는 것처럼 고되었을 겁니다. 설령 길을 잘못 들어 온갖 고생을 했더라도 후회할 일은 아닙니다. 그 덕에 잘 닦인 길에서는 볼 수 없었던 희귀한 생물이나 신령스러운 바위를 감상했을지도 모를 일입니다.

남이 가보지 못한 길에 대한 경험은 참으로 소중합니다. 그 경험만큼 '나라는 존재'의 의식은 성장했습니다. 어떤 경험이든 그 경험은 성장을 위한 과정입니다. 삶의 끝, 죽음이라는 지점에 이르기까지 앞으로도 많은 체험이 기다립니다.

어쩌면 온갖 고초를 겪으며 고생했던 삶의 경험에는 신의 배려가 담겨 있을지도 모를 일입니다. 미래를 위한 '단련'이라는 신의 배려 말이지요.

험난한 환경 속에서 힘든 체험을 해 온 사람들은 전사의 기질을 가진 용감한 사람들입니다.

영혼은 체험을 통해 일어나는 느낌을 양분으로 삼습니다. 존재인 영혼은 체험에서 일어나는 느낌을 통해 성장해 갑니다. 우리는 물질세계에서 육체적 나(에고)로서 살아가고 있습니다. 그 삶 속에서 감각적으로 느끼고 감정적, 이성적으로 느끼며 성장해 갑니다. 에고로서의 내가 겪는 느낌을 영혼의 내가 흡수합니다. 이 흡수한 느낌을 우리는 각자 영혼의 저장소에 저장합니다. 그 저장물들이 쌓여 감에 따라 영혼은 점차 성장하고 발전합니다. 존재의 의식이 확장됩니다.

음식을 무턱대고 먹듯이 어떤 영혼들은 무턱대고 흡수하는 체험을 용인합니다. 온갖 경험을 하고 풍랑을 겪으며 사는 분들이 바로 그렇습니다. 음식을 잘못 먹으면 탈이 나서 고생합니다. 하지만 고생한 만큼 잘못 먹은 것에 대한 철저한 배움이 따르기 마련이지요. 어떤 체험들은 무척 고생스럽지만 그만큼 철저하게 배웁니다. 그런 체험들은 자기 내면을 강하게 하고 배움을 돈독히 합니다.

육체적 맺힘(상해)을 마음의 맺힘과 다르게 볼일은 아닙니다. 육체는 다름이 아닌 마음의 투영물입니다. 마음이라는 무형의 틀이 형상화된 것입니다. 막연하고 추상적이었던 것이 구체적으로 드러난 것입니다.
지금까지 살아온 삶의 이면에는 각자의 영혼이 의도하는 바가 내포되어 있습니다. 하지만 그 내포된 의도가 무엇인지 명확히 이해하기는 쉽지 않습니다.
예수님이 십자가를 짊어지고 언덕을 오르던 순간이나 부처님이 극한 고행을 하던 순간에는 미래를 알 수 없었습니다. 오랜 세월 동안 인류에게 지대한 영향을 미칠 거라고는 미처 생각하지 못했습니다. 성인들이 고난을 겪었던 생애의 이야기들은 하나의 상징들입니다. 삶의 고뇌가 오히려 커다란 이익이 될 수 있음을 보여 주는 상징입니다.
현재 각자가 겪고 있는 고뇌들 역시 다르지 않습니다. 앞으로 맺을 열매들을 위한 양분입니다. 현재의 고뇌는 탐스러운 열매를 위한 더없이 훌륭한 밑거름이 될 수 있습니다.

여섯, 맺힌 마음과 몸의 관계 - 1
마음속 맺힘은 이 세상 사람 누구에게나 생겨날 수 있습니다.
육체는 마음에 맺힘을 만드는 '강렬한 감정'의 기본 터전입니다. 몸이 없다면 '격정'이라는 강렬한 감정도 마음속에 비수가 박히는 아픔도 경험할 수 없습니다.

인간 존재는 물질적 눈으로 볼 수 있는 몸과 물질적 눈으로는 볼 수 없는 몸이 있습니다. 비물질적 몸은, 일반적으로 에테르체(기체(氣體)), 아스트럴체(감정체, 혼체), 멘탈체(정신체, 영체) 등으로 호칭합니다.

이 보이지 않는 몸들은 육체 속에 스며든 상태로 혼재하고 있습니다. 마치 눈에 보이는 육체 속에는 오장육부 같은 기관들이 있고, 그 기관들은 서로 다른 세포들의 모임이며, 세포는 분자, 더 나아가서는 원자로 구성되어 있는 것처럼 말이지요.

육체는 물질세계에서 살고 있습니다. 혼체는 비물질 세계인 혼의 세계에서 살고 있습니다. 영체는 영의 세계에서 살고 있습니다. 서로 다른 세계에 살고 있지만 같은 공간에 중첩된 상태입니다. 같은 공간을 차지하고 있는 서로 다른 주파수대의 파장처럼 존재합니다.

삶은 행위이자 체험입니다. 물질세계에서는 감정적 느낌이 체험의 중심입니다. 에테르체(기체)는 육체와 혼체의 중간쯤 되는 상태입니다. 이 세계에서의 체험은 감각적 느낌을 중심으로 이루어집니다. 혼의 세계에서 삶의 체험은 정서적 느낌이 중심입니다. 영의 세계에서는 지성적 느낌을 주된 체험으로 살아갑니다.

인간 존재에게는 이 보다 정묘한 상위의 몸(체)들이 있다고 합니다. 하지만 그 이상은 이 책의 범주를 벗어난 것이며 저도 잘 모르니 더 이상 언급할 수가 없겠군요. 아마도 이 상위의 몸들은 더 이상 '체(몸)'로서의 의미는 없어 보입니다.

사람들 성격들이 제각각인 것처럼 육체적 특성들 또한 다 다릅니다. 어떤 사람들은 격한 감정을 소화하는데 취약한 육체를 가지고 있습니다. 그런 만큼 마음 안에 맺힘도 잘 생겨나지요.

감정은 물 같은 것입니다. 물이 돌을 맞으면 풍덩 소리를 내며 물보라를 일으키지만 이내 잠잠해집니다. 내버려 두면 그저 흘러갑니다. 하지만 사람에 따라서 감정은 더 이상 찰랑거리는 물이 아니라 걸쭉하거나 질퍽한 액체처럼 존재하기도 합니다. 몸 특성 때문입니다.

특정 상태의 몸은 어디를 부술까 호시탐탐 노리는 미사일의 표적 역할을 합니다. 화살을 쏘기 전 궁사가 노리는 표적처럼 작용합니다. 마음에 맺힘을 만드는 미사일이나 화살의 타격 대상이 됩니다.

부정적 상태의 몸, 즉 건강하지 못한 몸은 마음에 맺힘이 생기기 좋은 환경입니다. 몸의 부정적 상태는 강렬한 부정적 감정의 표적이자 숙주입니다. 특히 어떤 부상이나 내부 절개 수술 등으로 인해 생긴 육체적 상흔은 확실한 타격 대상이나 숙주가 될 수 있습니다.

무형의 감정은 유형의 물질로 잘 현현합니다. 마음에 문제가 생기면 몸에도 반응이 나타납니다. 우리들이 일상적으로 말하는 '마음'이라는 것은 몸에서 비롯된 것입니다. 그러니 몸에 변화가 생기면 마음도 그 몸에 맞게 변해가기 마련입니다.

몸이 땅이라면 마음은 물입니다. 땅이라는 토대가 없다면 물은 흩어져 버릴 겁니다. 땅의 지형에 맞게 호수가 형성됩니다.

감정적 충격이 생기면 육체 어딘가 영향을 받습니다. 특히 경직된 곳이 영향을 잘 받습니다. 감정적 충격은 육체를 순간 경직시키는데, 기존에 경직된 부분이 있으면 그 부분을 더 경직되게 합니다. 이 경직이 고착되면 마음의 맺힘이 확고하게 자리를 잡습니다.

감정적 맺힘이 마음 안에 자리를 잡으면, 그로 인해서 맺힘이 더 잘 생겨나고 더 쉽게 커집니다. 마치 덩어리진 눈이 굴러가며 쉽게 눈 뭉치를 키우는 것처럼 말이지요.

육체적 환경 → 마음의 맺힘 → 맺힘에 의한 육체적 환경 조성, 또는 마음의 맺힘 → 맺힘에 의한 육체적 환경 조성 → 마음의 맺힘이란 순환 고리가 생겨나는 것이지요.

맺힌 마음이 육체에 지속해서 영향을 미치면 노폐물[77]이 쉽게 축적되어 온갖 질병으로 이어질 수 있습니다. 물론 마음과는 관계없이 얼마든지 몸에 문제가 생겨나기도 합니다. 평소 몸 돌봄을 소홀히 하거나 그릇된 움직임, 그릇된 섭생을 지속해도 몸에 문제가 발생합니다.

감정적 충격은 일차적으로 인체의 호르몬이나 신경에 영향을 미칩니다. 이것은 내분비계통이나 신경계통이 취약한 분들은 마음속에 맺힘이 잘 생겨날 수 있다는 의미이기도 합니다.

인체 내부 장기나 혈관을 둘러싸고 있는 근육을 평활근이라고 합니다. 평활근은 의지와는 상관없이 움직여지는 불수의근입니다. 이 불수의근들은 자율신경계의 조절을 받고 호르몬 같은 내분비 물질에도 영향을 받습니다. 인체의 신경이나 내분비(호르몬)계통은 사람의 심리적, 정서적인 부분과 아주 밀접한 관계가 있습니다. 맺힌 마음이 주는 인체의 영향을 좀 더 자세히 정리하면 다음과 같습니다.

감정적 충격 → 자율신경이나 호르몬에 영향 → 평활근(불수의근) 경직 → 내부 장기나 혈관 등의 경직에 의한 순환 이상 → 노폐물 축적 → → → 질병

---

77) 이 노폐물은 눈에 보이는 육체적 노폐물만을 말하는 것은 아니며 분출되지 못한 심리적 노폐물까지를 포함합니다. 육체적인 노폐물은 심리적 불편함으로 이어지며 동시에 심리적 노폐물은 질병 같은 육체적 불편함으로 이어집니다.

건전하고 온전한 몸에서는 신경이나 호르몬 작용도 정상적으로 작동합니다. 몸이 부드럽고 조화로운 상태라면 더욱 바르게 작동합니다. 그래서 건전한 몸의 소유자일수록 심리적으로 정서적으로 안정적입니다. 감정도 큰 기복 없이 안정적이기에 과격한 감정은 잘 일어나질 않습니다. 설령 과격해지더라도 빠르게 수습됩니다. 과격한 감정이 머물지 않고 흘러가 버리기 때문입니다.

마음의 맺힘은 강렬한 감정이 마음 안에 머무르면서 생겨납니다. 강렬한 감정이 마음 안에 머물면 육체는 응어리짐으로 반응합니다. 어떤 감정이 마음에 뿌리를 내리려면 적절한 육체적 양분(환경)이 필요합니다. 육체적 양분(환경)이 마땅하지 않으면 자리 잡고 뿌리를 내릴 수가 없습니다.

몸이 온전하면, 조화롭고 부드러우면 마음에 맺힘이 잘 생기지 않습니다. 또한 감정의 영향이 육체적 응어리로 잘 이어지지도 않습니다.

일곱, 맺힌 마음과 몸의 관계 - 2

가슴 부분에 갑갑함을 느끼는 분들이 많습니다. 마음에 맺힘이 있을 때 흔하게 나타나는 육체적 증상입니다.

마음에 맺힘이 생기면 신경계통과 내분비(호르몬)계통에 이상 신호를 보냅니다. 이들 두 부분의 문제는 가슴 중앙에 위치하는 '단중'이란 경혈 주변 부위에서 잘 감지됩니다. 동양의학의 관점에서 단중혈은 '심포·삼초'라는 장부의 에너지가 모이는 장소입니다. 심포·삼초는 무형의 장부입니다. 인간의 생명력과 관계하며 신진대사 기능과 면역기능, 호르몬과 신경계통 등과도 관계합니다.

마음속의 맺힘은 강한 스트레스에서 비롯됩니다. 스트레스를 받으면 횡격막이 잘 위축됩니다. 횡격막이 위축되면서 심장과 폐 기능이 약해집니다. 심장과 폐가 위축되면 의기소침해집니다. 이 의기소침은 보통 우울함으로 잘 이어지지요.

심장에서는 열정이, 폐에서는 의지와 관련된 에너지가 나오는 장부입니다. 삶에서 열정과 의지가 흐려지면 우울해지기 쉽습니다. 맺힌 마음의 영향이 지속되면 점점 우울한 감정 속으로 빠져들게 됩니다.

마음에 맺힘 때문에 생겨난 병을 앞서 화병이라 했습니다. 이 화병을 정신의학에서는 신경증이라고 합니다. 신경증은 과거에는 히스테리증이라 했다지요. 히스테리는 그리스어 히스테라(Hystera)에서 나왔습니다. 히스테라는 자궁이란 뜻이라고 합니다.

고대 그리스 인들은 이 병의 대표적 증상이 자궁이 온몸을 돌아다니는 것 같은 느낌이라고 생각했답니다. 신경증, 화병에 걸린 사람 중 많은 경우가 배에 뭉친 덩어리가 위로 움직이기도 하고 아래로 움직이기도 하면서 고통스럽게 하기 때문입니다.[78] 맺힌 마음이 신경과 호르몬에 영향을 주어 방광이나 자궁을 위축시키고, 위장이나 대장을 위축시키고 하면서 나타나는 증상일 겁니다.

내부 장기가 위축이나 경직, 그리고 목이나 어깨 근육 뭉침, 결석, 종양, 혈전 등과 같이 몸에 응어리 형태로 나타나는 것은 보통 마음의 맺힘과 관계된 것일 수 있습니다.

특히 암은 감정 덩어리가 현현한 결정판이라 할 수 있습니다. 암에 대부분은 마음속 맺힘과 뒤에 나올 고집이나 집착과의 합작품입니다. 물론 타고난 육체의 환경적 요소들도 복합적으로 관여합니다.

우리 몸의 정상 세포는 쉼 없이 소멸하고 새로 생겨납니다. 그러면서

---

78) 한국 민족문화 대백과사전 참고

적당한 만큼을 유지 하지요. 암세포는 정상 세포가 변이를 일으킨 것으로 무한 증식한다고 합니다. 그러다 보면 결국은 증식하는 곳의 기능이 정지되겠지요. 더군다나 이 변이된 세포는 다른 곳으로 전이하기도 합니다.

인간의 감정들도 마찬가지입니다. 좋은 감정이든 좋지 않은 감정이든 시간이 지나면 사라졌다가도 다시 생겨납니다. 그런데 맺힌 마음은 암세포처럼 증식을 잘합니다. 또한 암세포처럼 마음의 다른 영역을 잠식합니다.

인체를 구성하고 있는 요소들은 모두 각자 고유의 에너지를 가지고 있습니다. 잠시 에너지에 대해서 한번 알아보겠습니다.

> 물리적으로 에너지라고 하면 자연의 모든 현상을 주도하는 기본적인 힘을 말합니다. 열, 빛, 소리, 운동, 위치 에너지, 전기에너지 등등이 있습니다.
>
> 우주의 모든 것은 에너지입니다. 아인슈타인은 $E=mc^2$(에너지 = 질량 × 진공속 빛 속도의 제곱)이란 공식으로 에너지와 질량은 비록 다른 형태지만 본질은 같다는 것을 밝혔지요.
>
> 우리 우주는 가늠할 수 없는 어마어마한 힘으로 응축되었던 에너지 덩어리가 폭발함(빅뱅)으로 생성됐습니다. 이 에너지 덩어리는 폭발과 함께 확산팽창 되면서 무수히 많은 작은 에너지들로 쪼개집니다.
>
> 원자는 물질을 구성하는 기본단위입니다. 원자는 더 작은 소립자들로 구성되어 있습니다. 원자와 소립자들은 모두 에너지입니다. 원자로 이루어진 인간의 몸은 에너지 집합체입니다. 에너지 집합체인 인체는 또 다른 형태의 에너지를 사용해서 움직입니다.
>
> 인체는 음식과 공기라는 에너지를 동력 삼아 자신을 유지합니다. 이

에너지는 '혈(혈액)'에 의해서 운반됩니다. 혈액의 순환을 통해서 산소와 포도당, 아미노산, 지방산 등의 영양소 그리고 항체나 호르몬 등을 필요한 곳에 공급합니다. 그리고 그 과정 등에서 생긴 노폐물을 배출합니다.

 인간은 이러한 물리적 에너지 외에, 비물리적 에너지, 그리고 중간 형태의 에너지를 활용하고 있습니다.
 인간의 '감정'은 에너지입니다. 비물리적 에너지입니다. 이 에너지는 비유하자면 흐르는 물 같은 느낌이라 할 수 있습니다. 이 에너지는 우울하다, 슬프다, 화난다, 기쁘다, 지루하다, 재밌다 같은 감정으로 드러납니다.
 감정 에너지의 근원은 인체의 오장육부입니다. 인체의 각 장기(심장, 폐, 간, 신장, 위장 등)에서는 다음과 같은 형태의 정서적 기질(氣質)의 에너지가 있는 것이 알려져 있습니다.
 심장에는 기질적으로 화려하고, 활활 타오르듯 발산하는 정서적 경향의 에너지가 있으며, 폐에서는 기질적으로 차분하며 서늘하고 날카로운 정서적 경향의 에너지가 있습니다. 간에서 나오는 에너지적 경향은 부드럽고 온화합니다. 중후하고 믿음직스러움은 위장에서, 신장에는 인내하고 포용하는 에너지가 있습니다.
 '욕망'도 비물리적 에너지입니다. 욕망은 감정이나 감각에서 파생된 에너지입니다. 인간은 기쁨이나 즐거움 등의 감정이나 쾌감을 느끼고 싶은 욕망이 있습니다. 그러기에 감정이나 감각이 없으면 욕망도 없습니다. 이 에너지는 비유하자면 질퍽한 진흙이나 끈적거리고 이글거리는 액체 같은 느낌이라 하겠습니다. 이 에너지는 잠잠할 때는 단단한 흙 같습니다. 발동하면 마치 용암처럼 부글거리며 솟구칩니다. 식욕이나 성욕, 생존욕 등이 좋은 예라 하겠군요
 이 외에도 의지나 열정, 용기, 지성 같은 비물리적 에너지가 있습니다. 열정이나 용기는 불같은 느낌의 에너지이고 지성은 공기 같은 느

낌의 에너지입니다.

중간 형태의 에너지는 '기(氣)'라는 말로 통용됩니다. 이 에너지는 걸쭉한 액체 같은 느낌의 에너지라 할 수 있습니다. 이 에너지는 육체적 느낌(육체적 직감)으로 감지됩니다. 예로서 '발걸음이 무겁다 가볍다', '맑다 탁하다', '서늘하다 온화하다', '고요하다 산만하다', '칙칙하다 산뜻하다', '감미롭다 역겹다' 등으로 감지됩니다.

지성적 에너지는 주로 머리 부분과 관계있고 의지와 열정, 용기의 에너지는 폐와 심장이 있는 가슴 부분과 관계있습니다. 그리고 감정 에너지는 주로 복부, 욕망과 관련된 에너지는 하복부 이하가 관계합니다. 기는 인체의 전체적 외피 부분과 머리나 가슴, 복부, 하복부 부분이 결합해서 복합적으로 관계하는 듯합니다. 이들 중 어느 곳에 의식이 모이면 그 부분은 활성화하겠지만 다른 부분은 상대적으로 활력이 떨어집니다. 뒤에서 다시 언급하겠지만 이러한 쏠림 현상은 집착을 일으키는 원인이 됩니다.

이 에너지들은 다시 전신의 신경망을 통해서 영향을 주고받으며 얽히고설켜서 머리(뇌) 부분에서 통합됩니다. 즉, 머리 부분에서 이 에너지들이 서로 조화를 이루도록 통합적으로 조율합니다.
머리 부분에서의 통합·조율은 내적 자아인 영혼의 일입니다. 영혼은 마음을 통해서 메시지를 전합니다. 그런데 마음은 늘 육체의 간섭을 받습니다. 육체 시스템에 문제가 있으면 영혼의 신호에 마치 깨진 거울을 바라볼 때와 같은 왜곡 현상이 생깁니다. 라디오 수신음이 지직거리는 것처럼 영혼의 신호가 손상됩니다. 그래서 뇌의 통합·조율 기능이 제대로 작동하려면 육체의 전체 시스템이 건전해야 합니다.

이 에너지들은 자기 자리를 지키며 제 역할을 하되, 다른 부분들과 수시로 교류합니다. 인체 어느 곳에 응어리가 생기면 그 부분의 고유한 에너지에 영향을 끼칩니다. 에너지가 경직되고 흐름은 껄끄러워집니다.

잘 소통하고 교류하려면 오고 감이 자연스럽고 자유로워야 합니다. 흐름에 이상이 생기면 소통에 문제가 생깁니다. 에너지의 경직과 흐름에 이상이 생기는 문제는, 다음 장에서 '고집스러움', '집착'이라는 문제로 이어집니다.

맺힌 마음과 고집스러움과 집착은 서로 영향을 주고받습니다.

심신일여(心身一如)라는 말은 결코 헛된 말이 아닙니다. 몸의 문제들이 늘어나면 마음의 문제들도 늘어납니다. 이 마음의 문제들이 늘어날수록 가볍게 흘려 넘길 일도 잘 흘리지 못합니다. 그러면서 번뇌는 커져만 갑니다.

마음을 평화롭게 한다고 마음을 붙들고 온갖 노력을 해도 몸의 변화를 도모하지 않으면 큰 효과는 보긴 어렵습니다. 효과를 보더라도 그 효과는 오래 지속되지 않습니다. 처음에는 울림이 크게 들리지만, 메아리처럼 잦아들며 점차 사그라집니다.

여덟, 맺힌 마음 풀기 위한 '몸 실천 방법'

강렬한 감정이 맺힘으로 확고하게 자리를 잡으면 털어내기가 쉽진 않습니다. 그렇지만 '마음의 맺힘'으로 인한 삶의 부정적인 영향을 확실히 이해한다면, 그리고 벗어나고자 하는 의지가 있다면, 틀림없이 털어내고 자유로워질 수 있습니다.

마음속 맺힘을 털어내려면 우선은 '벗어나고자 하는 의도'를 먼저 내야 합니다. 그리고 맺힘을 만들어 내는 육체의 환경을 좋게 해주면 됩니다. 맺힘으로 인해 생겨난 육체의 문제를 해결하면 됩니다. 현재 자신의 육체적 환경을 지금 보다 긍정적으로 바꾸어 줍니다. 그러면 해결됩니다.

누구나 바라는 것이 있습니다. 그것을 실현하기 위해서는 틀림없이 몸으로 실행해야 합니다. 자신과 주변의 환경에 직접적인 변화를 주어야 합니다.

감나무를 눈앞에 두고 '감을 먹고 말리라'하고 아무리 마음을 먹어봐야 감을 먹을 수는 없습니다. 최소한 감나무 아래에서 입이라고 벌리고 있어야 먹을 가능성이 생기겠죠. 적극적으로 몸을 움직여 작대기를 휘두른다면 달콤한 감을 맛볼 확률은 당연히 더 높아집니다.

심장과 폐, '심포·삼초'라는 장부 활성화하기는 마음속에 맺힌 것을 몸으로 풀어내기 위해서 일차적으로 해야 할 부분입니다. 다음으로는 몸속 내장들을 자극할 수 있는 움직임이 필요합니다. 몸 깊은 곳의 응어리짐을 풀어주기 위해서입니다. 요가(하타요가) 스트레칭에는 이런 동작들이 제법 많이 있습니다.

몸에 응어리져 굳어진 부분들을 풀면 마음의 맺힘을 풀어낼 수 있습니다. 몸에 응어리진 부분은 맺힌 마음의 숙주입니다. 몸에 응어리들이 사라지면 맺힌 마음이 머물 곳이 사라집니다.

깊고 오래된 맺힘의 응어리는 쉽게 풀리지 않는다는 특성이 있긴 합니다. 하지만 풀고자 하는 지향을 두고 지속해서 몸을 순화시켜 주면 결국 풀려 없어집니다.

마음속 맺힌 것이 전혀 없는 사람은 거의 없을 거라 생각됩니다. 누구든 조금이나마 맺힘이 있습니다.

우리는 모두 삶의 여행자들입니다. 마음속 맺힘 들은 일종의 등에 짊어진 여행 배낭 같은 것입니다. 힘이 좋은 사람들은 배낭이 크고 무거워도 기껍게 지고 갈 수 있습니다. 하지만 그렇지 못한 사람들은 난감합니다. 힘이 좋든 아니든 이 무게를 줄인다면 여행의 발걸음은 훨씬 가볍고 상쾌해지겠지요.

'푸하 호흡(한풀이 호흡)' 명상법

이 호흡법은 심폐의 역량을 좋게 합니다. 동시에 몸속의 노폐물과 심리적 불편함을 덜어 주기에 탁월한 효과가 있습니다.

제 아내는 이 방법을 행할 때 마음속 깊은 곳에 묶여 있는 무언가가 풀리는 느낌을 받았다고 합니다. 그래서 '한풀이 호흡법'이란 별칭을 사용하게 됐습니다.

① 편하게 앉아서 긴장을 풀고 잠시 고요한 상태를 유지 합니다.

② 엄지손가락을 제외하고 양손 가볍게 깍지를 끼고, 코와 입으로 가슴 가득 숨을 들이마십니다.

③ 입으로 '푸~'하는 소리 내어 내쉬면서 깍지를 끼지 않은 엄지손가락의 등 부분으로 가슴 중앙(단중혈, 양 젖꼭지 사이)을 빠르고 강하게 두드려 줍니다.

☞ 숨을 내쉴 때는 마지막 한숨까지 쥐어짜듯 내쉽니다.

④ 완전히 쥐어짜 내쉰 다음 숨을 한번 가볍고 편하게 들이쉬고 입으로 '하~' 또는 '허~' 소리를 내듯이 내쉰 후, 잠시 긴장을 풀고 편한

상태를 유지합니다.

☞ ③, ④번을 최소 세 번 반복합니다.

'하~' 하고 내쉬는 것은 마음을 시원하게 한다는 의미입니다. '하하하' 하고 웃고 나면 가슴속이 시원해지는 느낌을 경험합니다. 가슴속이 시원해지면 마음 역시 시원해집니다.

'허~' 하고 내쉬는 것은, 마음을 허허롭게 하는 의미입니다. 가끔 '허허' 하고 웃거나 '허허 참 어째 이런 경우가 있나' 할 때처럼 자동으로 나오는 허허 소리는 육체적으로 가슴속이 비워지는 것 같은 느낌을 들게 합니다. 이러한 가슴 속 비워진 공간 느낌은 실제로 마음을 비우는 것과 관계가 있습니다.

예전에 저는 잠을 자다가 '푸~' 소리를 내면서 숨을 뱉어내곤 했습니다. 호흡이 심리에 미치는 영향을 탐구하며 가끔 잠자는 중에 푸~ 하고 내쉬는 숨에 대해서 고민했었지요. 또한 넋 놓고 있을 때 가슴속에서 '허!' 또는 '하!' 하며 바람이 순간 빠져나올 때가 있었습니다.

한동안 마음에 맺힘이란 부분을 숙고했습니다. 그러다 불현듯 몸에서 자동으로 나오던 '푸~'와 '허!', '하!'에 대해서 깨치게 됩니다. 이 호흡 작용은 마음속에 맺히거나 얽힌 부분을 아주 효과적으로 풀어준다는 사실을 알았습니다.

위의 호흡 운동법은 먼 곳을 바라보며 행해야 더 좋은 효과를 볼 수 있습니다.

달리거나 빠르게 걷기

달리거나 빠르게 걷기 같은 유산소 운동을 하면 심장과 폐가 활력을 얻습니다. 심폐가 활력을 얻으면 의지와 열정, 용기 등의 에너지가 활성화됩니다. 심폐의 기능이 좋아지면 상대적으로 갑갑한 감정이나 우울함 등이 힘을 잃습니다. 이런 감정들이 자리를 잡을 곳을 찾지 못하기 때문입니다. 심장과 폐가 건강하면 갑갑하고 우울한 감정이 자연스럽게 흘러 지나갑니다. 몸 안에서 자체 정화됩니다.

'에스키모인들은 슬픔이나 분노 같은 감정의 격정을 겪을 때면 눈보라 속을 걷는다'고 합니다. 거친 눈보라 속을 걷다 보면 마음을 괴롭히는 감정들이 있다는 것조차 잊어버립니다. 그러다 보면 마음속 괴로움들이 말끔하게 사라져 버리는 것이지요.
마음이 갑갑할 때, 담아두거나 빠지지 말고, '힘차게' 걸어보시길 바랍니다. 굳이 눈보라나 비바람을 기다릴 필요는 없습니다. 그저 힘차게 걸으면 한결 나아집니다.

막춤 추기
마음의 응어리는 마음속 깊이 가라앉은 일종의 심리적 노폐물입니다. 강물 속 묻힌, 오래된 쓰레기는 강바닥을 헤집어야 제대로 처리가 됩니다. 마음속 노폐물도 마찬가지입니다.

몸이 곧 마음입니다. 특히 몸의 오장육부는 감정과 밀접하게 관계합니다.
몸을 마구 흔들어 대면 몸속 오장육부까지 흔들립니다. 아무 생각 없이 몸을 마구 흔들면 감정들도 따라서 흔들립니다. 몸을 흔들어 대면 몸의 전체적 순환에도 큰 도움이 됩니다. 혈액 순환이 좋아지면 인간의 정서와 관계하는 호르몬의 생성이나 운반 작용이 좋아집니다. 정신

적인 부분과 관계하는 뇌 신경세포에 산소와 같은 영양 공급도 원활해
집니다. 그러면서 정서와 심리도 안정됩니다.

막무가내식 막춤의 형태가 개인적인 성향상 맞지 않을 수도 있을 겁
니다. 하지만 자신의 성향을 잠시 모른 척해보세요. 그냥 모든 것을 털
어내듯 몸을 흔들어 보세요. 그러다 보면 "아하!"가 일어납니다.

방법은 간단합니다. 흥겨운 음악을 크게 틀어 놓습니다. 음악에 맞춰
미친 듯이 마구 몸을 흔들면 됩니다. 누가 보면 '저 인간이 미쳤나?'
라는 생각이 들게끔 말이지요. 전신을 늘어트리는 기분으로 긴장을 푼
상태로 흔들어야 좋습니다. 소리를 고래고래 질러대면 더욱 좋습니다.

정서상 또는 신체적 허약함으로 마구 흔들기가 어려울 수 있습니다.
그렇다면 흔들림을 다소 고요하게 해도 좋습니다. 흔들림을 고요히 할
때는 소리 지르기가 어렵습니다. 이럴 때는 평소에 자신이 알고 있는
음률을 흥얼거리면 됩니다. 그렇지 않으면 아무렇게나 나오는 음률을
읊조리듯이 흥얼거립니다. 흥얼거림과 함께 몸을 이리저리 흔들면 억
압되고 응축되어 맺혀 있던 것이 말랑말랑해집니다. 부드러워집니다.

앞에 커다란 베개 뭉치를 세워도 뒤봅니다. 여차하면 베개 뭉치를 쥐
어흔들어도 봅니다. 두들겨 패기도 해 봅니다. 지칠 때까지. 그러고 나
면 온몸에서 열이 후끈 나면서 근육이 부드러워지고 헐떡거림 속에 심
폐 활력이 증진되어 혈액 순환이 원활하게 이루어집니다.

미친 듯이 흔들어 대면 흩어집니다. 몸이든 마음이든 어디엔가 억압
되고 맺혀 있던 것이 흩어집니다. 고래고래 소리를 지르면 내 안에 억
압되고 맺혀 있던 것이 바깥으로 던져집니다. 베개 뭉치를 쥐어흔들거
나 두들기면 마음속에 뭉쳤던 울분도 두드려지고 쪼개집니다.

214

몸을 거칠게 마구 움직이면 정신도 흔들립니다. 정신이 산만해질 수 있습니다. 그래서 막춤을 춘 후에는 차분하게 앉거나 가만히 누워서 산만함을 정돈해 주면 좋습니다.

몸 굴리고 두드리기

'구르는 돌에는 이끼가 끼지 않는다'고 했던가요. 몸도 마찬가지입니다. 몸을 이리저리 잘 굴리면 몸속 응결된 노폐물을 제거할 수 있습니다.

☞ 이하 모든 동작은 입을 살짝 벌려놓고 행합니다. 자연스럽게 입과 코로 숨이 들어가고 입으로 숨이 토해져야 합니다.

① 큰 대자(大)로 바르게 눕습니다. 심호흡하듯 코와 입으로 숨을 깊이 들이쉬고 입으로 '아~하'하며 숨을 던져 버리듯 토해낸 후 전신의 긴장을 잠시 풀어줍니다.

② 누워 복부 눌러주고 두드려 주기
  → 양손 끝으로 복부 부분을 고르게 꾹꾹 눌러 줍니다.
  ☞ 복부 깊숙이 파고들 듯이 눌러줍니다.
  → 손가락을 세워 손끝으로 복부 전체를 두드려줍니다.
  → 심호흡하듯 코와 입으로 숨을 깊이 들이쉬고 입으로 '아~하'하고 토해낸 후 전신의 긴장을 잠시 풀어줍니다.

③ 옆으로 누워 가슴통, 복부 두드리기.
  → 몸을 굴려 왼쪽 옆으로 누워 왼손으로 머리를 받치고 잠시 긴장을 풀어줍니다. 머릿속, 몸통 속의 혈류와 장기가 중력 방향으로 쏠리게 합니다.

→ 오른손 주먹을 가볍게 쥐고 오른 가슴통 부분(갈비뼈 있는 부분)을 두드려 줍니다(초당 1회). 이어서 다섯 손가락을 모아 뾰족하게 만들어서 복부 부분(뼈 없는 부분), 아랫배 부분을 두드려 줍니다(3초당 1회 정도).

→ 두드림을 멈추고 손을 편안한 곳에 둡니다. 코와 입으로 숨을 깊이 들이쉬고 입으로 숨을 '내 던지듯' 뱉어낸 후, 잠시 긴장을 풀어 줍니다.

☞ 긴장을 풀 때는 중력 방향으로 '온몸이 물처럼 흘러내린다.' 상상하며 행합니다.

④ 반대쪽으로 굴러 누워, ③번의 방법을 행합니다.

⑤ 큰대자로 눕기

→ 큰대자로 누운 상태에서 잠시 긴장을 풀어 온몸의 혈류와 장기가 중력 방향으로 쏠리게 합니다.

☞ 동작 중에 입 살짝 벌려 놓고 있는 것 잊으면 안 됩니다. 긴장을 풀 때는 중력 방향으로 온 몸을 물처럼 흘러내리게 하는 기분으로.

⑥ 엎드려 좌우 흔들기

→ 몸을 굴려 복부가 바닥을 향하도록 엎드려 잠시 긴장을 풀고 중력 방향으로 혈류와 장기가 쏠리게 합니다.

→ 허리 부분을 가볍게 좌우로 흔들흔들 흔들어 줍니다.

→ 잠시 멈추어 코와 입으로 숨을 깊이 들이쉬고 입으로 후~하고 뱉어내고 온 몸을 물처럼 흘러내리듯 하게 하는 기분으로 잠시 긴장을 풀어줍니다.

→ 긴장을 풀었다가 한 번 더 반복하는데 두 번째는 조금 빠르게 흔들어 줍니다. 그리고 다시 잠시 긴장을 풀어줍니다.

⑦ 기지개켜고 앞 뒤 구르기

→ 다시 몸을 굴려 바르게 눕습니다.

→ 기지개를 켜며 전신을 충분히 늘려줍니다.

→ 양다리를 구부려 모아 양손으로 허벅지 부분을 깍지 껴 감싸 잡고 앞, 뒤로 뒹굴뒹굴 굴러줍니다. 10~20회.

☞ 허벅지 부분을 깍지 껴 감싸 잡기 어렵다면 허벅지 부분을 하나씩 잡아 주고 하면 되겠습니다.

→ 잠시 편안하게 앉아 자세를 바르게 가다듬고 마무리합니다.

이완법(몸의 이완을 통해 몸과 마음을 동시에 편안하게 하는 방법)

① 큰대자로 눕습니다.

② 팔다리와 고개를 동시에 좌우로 흔들흔들 흔들어 줍니다.

③ 흔들기를 멈추고 (코와 입을 동시) 숨을 크게 들이쉬었다가 한숨 쉬듯이 입으로 '후~'하고 자연스럽게 소리 내어 내쉽니다. '온몸이 녹아 물이 돼서 흘러간다.' 상상하면서 온몸에 힘을 빼봅니다.

④ 팔다리를 가볍게 들었다가 바닥에 툭 떨어뜨립니다. (코와 입을 동시에 활용해서)숨을 크게 들이쉬었다가 입으로 '아~하~'하고 소리 내어 내쉽니다. 그러면서 마치 물 덩어리가 바닥에 떨어졌을 때 사방으로 단번에 흩어지는 것처럼, 온몸이 사방으로 흩어진다고 상상하면서 힘을 빼봅니다.

⑤ 엉덩이 부분을 바닥에서 살짝 들어 올렸다가 바닥에 툭 떨어뜨립니다. 앞에서 처럼 숨을 크게 들이 쉬었다가 '아~하~'하고 소리 내어 내쉽니다. 그러면서 다시, 마치 물 덩어리가 바닥에 떨어졌을 때 사방

으로 단번에 흩어지는 것처럼 온몸이 사방으로 흩어진다고 상상하면서 힘을 빼봅니다.

⑥ 팔다리를 위로 들어 올려놓고 후둘후둘 털어내듯 흔들어 줍니다. 약 30초 정도 흔들어 준 후, 바닥에 자연스럽게 툭 떨어뜨립니다. 코와 입을 동시에 활용해서 숨을 크게 들이쉬었다가 역시 코와 입으로 천천히 숨을 내쉬며 전신의 힘을 '좌악' 빼봅니다. 그러고는 온몸이 마치 하늘 높이 떠다니는 구름 위에 눕혀져서 허공을 둥둥 떠다니는 기분을 상상하며 몸을 편안하게 합니다.

두 번째 이야기
고집 흘려버리기

영혼은 우리들의 보다 심원(深原)한 모습입니다. 고유의 개성을 가진 영혼으로 존재하던 우리는 육체에 스며들어 육체 시스템과 결합합니다. 그러면서 각자의 육체적, 물질 환경적 특성에 맞춰진 새로운 나(에고)로서의 삶을 시작합니다.

'영혼으로서의 나'는 딱히 자신을 내세우지 않지만 '에고로서의 나'는 스스로 드러내고 강화하려는 특성이 있습니다. '고집'은 이러한 에고의 특성 중 하나입니다.

하나, 고집과 삶에 대해서

고집은 세상 삶을 살게 하는 하나의 에너지원입니다. 고집 에너지는 우직스럽게 한 방향으로 밀고 나가게 하는 힘이기도 합니다. 이 힘으로 어떤 분야의 달인이 된다거나 어려운 길을 개척해 냅니다.

육체가 없는 영혼의 상태에서는 고집이라는 상태를 경험할 수 없습니다. 아직 걸음마도 말도 배우지 못한 어린아이들이 고집을 피우는 것을 종종 봅니다. 이로 미루어 볼 때 고집이란 것은 어떤 특별한 배움 없이도 '육체'와 함께 생겨난 에너지의 한 형태임을 알 수 있습니다.

나라는 에고 의식은 기억과 밀접하게 관계합니다. 기억은 배움, 경험과 관계있습니다. 예외적인 경우도 있지만 우리는 대부분 6, 7세 이전의 어린 시절을 잘 기억하지 못합니다. 아직 뇌신경이 기억을 저장할 만큼 조직화 되지 않았기 때문이라고 합니다. 유아들도 무언가를 경험하고 배웁니다. 하지만 그 배움의 기억을 저장하진 못합니다. 얼마지 않아 잊어버립니다. 그러니 우리들의 뇌신경이 충분히 조직화 될 때까지는 에고라는 자의식이 확고하게 자리를 잡지 못합니다.

에고가 형성되기 전부터 이미 존재하던 고집은 에고가 자리 잡아가면서 강화됩니다. 즉 각자의 에고적 특성에 맞게 색깔이나 강도가 덧씌워져 드러납니다.

살면서 관심이 가는 부분이 생기면, 이 고집이라는 에너지는 그 부분으로 쏠립니다. 그러면서 관심 분야에 대한 경험을 빠르게 흡수합니다. 그 덕에 학습의 효과는 상당해집니다. 그래서인지 어느 분야에서 큰 성취를 이룬 사람들은 대부분 고집스럽습니다.

학습된 지식과 경험들은 가치관과 신념의 토대가 됩니다.

사람은 누구나 주변과 관계를 하며 살아갑니다. 이 관계에 있어서 중요한 것은 소통입니다. 유연한 사고방식은 소통을 수월하게 합니다.

마음이 고집으로 뭉쳐있으면 사유(思惟)가 경직됩니다. 사유가 경직되면 세상을 바라보는 시각이 좁아집니다. 기존의 사고방식, 기존의 자기 방식을 고수합니다. 다른 의견을 튕겨냅니다. 그러다 보면 주변과의 소통이 어려워지고 관계가 차단됩니다.

상대에 대한 존중은 소통의 기본입니다. 고집스러움은 자기와 다른 생각이나 의견은 거부하고 무시합니다. 그러니 서로의 존중이 어렵습니다. 존중하기 어려우니 언행은 거칠어지고 주변과 쉬 부딪칩니다.

고집스러움은 마음의 틀이요 벽입니다. 그 틀은 누군가에 의해서 만들어진 틀이 아닙니다. 스스로 만들어 낸 틀입니다. 틀이 견고할수록 주변과 의견을 나누며 협의하거나, 이견(異見)을 조율하기가 어려워집니다. 다른 관점을 이해하고 수용하기가 어렵습니다.

삶에는 지향점이 있습니다. 우리는 그 지향점을 추구합니다. 누군가는 돈이나 명예, 권력, 사회적 지위 또는 향락 같은 외면적 가치를 지향합니다. 또 누군가는 지식이나 인성, 사회정의, 예술, 문학 또는 자유로움이나 영성 같은 내면적 가치를 지향합니다.

우리는 살아가는 중에 각자가 지향하는 가치를 신념 있게 추구합니다. 그러면서 점차 자신의 세계를 만들어 갑니다. 보통 중년기에 접어들 때쯤 되면 자신만의 신념, 자신만의 가치 세계가 구축됩니다.

고정된 가치관과 신념은 고집의 일종입니다. 가치관이 고정될수록, 신념이 확고할수록 고집스러운 성향, 자기중심적인 성향은 강해집니다. 자기중심적 성향이 강할수록 마음도 무거워집니다. 이 무거운 마음은 삶의 중력으로 작용합니다.

우주 공간에 거대한 질량을 가진 행성이 있으면 그 행성 주변의 공간이 휘어진다고 합니다. 그 행성의 중력 때문입니다. 마음이 무거우면 그 영향으로 생각이나 견해도 휘어집니다. 자동으로 편견이 생기게 되는 것이지요. 마음 무거움의 강도, 즉 가치관과 신념이 강한 만큼 그 휘어지는 편견의 정도 역시 커집니다. 편견의 시각으로 보고 편견의 시각으로 듣습니다. 보고자 하거나 보고 싶은 것만 봅니다. 듣고자 하거나 듣고 싶은 것만 듣습니다.

가치관이 고정되어 있지 않고 신념이 특별한 것 없는 사람은 두루두루 화평합니다. 특별한 부딪침 없이 누구나와 잘 어울립니다. 다른 의견에도 귀를 잘 기울이며 겸손합니다. 마음이 온유하고 소박합니다. 옛 성인은 이런 사람을 복된 사람이라고 하며 칭찬했지요. 복된 사람의 삶은 언제나 충만하고 만족스럽습니다.

소박한 마음은 재산이 적거나 많거나 학식이 빈약하거나 풍부하거나, 신분이 낮거나 높거나를 막론하고 누구나 가질 수 있습니다. 누구나 복된 삶을 살 수 있습니다.

삶에서 자신이 존재해야 할 이유가 없다면, 의미가 없다면, 삶은 공허해지고 권태로워집니다. 존재해야 하는 이유가 많을 필요는 없습니다. 존재의 의미가 거대할 필요도 없습니다. 단 하나의 이유만으로도 소소한 부분에서 의미를 찾을 수 있는 것만으로도 충분할 수 있습니다.

마음이 소박할수록 삶의 이유와 의미를 찾기가 쉽습니다. 마음이 소박할수록 충만한 삶의 만족감을 더 잘 느낄 수 있습니다. 그러니 마음이 소박한 자는 신의 축복을 받은 사람입니다.

마음은 물 같은 것입니다. 물은 자연스럽게 흘러야 합니다. 물이 경직되면 얼음이 됩니다.

사유는 바람 같은 것입니다. 바람은 자유로이 불어야 합니다. 바람이 벽에 갇힌 것을 상상해 보십시오. 고집은 마음을 경직시키고 마음을 가두어 버립니다. 마음이 움직일 수 없으니, 삶의 폭은 좁아집니다.

우리들 존재는 삶의 행위 즉, 경험을 통해서 자신을 확장하고 발전해가는 중입니다. 삶의 폭이 좁아지면 경험의 확장을 통한 자기 존재의 성장도 더뎌집니다.

인류는 국가나 민족, 회사, 가족 단위 같은 크고 작은 수많은 사회적 공동체를 이루고 있습니다. 이러한 구조 속에는 구성원이 공통으로 추구해야 하는 가치가 중요합니다. 하지만 현시대는 개인의 자유를 중시하는 시대입니다. 그러니 각자 원하는 방향과 방식으로 추구해야 할 삶도 중요합니다.

어떤 공동체든 자기 방식만을 고집하면 부딪침이 생기기 마련입니다. 사회적 혼란과 개인적 고뇌는 이런 부딪침 들로 인해 생겨납니다. 살면서 서로 간 부딪침의 문제는 끝없이 생겨납니다. 부딪치는 삶에도 나름 중요한 의미가 있습니다. 그래서 그런지 우리는 삶 속에서 늘 상 부딪치며 고뇌해 왔습니다.

지금, 잘 죽고 싶은 마음이 들 즈음이라면 이제는 고뇌에서 벗어날 때입니다.

둘, 고집스러움과 잘 죽는 죽음과의 관계

누구나 잘 살 수 있고, 잘 죽을 수 있습니다.

잘 사는 삶은 명예나, 돈이나, 학력이나, 권력을 추구하는 삶은 아닙니다.

잘 사는 삶은 소박한 마음으로 세상을 평등하게 바라보는 태도를 지닌 삶입니다. 고집스러움이 아닌 자연스러운 마음으로 사는 삶입니다. 진지한 마음으로 최선을 다하는 삶입니다. 창조적이고 유연하게 사고하는 삶입니다. 과거에 얽매이지 않고 결과에 얽매이지 않는 삶입니다. 삶의 경험 들을 담담하게 만끽하는 삶입니다.

잘 죽는 죽음은 죽는 순간까지 누구에게도 힘들게 하는 일 없이 생생하게 살다가 가는 것입니다.

영혼은 내면 깊은 곳에 자리를 잡고 있습니다. 그곳에서 드러나지 않게 은근히 빛을 비추며 삶의 길을 안내하고 있습니다. 영혼은 관조적입니다. 강요하는 법이 없습니다. 관조적인 자세를 유지하면서 언제나 에고와 조율합니다. 영혼의 안내는 마음을 통합니다. 마음을 통해서 에고와 조율하며 에고로서의 삶의 길을 안내합니다.

영혼은 돌아가야 할 때를 잘 알고 있습니다. 영혼은 내면에서 속삭입니다. 이 속삭임은 귀로 들리는 소리는 아닙니다. 우리는 그 속삭임을 마음의 울림으로 듣습니다. 그 울림을 소리로 표현해 보자면 이렇지 않을까 합니다. "이제는 돌아가야 할 때가 됐어. 너는 충분히 할 일을 했어. 이번 삶에서 필요한 만큼 모두 경험했어. 이제는 다음을 기약할 때야. 다음을 위해 깊은 휴식과 새로운 충전이 필요해."
하지만 마음이 고집으로 경직되어 있으면 에고는 내면에서 두드리는 영혼의 소리를 알아채지 못합니다. 마음이 경직되어 있으면 에고는 이러한 영혼의 안내를 무시합니다.

육체는, 비유하자면 자동차의 본체나 기타 기계장치들입니다. 자동차를 운전하는 사람은 에고입니다. 차체와 기타 기계장치들의 움직임을 원활하게 하는 윤활유들이나 전자기기의 전기적 연결성은 마음입니다. 길을 안내하는 내비게이션 계통은 영혼입니다.
전기 흐름이 좋지 않으면 운전자는 내비게이션의 안내를 받을 수 없습니다. 또한 자동차를 운전하는데 핸들 오일이나 엔진 오일, 브레이크 오일 등의 상태가 좋지 않다면 운전자는 운전에 어려움을 겪습니다. 즉, 마음이 좋지 않으면 에고는 영혼의 안내를 받을 수 없습니다. 또한 에고는 육체를 운용하며 삶을 살고 있습니다. 마음의 상태가 좋지 않으면 에고는 사는 데 어려움을 겪습니다.

영혼의 입장에서는 죽음이 지극히 자연스럽고 당연한 일입니다. 아니 오히려 기대에 찬 즐거운 일이기도 합니다. 고향으로 돌아가는 일이니까요. 생의 에너지가 다해가는 무렵이면 영혼은 왔던 곳으로 되돌아가려 합니다. 신이 나서 에고에게 육체를 벗을 때가 되었다는 신호를 보냅니다. 하지만 고집스러운 마음으로 굳어진 에고는 그 신호를 잘 인식하지 못합니다. 영혼은 열심히 신호를 보내지만 에고는 계속 살기를 고집합니다.

에고 의식의 기반은 육체입니다. 그래서 육체가 노쇠해져 힘을 잃으면 에고도 힘을 잃습니다. 육체가 죽어가면 에고도 죽어갑니다. 하지만 계속 살기를 고집하는 에고는 죽어가는 육체를 어떤 식으로든 지탱하려 애를 씁니다. 영혼의 신호를 알아채지 못하는 것을 떠나서 거부합니다. 삶을 고집하며 조금이라도 더 살려고 애를 씁니다.

셋, 고집스러움과 몸의 관계

영혼은 늘 자연스러움과 함께하는 존재입니다. 그 상태에서는 고집스러움이라는 마음을 낼 수 없습니다.

영혼으로 존재하던 우리는 육체의 몸으로 물질세계를 경험하고 있습니다. 이것은 스스로 의식을 확장하기 위한 존재의 자연스러운 행보입니다. 이때 각자가 선택한 육체와 물질 환경적 특성[79]들은 세상을 살아가기 위한 새로운 '나' 즉, 에고를 형성하는 기반이 됩니다.

에고가 형성되기 전 유아기 때부터 존재하던 고집은 육체적 조건이 변해가면서 증폭되거나 새롭게 생겨납니다. 즉 각자의 에고적 특성에 맞게 색깔이나 강도가 덧씌워져 드러납니다.

---

[79] 우리들이 태어나면서 마주하는 육체적(유전적)조건과 환경적 요소는 우연히 주어지는 것이 아닙니다. 종교적으로 신에 의해서 주어지는 것도 아닙니다. 모든 것은 존재인 우리들이 스스로 선택한 사항들입니다.

인체의 경직은 바로 뇌신경의 경직으로 이어지고, 뇌신경의 경직은 인체의 경직으로 이어집니다.

물질세계에서 육체의 몸으로 살면서 우리는 인체의 경직80)을 경험합니다. 인체의 어떤 부위가 경직되면 뇌신경도 경직됩니다. 뇌신경이 경직된다는 말은 신경회로81)사용에 한정이 생긴다는 의미입니다. 사용되는 신경회로가 적을수록 사고의 유연성은 줄어듭니다. 사고의 유연성이 줄어들면 그만큼 고집스러워집니다.

뇌의 신경세포들을 이어주는 통로인 신경회로는 얼마든지 새롭게 만들어 낼 수 있습니다. 그런데 사고가 유연하지 못하면 새로운 회로의 생성 가능성은 희박해집니다. 사고가 유연하지 못하다는 말은 한정된 회로만을 사용한다는 의미입니다. 그러면 사용되지 않는 다른 회로들은 비활성화 상태로 남습니다. 뇌의 신경들은 온몸의 무수한 신경들과 연결되어 있습니다. 뇌 신경회로가 비활성화된 만큼, 연결된 몸 신경들도 비활성화 상태로 머물 것입니다. 그럴수록 몸은 경직됩니다.

몸이 경직되면 경직된 부위의 신경이 압박받습니다. 그러면 신경계의 흐름이 나빠집니다. 신경계의 흐름은 자율신경의 교차 작용이나 신경 전달 물질의 작용을 의미합니다. 신경계의 흐름이 원만할 때 정서적 안정 상태를 유지할 수 있습니다. 흐름이 나빠지면 정서적으로 불안정해집니다.

---

80) 맺힌 마음도 몸의 경직과 관계합니다. 맺힌 마음은 주로 인체 내부의 부분적, 집중적 경직과 관계합니다. 고집과 관련해서는 인체 내외의 전반적 경직이 관계합니다.

81) 뇌를 구성하는 뇌 신경세포는 대략 1000억 개 정도가 된다고 합니다. 각각의 뇌세포들은 다시 주변 뇌세포와 무수히 많은 통로로 연결되어 있지요. 이 통로들은 대략 100조개 정도로 어림잡아 추산됩니다. 이들 무수히 많은 신경회로들은 그물망처럼 얽혀 신경망을 형성합니다.

몸이 경직되면 경직된 부위의 혈관이 압박받습니다. 혈액의 흐름이 나빠집니다. 호르몬은 혈액에 의해 운반됩니다. 호르몬은 감성적인 부분에 깊이 관여합니다. 혈액의 흐름이 나빠지면 호르몬의 흐름도 나빠지고 감성적으로 불안정해집니다.

몸이 경직되면 경직된 부위의 림프관도 압박받습니다. 림프는 인체의 면역체계와 관계합니다. 인체의 면역체계가 약해지면 심리적으로 불안해집니다.

몸의 경직에 의한 정서적, 감성적, 심리적 영향 문제는 쉽게 고집스러운 마음 상태로 이어집니다.

인체의 질병 역시 관련된 뇌 부위의 신경회로 흐름을 나쁘게 합니다.
물질세계에서 육체의 몸으로 살면서 우리는 다양한 질병들을 경험합니다. 질병이 생기면 그 부위와 연결된 뇌 부위의 신경 흐름에도 변화가 생깁니다. 신경회로의 흐름과 연결성이 나빠집니다. 신경회로의 다양성은 곧 사고의 다양성입니다. 다양하게 생각하는 사람들은 그만큼 사고가 유연합니다. 신경회로의 흐름과 연결성이 나빠지면, 곧 사고의 흐름에 영향을 미칩니다. 사고의 유연성이 줄어들고 그만큼 고집스러워집니다.

선천적으로 굳은 몸, 강한 에고를 가지고 태어난 사람이 많습니다. 이런 사람은 몸을 부드럽게 해도 다시 잘 굳습니다. 저의 경우가 그렇습니다. 선천적으로 부드러운 몸, 부드러운 에고를 가지고 태어난 사람도 많이 있습니다. 축복받은 몸입니다.

'내 몸이 당신보다 더 부드러우니 나는 당신보다 더 부드럽고 유연한 에고의 소유자다.'라고 일반화할 수는 없습니다. 뱀의 유연함을 따라갈

야생 동물은 없습니다. 그렇다고 뱀의 성품이 제일 유연하진 않지요. 야생 동물들의 성품은 기본적으로 모두 자연스럽고 유연합니다. 돌격적이고 공격적인 성품은 있겠지만 특별한 고집스러움은 없습니다. 그러니 고집스러움과 몸의 경직과 관련해서 유연함의 기준을 한가지로 제시하기는 어렵습니다. 각자의 타고난 육체적 특성에 맞는 유연함이 필요할 뿐입니다.

 누구나 몸이 굳어 불편함이 느껴지는 부분들이 있습니다. 그런 부분들을 잘 살펴서 하나라도 더 편안하게 할 수 있기를 바랍니다. 좀 더 몸을 유연하게 하기에 약간의 노력을 기울여 보기를 바랍니다. 그러다 보면 인체의 소통과 순환시스템이 조금이라도 더 좋아집니다. 그만큼 고집스러움이 점차 부들부들해집니다. 또 그만큼 마음은 자연스러워집니다.
 마음이 자연스러워질수록 삶은 더 풍요로워지고 평온해집니다. 마음이 자연스러워질수록 잘 죽는 죽음은 쉬워집니다.

 너도나도 자연스럽게 잘 죽는 세상을 상상해 봅니다. 개인의 삶이 얼마나 풍요로워지겠습니까? 너도나도 자연스럽게 잘 죽는 세상을 상상해 봅니다. 우리 사회는 얼마나 활기차고 밝아지겠습니까?

넷, 종교의 신념
 추상적 형태의 고집스러운 마음은 특정한 가치관이나 신념 같은 형태로 구체화 됩니다.
 에고는 신념이나 가치관 같은 구체화 된 마음을 통해서 자기주장을 하며 스스로 존재감을 드러내고 있습니다. 선입견이나 편견은 에고가 존재감을 과도하게 드러내려 할 때 생겨납니다.

잘 살기를 바란다면 그리고 잘 죽기를 바란다면 특정 가치관이나 신념을 과하게 고집하지 않는 자세가 중요합니다. 선입견이나 편견에서 벗어나는 것이 중요합니다.

인류 문명의 밑바탕에는 창조적인 사고가 자리하고 있습니다. 이러한 창조적인 사고는 고집스러움이 배제된 심리적이고 정신적 유연함, 즉 열린 마음에서 생겨납니다.

그리스도교와 관련된 다음과 같은 우화가 있습니다.

> 악마를 친구로 둔 사람이 악마와 거리를 걸으며 산책하고 있습니다. 그들 저만치 앞서 길을 가던 어떤 사람이 바닥을 바라보더니 멈칫하며 걸음을 멈추었습니다. 그리고는, 허리를 굽혀 땅에서 뭔가를 주워 이리저리 살펴보고는 주머니 속에 넣습니다.
>
> 이를 지켜본 악마의 친구는 악마에게 묻습니다.
>
> "저 남자가 무얼 주웠는지 자네는 아는가?"
>
> "진리의 조각을 주웠어."
>
> "그래? 그럼, 자네에게는 상당한 방해가 되는 일이겠군."
>
> "아니, 전혀 그렇지 않아, 매우 이로운 일이지. 나는 저 남자가 주머니 속에 든 '진리'를 체계화하도록 도울 생각이야."

성인들의 가르침이 규격화되고 종교라는 틀이 씌워지면 하나의 '신념'으로 자리 잡습니다. 이때부터 가르침들은 왜곡되고 변질되기 시작합니다. 어떤 가치가 신념으로 자리를 잡으면 참 변하기 어렵습니다.

귀족이나 부유한 사람은 신의 축복을 받은 자들이고 천민이나 가난한 자는 신이 버린 자들이란 생각이 보편적이던 시절이 있었습니다. 하늘을 뚫고 우주 밖으로 나가는 것은 꿈에도 생각해 보지 못하던 시대가 있었습니다. 신은 저 하늘 높은 곳 구름 위 어딘가에 존재한다고 여기고 있던 시대가 있었습니다. 그러니 신과 소통하는 천사는 날개를 가져야만 했었지요.

성인은 손을 들어 태양을 가리킵니다. 몇몇 사람들은 과감하게 그 태양 빛과 마주하고 태양 빛의 진실에 환호합니다. 그런데 태양을 바라보던 사람들은 눈이 너무 부시다는 것을 고민합니다. '과연 다른 이들이 이 눈부심을 무릎 쓰고 저 태양을 바라볼 수 있을까?' 그러다가 하나의 타협점을 찾습니다. '그래! 태양은 보기 어려우니 차라리 달이라도 보게 하자.' 세월이 흘러갑니다. 세월이라는 시간의 흐름 속에 여러 우여곡절을 겪습니다. 그러다 지금은, 엉뚱하게도 손가락만 보고 있습니다.

성인들의 고귀한 가르침은 종교적 신념의 틀 속에 갇혀 빛을 보지 못하고 있습니다. 먼지에 뒤집힌 채 숨 막혀 갑갑해하고 있습니다. 오늘날 종교의 현실입니다.

다섯, 내면의 연꽃

연꽃은 혼탁한 진흙 속에 뿌리를 내리고 물을 관통해서 피어납니다. 진흙은 육체를 의미하고 물은 마음, 꽃은 에고를 초월해서 존재하는 우리들의 영혼을 의미합니다. 그래서 깨달음의 비유적 표현으로 연꽃을 많이 사용합니다.

'내 신념은 바로 이것이고 내 가치관은 바로 이것이다'라는 고집을 붙잡지 않고 가만히 흘려봅니다.

230

선입견과 편견이 힘을 잃습니다. 유연해지고 몽글몽글해진 나를 발견합니다. 넉넉하고 여유로워진 나를 발견합니다. 넉넉해진 마음의 틈새 사이로 무언가가 빼꼼히 고개를 내미는 것을 봅니다. 빼꼼히 내민 것을 찬찬히 보니 내면의 꽃봉오리입니다. 머지않아 이 꽃봉오리는 연꽃으로 활짝 피어날 것입니다.

내면의 꽃인 영혼은 결코 자신을 주장하지 않습니다. 타인의 주장을 무시하지도 않습니다. 영혼에는 '주장'하게 하는 힘의 원천인 고집이란 에너지가 없기 때문입니다. 또한 남의 주장도 나의 주장처럼 소중하다는 것을 너무나 잘 알고 있기 때문입니다.

인간은 물 같은 자연스러움과 바람 같은 자유로움을 누리며 살아갈 수 있는 존재입니다. 우리들 존재는 무한한 가능성을 가지고 있습니다. 물과 바람 같은 본래의 성품을 품고 있습니다.

우리는 '각자의 삶, 이생의 삶'이라는 산을 오르는 등산객들입니다. 산의 정상에 오르면 반대편에 '인간 존재의 본래 모습'이라는 풍경이 펼쳐져 있습니다. 언젠가는 산정에 서서 그 풍경을 감상하며 유유자적하고 있을 자신을 기대해 봅니다. 스스로를 향해서 허허 웃는 여유를 만끽할 수 있기를 기대해 봅니다.

누구나 잘 살 수 있고 잘 죽을 수 있는 사회를 기대해 봅니다.

> '성인(聖人)은 무상심(無常心)하여 이백성심(以百姓心)으로 위심(爲心)이라'
>
> (자고로 성인은 고정된 마음이 없어, 두루 두루 한 마음을 자신의 마음으로 삼는다.)
>
> -노자 도덕경 49장-

여섯, 고집을 흘려버리기 위해서는

몸의 상태는 바로 자신의 내적 현실과 의식의 상태를 반영하고 있습니다. 좀 더 확장하여 말하자면 자신의 주변 환경 역시 마찬가지입니다. 따라서 현재의 몸과 주변 환경을 변화시키는 것은 현재 자신의 의식 상태와 내적 현실을 변화시키는 것이기도 합니다.

현재의 물질 몸은 모호하면서 추상적인 자기 내면의 투사물입니다. 내면을 구체화한 것이 현재의 몸입니다. 내면세계를 생각으로 설계하고 감성으로 다듬은 후 감정을 덧붙여 물질로 구체화한 조각품입니다. 우리는 실시간 자기 내면을 생각이나 마음 등을 거쳐서 최종적으로 육체적 이미지에 투사합니다.

우리들의 현 육체적 상황에서 비롯되는 말이나 움직임, 감정 같은 표현물들은 자신의 내적 환경에서 비롯된 것입니다. 그래서 우리는 어떤 사람의 모습이나 행동, 말투를 보면 그 사람에 대한 정보를 느낌으로나마 대략 알 수 있습니다. 사람은 자기의 모습과 태도, 움직임, 말투 등에서 어느 정도 자기 고집을 드러냅니다.

몸과 마음의 연결성은 매우 확고하여 생을 살아가는 동안 지속됩니다. 따라서 적절한 움직임이나 호흡을 통해서 육체에 건전한 변화를 주면 그것이 마음에 그리고 더 나아가 생각(뇌[82])에 이르기까지 건전한 영향을 미치게 되는 것입니다.

몸을 움직이면 어찌 되었든 인체의 신경들은 자극받습니다. 자극받은 신경들은 이어져 연결된 뇌신경에 틀림없이 영향을 주게 되어 있습니

---

82) 뇌는 기본적으로 외부 자극에 영향을 받습니다. 외부 자극 중에서도 가장 근접해 있으면서 직접적으로 뇌신경과 연결되는 것은, 바로 우리들의 몸입니다.

다. 전신을 구석구석 그리고 치우침 없이 고르게 잘 움직여 주면 뇌의 신경 회로망은 전체적으로 활성화됩니다. 뇌가 탄력성을 충분히 갖추면 비탄력적인 마음인 고집스러움은 탄력 있는 열린 마음으로 차츰 변해갑니다.

일곱, 고집 흘려버리기 위한 '몸 실천 방법'

각 관절 부분 움직여 주기
각 관절 부위를 고르게 움직여 줍니다. 움직임(운동)은 순차적으로 목 → 손가락 → 손목 → 발가락 → 발목 → 팔꿈치 → 어깨 관절 → 무릎 → 골반관절 → 옆구리 → 그리고 척추 순서로 움직이며 운동해 주면 좋습니다.

간단하게 설명하자면 다음과 같습니다.
→ 목을 이리저리 돌려주며 목 부분(목뼈)을 풀어줍니다.
→ 양 손 깍지를 끼고 손가락을 서로 엇갈리게 움직이며 손가락 관절을 자극하고, 주먹을 쥐었다 폈다 해줍니다.
→ 주먹을 가볍게 쥐고 손목 관절을 돌려줍니다. 그리고 비벼줍니다.
→ 양손으로 발가락을 골고루 비벼줍니다.
→ 발목 관절을 돌려줍니다.
→ 팔꿈치 관절 부분을 힘차게 접었다 폈다 하고, 비벼줍니다.
→ 양팔을 휘돌리며 어깨 관절을 돌려줍니다.
→ 다리 뻗고 앉아 무릎 관절을 비비고 두드려 줍니다. 앉았다 섰다하며 무릎을 펴고 접고 합니다. 그 다음에 양 무릎을 모아 돌려줍니다.
→ 어깨너비로 서서, 내 팔자가 되게(발끝이 안쪽을 향하게) 서서 골

233

반 관절 부분을 돌려줍니다. 그다음 외 팔자가 되게(발끝이 바깥으로 향하게) 서서 골반 관절 부분을 돌려줍니다.

→ (선 상태로)옆구리 부분을 좌우로 기울이며 스트레칭 해줍니다.

→ (선 상태로)상체를 앞으로 깊이 숙였다가 상체를 가볍게 뒤로 젖히기를 몇 번 반복하며 척추부분을 자극하며 유연하게 합니다.

→ 마지막으로, 양발 모아 서서 양손 허리 짚고 허리를 좌우 번갈아 돌려줍니다.

관절 부위 움직임을 위한 어떤 특별한 방법을 알려고 하기보다는, 그저 각 관절 부분을 각자의 역량에 맞게 비벼주거나 두드리거나 흔들고 털거나, 돌리고 비틀거나 하면서 어떻게든 움직이며 적당히 자극을 주면 되겠습니다.

몸을 유연하게 하는 스트레칭해주기

처음에는 쉽고 간단해 보이는 것부터 시작합니다. 꾸준히 반복합니다. 움직임에 대해서 몸이 더 이상 신선한 청량감이나 시원함을 느끼지 않게 될 수 있습니다. 또한 어떤 동작들이 익숙해지고 그 익숙함을 반복하면 몸의 타성에 빠질 수 있습니다. 그때는 각자 역량에 맞는 새로운 동작을 찾아 행하길 권합니다.

요즘은 정보 공유의 시대입니다. 인터넷상에 좋은 스트레칭 운동법이 많이 소개되어 있으니 따로 소개하거나 설명하는 일은 생략하겠습니다. 각자 역량에 맞는 방법을 찾아 실행해 보길 권합니다.

동작이 너무 익숙해져서 신선함이나 시원함이 별로 느껴지지 않더라도 몸의 순환에는 충분히 도움이 됩니다. 하지만 뇌의 활력에는 별 도움이 되질 않습니다.

앞서도 말했지만, 몸의 움직임은 몸의 신경과 연결된 뇌신경의 자극과도 관련 있습니다. 그러니 동일 패턴의 움직임만으론 뇌의 신경 회로망을 고르게 활성화해 주진 못하겠지요. 다양한 움직임을 통해 몸이 느끼는 신선한 청량감은 우리 뇌에도 좋은 활력소가 될 수 있습니다. 뇌 활력은 뇌 신경회로에 변화를 주는 힘입니다. 뇌 회로의 다양한 운용은 나이가 들어 노년에 접어들어서도 생산적이고 창조적인 사고와 생생하고 활력 있는 삶을 살 수 있게 합니다.

목 운동, 손발 엇갈려 부딪치기, 몸의 움직임 패턴 바꾸기

목을 잘 움직여 주면 몸통에서 뇌로의 산소와 뇌척수액 공급이 원활해져 뇌 활동에 도움을 줄 수 있습니다. 고집은 뇌 활동의 정체와도 관계있으므로 뇌 활동을 증진하면 고집을 완화할 수 있습니다.

또한 목은 동양의학의 오행 사상적 측면에서 인체의 간담(肝膽)과 밀접하게 관계하는 부위입니다. 간담은 심적 온화함과 관계된 에너지가 나오는 장부이므로 목을 움직여 간담에 활력을 북돋아 주면 심적 완고함(고집)을 줄여줄 수 있습니다.

경직된 마음인 고집스러움은 신경회로의 경직성(기존에 형성된 신경회로만을 사용함)을 의미하기도 합니다. 평소의 일상적 패턴에서 벗어난 몸의 움직임은 뇌신경 회로망에 자극제가 되어 신경회로를 새롭게 생성시키는 데 큰 도움이 됩니다.

① 목운동
→ 고개를 왼쪽으로 최대한 기울여 잠시 유지합니다. 반대로 행한 후,

유지함 없이 연속 3~5회 왕복합니다.

 → 고개를 왼쪽으로 최대한 비틀고 잠시 유지합니다. 반대로 행한 후, 유지함 없이 연속 3~5회 왕복합니다.

 → 고개를 앞으로 깊숙이 숙이고 잠시 유지합니다. 고개를 뒤로 최대한 젖히고 잠시 유지합니다. 유지함 없이 연속 3~5회 왕복합니다.

 → 목을 360도 돌려줍니다. 3~5바퀴 돌린 후 반대로 행합니다.

 ② 손발 엇갈려 부딪치기
→ 엉덩이로 균형 잡고 앉아 팔과 다리를 들어줍니다.
→ 손바닥끼리 발바닥끼리 서로 부딪치되 엇박자로 부딪쳐 줍니다. 즉, 손바닥끼리 부딪칠 때 발바닥은 떨어지게 하고 발바닥끼리 부딪칠 때 손바닥은 떨어지게 합니다.

 ③ 몸의 움직임 패턴 바꾸기
→ 평소 방식과는 다르게 양손 서로 깍지를 껴봅니다. 평소에 깍지 꼈을 때 왼손 엄지손가락이 위에 있었다면 오른손 엄지가 위로 향하게, 오른 엄지가 위에 있었다면 왼손 엄지가 위로 향하게 바꿔 낍니다.
→ 바닥에 앉았다가 일어나 봅니다. 평소 일어날 때 왼손으로 바닥을 지지하고 일어났으면 평소와는 다르게 오른손으로 지지하고 일어날 수 있도록 의식적으로 행해봅니다.
→ 걸을 때는 양 팔과 다리가 서로 엇박자로 움직입니다. 박자를 맞추어 걸어봅니다.
→ 양팔 팔짱을 끼어 봅니다. 평소와는 다른 방향으로 끼어봅니다.
→ 양 다리를 꼬아 봅니다. 평소와는 다르게 발 바꿔 꼬아 봅니다.
 ☞ 다리 꼬고 앉는 것은 삼가야 할 자세이므로 잠깐씩만 합니다.

→ 양반다리로 앉아 봅니다. 평소와 다르게 다리를 바꾸어 앉아 봅니다.

→ 손을 흔들며 인사할 때 평소와 다른 손으로 흔들어 봅니다.

→ 평소와 다른 손으로 악수해 봅니다.

→ 기타 등등

☞ 다른 손 악수는 오른손으로만 악수하는 사회적 공통 관습 때문에 어렵겠지만 지인들을 만날 때만이라도 시도해 봅니다.

☞ 사회적 관습은 심신의 건강에 별로 바람직하지 않은 점이 많이 있습니다. 고정된 관습이 많을수록 그 개인 또는 사회는 고집스럽습니다. 특히 유교적 관습이 그래 보입니다.

명상법

바닥에 누워 팔다리를 큰대자 모양으로 크게 벌린 후, 아래와 같이 상상하며 몸을 이완시켜 줍니다.

명상법 1

① 먼저 코와 입으로 숨을 깊이 들이마시고 입으로 '후~'하고 숨을 내쉰 후, 입을 살짝 벌려 놓고 온몸을 바닥에 내맡깁니다.

☞ 입은 다물지 말고 계속 살짝 벌려 놓으셔야 합니다.

② 쌓인 돌탑이 무너지듯이 온몸의 뼈마디들이 후두둑 쏟아져 내린다고 상상하며 몸에 힘을 빼봅니다.

③ 해변의 모래성이 파도에 쓸려 흩어지는 것을 상상하며 온몸이 흩어진다고 상상하며 몸에 힘을 빼봅니다.

④ 해변의 파도가 됐다고 상상해 봅니다. 파도에 몸을 맡겨봅니다.

명상법 2

① 먼저 코와 입으로 숨을 깊이 들이마시고 입으로 '후~'하고 숨을 내쉰 후, 입을 살짝 벌려 놓고 온 몸을 바닥에 내맡깁니다.
☞ 입은 다물지 말고 계속 살짝 벌려 놓으셔야 합니다.

② 몸속의 내장들이 마치 얼음 녹아내리듯이 물처럼 흘러내린다고 상상하며 몸에 힘을 빼봅니다.

③ 흘러가는 개울물 위에 누워있다고 상상해 봅니다. 물이 돼서 개울물과 함께 흐른다고 상상합니다.

④ 마음이 물 흐르듯이 자연스러워진다고 생각해 봅니다.

이 명상법은 에고의 경직, 고집스러움을 풀어 부드럽게 해줍니다. 에고가 부드러워지면 삶을 대하는 태도가 유연해집니다. 삶에 대한 유연한 태도는 창조적인 삶의 밑거름입니다. 창조적 삶을 통한 경험은 우리의 삶을 더욱 풍요롭게 합니다.
삶의 경험을 통한 성장은 인간 존재의 기본적인 속성이며 인간 존재가 물질 세상을 살아가는 가장 큰 이유이기도 합니다. 창조적 경험과 성장을 통한 변화는 자신의 의식을 보다 더 확장할 수 있게 합니다.

드넓은 풍요의 바다에 '창조호'라는 배를 띄워 의식의 확장이라는 항로를 따라 항해하며 성장하며 변화하는 모습이 바로 우리 존재의 삶입니다.

세 번째 이야기
욕심과 집착 내려놓기

집착은 고집에서 비롯됩니다. 집착은 고집스러운 마음이 어딘가에 집중된 것입니다. 어딘가에 집착하면 신경이 불필요하게 날카로워집니다. 신경이 날카로워지면 시야가 좁아집니다. 시야가 좁아지면 그만큼 집중되는 경향이 생깁니다. 고집 에너지가 응축되면서 집착으로 바뀝니다.

날카로워진 신경은 마치 뾰족한 칼날과도 같은 역할을 합니다. 뾰족한 칼날이 눈앞에 있으면 마음이 불안해지는 법입니다. 마음이 불안해지면 사고 역시 불안정해집니다.

심리적으로 불안정해지면 안정감을 찾고 싶어집니다. 어딘가 집중하면 안정감을 찾는 데 어느 정도 도움이 됩니다. 은연중에 집중할 곳을 찾습니다. 고집 에너지가 집중되면서 집착이 생깁니다.

고집이나 집착은 에고를 대변합니다. 에고는 몸으로 치자면 하나의 근육 같은 역할을 합니다.

몸이 전반적으로 좀 뻣뻣하게 굳어있어도 살아가는 데 큰 지장은 없습니다. 움직임이 좀 유연하지 못할 뿐이지요. 하지만 특정한 부분이 유난히 굳어있으면 보통은 육체적 통증이 동반합니다. 움직임에 지장이 생깁니다.

고집스러운 마음은 사는데 큰 지장을 주지는 않습니다. 고집스러워도 큰 문제 없이 그럭저럭 잘 살아갑니다. 하지만 에고의 특정 부분이 뻣뻣하게 굳은 것과도 같은 집착은 삶의 고통을 경험하게 합니다.

하나, 집착하는 삶

욕심과 집착

삶의 경험들은 계속 쌓입니다. 육체의 상태도 계속 변합니다. 삶의 경험이 쌓이고 육체 상태가 변하면서 에고의 감성[83]과 이성[84], 그리고 감정[85]도 변합니다. 그에 따라서 열정도 변하고 이어서 열망(욕망)[86]도 변합니다.

육체가 불안정해지면 감성도, 이성도 그리고 감정도 불안정해집니다. 그러면 열정은 거칠어지고 이어서 욕망도 거칠어집니다. 열정과 욕망이 거칠어지면 욕심이란 것이 꾸물꾸물 생겨납니다.

열정과 욕망은 삶의 동력입니다. 열정과 욕망이 사납고 강해지면 욕심도 더불어 난폭해집니다. 삶의 동력에 욕심이 가세하면 자기 역량을 돌아보지 못합니다. 역량을 넘어서 질주를 잘합니다. 삶 속에서 충돌이 빈번해지고 분쟁도 많아집니다.

욕심은 삶을 자기중심적으로 이끕니다. 삶을 이기적인 방향으로 안내합니다.

삶은 행위이자 체험입니다. 우리는 살면서 행위를 하고 체험합니다.

---

83) 감성은 정서적 느낌입니다. 감정을 겪을 때 마음의 느낌입니다.
84) 에고의 감성과 에고의 지성이 결합한 것이 이성입니다.
85) 에고적 감성과 이성의 발달 정도는 각자 타고난 육체적 특성에 의해서 결정됩니다. 각자 타고난 육체적 특성에 따른 감성에 육체 본연의 본능(생존, 번식, 좋은 감각 추구 등)과 육체의 기능적 부분(오장육부 기능), 그리고 주변 환경적 부분이 뒤섞여 생겨나는 것이 감정입니다.
86) 욕망은 육체적인 부분과 관계있고 열망은 정신적인 부분과 관계있다고 하겠습니다.

행위와 체험을 통해 지적, 감각적 느낌을 습득합니다. 그러면서 우리는 의식을 확장하며 성장 해가고 있습니다.

욕심은 삶의 행위와 체험을 제한합니다. 자기중심적이고 이기적인 삶으로 제한 합니다. 이 제한됨은 존재의 성장에 큰 걸림돌입니다.

욕심은 의식 확장에 장애가 되는 요소이긴 하지만 우리는 욕심을 통해 배우기도 합니다. 욕심스러운 사람은 지금 '욕심'에 대해서 배우는 중입니다. 자기중심적이고 이기적인 삶이 자신의 마음에, 내면에, 의식에, 주변 관계에 어떤 영향을 미치는지 배우는 중입니다. 어떤 경험이든 그 경험치만큼 배웁니다. 그리고 그 배운 만큼 성장합니다.

배우다 보면 더 이상 배울 것이 없어질 때가 옵니다. 결국은 누구나 욕심을 통한 배움을 마스터 하게 될 겁니다. 그것이 지금이 될지, 몇 년 후가 될지 아니면 다음 생이 될지 모르긴 해도 말이지요.

이 문제는 언제나 그렇듯, 스스로 선택과 결정에 달려 있습니다.

집착은 욕심에서 비롯된 대표적 결과물입니다. 욕망이 거칠어지면 욕심이 생겨나고 이어서 바로 집착으로 이어지는 것이지요. 집착은 우리들의 마음과 행동을 특정한 방향으로 쏠리게 합니다. 삶의 안정감을, 삶의 자연스러움을 잃게 만듭니다.

여기저기로 자연스럽게 잘 흐르던 물길이 있습니다. 이 물길 일부를 차단하면 흐르던 물은 차단되지 않은 쪽으로 쏠립니다. 그러면 그 물길 주변은 범람합니다. 일대의 자연 생태계는 혼란 상태에 빠집니다.

심리적 에너지는 이리저리 자유로이 흘러야 합니다. 집착함이 마음속에 자리를 잡으면 심리적 에너지는 집착하는 부분으로 쏠립니다. 심리적으로 과부하 상태에 빠지게 됩니다. 심리적 혼란함의 시작입니다.

어딘가에 집착하면 마음은 집착하는 대상에 몰두합니다. 그러면 그

대상과 관련된 상념이 꼬리에 꼬리를 물고 일어납니다. 마음은 상념으로 넘치기 시작합니다. 정신은 산만해지고 쉽게 번뇌에 휩쓸립니다.

집착이 생겨나면 집착을 일으킨 기존의 욕심과 서로 에너지를 주고받습니다. 욕심은 집착하게 하고 집착은 욕심의 덩치를 키웁니다. 욕심의 덩치가 커지면 열정과 욕망은 사납고 강해집니다. 욕심도 더 난폭해집니다.

집착의 끝판왕 '에고적 사랑'

'사랑'이라는 감정은 집착의 이상적인 숙주입니다. 집착하는 마음은 자식에 대한 사랑, 연인이나 부부간의 사랑, 일에 대한 사랑 등으로 잘 숨어듭니다.

사랑의 감정이 새록새록 생겨날 때가 있습니다. 동시에 소유하고자, 성취하고자 하는 욕심 역시 새록새록 커지지요. 그러면서 집착은 마음 안에 굳건하게 자리를 잡습니다. 이후 집착과 소유욕, 집착과 성취욕구는 떼려고 해야 뗄 수 없는 밀착 관계를 형성합니다. 마치 동전의 양면처럼 말이지요.

사랑의 감정은 상대방에게서 자신이 원하는 모습을 볼 때 무럭무럭 자랍니다. 사랑을 하는 나는, 상대방이 늘 자신이 원하는 모습으로 남아있기를 바랍니다. 그러다가 어느 순간 원치 않는 모습을 보게 될 때가 있습니다. 그 순간 허탈감이 생기지요. 이 허탈감이 반복되면 사랑의 감정이 무너지기 시작합니다. 그 무너진 자리에 분노나 미움 등 같은 감정이 채워집니다. 이런 사랑은 '서로 사랑하라'고 주구장창 외치던 옛 성인이 강조한 사랑은 아닙니다.

집착하는 사랑은 소유하려는 사랑입니다.

242

누군가에게 사랑을 느낄 때면 그를 소유하고 싶어집니다. 내 방식대로 구속하고 싶어집니다. '사랑해'라는 말도 결국 소유하려는 욕망의 교묘한 위장일 수 있습니다. 그리고 소위 '사랑'이란 감정이 강도가 높을수록 그런 정도는 강해집니다. 이 강도는 에고의 힘과 비례합니다. 에고가 강한 사람일수록 자신에 대한 집착이 강합니다. 자신에게 집착하는 사람일수록 남에게 집착합니다.

누군가에 대한 집착은 스스로 뒤집어쓴 멍에입니다. 멍에는 늘 불편하고 불편함은 언제나 고뇌로 이어집니다. 이 멍에는 자신뿐 아니라 상대방도 고뇌에 빠트립니다. 결국 상대에게도 멍에를 씌웁니다. 자신의 자유뿐 아니라 상대방의 자유도 방해합니다.

방종하지 않은 자유로움은 삶을 비상하게 합니다. 멀리 날아갈 수 있게 합니다. 집착함은 비상하는 비행기에 달아 놓은 밧줄입니다.

누군가에 대한 집착은 홀로 있는 외로움 때문일 수도 있습니다. 사람들은 홀로 있을 때 외로움을 느낍니다. 두려움도 느낍니다. 두려우면 보호받기 위해 의지할 역할이 필요합니다.

자신에 대한 보호 욕구는 인간의 본능입니다. 그러니 탓할 것은 못 됩니다. 하지만 여기에 집착이 더해지면 좀 곤란해집니다. 상대에 대한 배려심보다는 자신을 위하는 이기심이 앞서게 됩니다. 이 이기심은 조금씩 마음을 갉아먹습니다. 마음은 풍요를 잃고 점점 황폐해집니다.

신은 인간의 자유 의지와 관련해서 아무런 간섭도 구속도 하지 않습니다. 어떤 마음을 먹든 어떤 행동을 하든 간에 내버려 둡니다. 그런 의미에서 인간을 향하는 신의 사랑은 무한합니다. 만일 무언가로 구속한다거나 간섭하려 한다면 '신의 사랑'도 '그 정도'만큼으로 쪼그라듭니다.

인간들의 사랑이야 하늘의 무한한 사랑과는 비교할 수 없습니다. 하지만 상대에게 허용할 수 있는 자유의 정도와 뒤로 물러서며 양보하고 배려하며 포용하는 태도는 사랑의 척도로 삼을 만합니다.

양보와 배려 포용심은 마음의 여유로움, 여백 그리고 풍요로움과 관계있습니다. 집착함은 마음의 여백을 메꾸고 풍요를 해칩니다. 참된 사랑은 집착하는 마음과 소유하려는 마음에서 벗어날 때 비로소 자리를 잡을 수 있습니다.

자신을 포용하고 남을 포용하고, 자신을 배려하고 남을 배려하며 '자신과 남'을 서로 사랑할 수 있게 되기를 염원해 봅니다.

> 그대들은 아이들에게 사랑은 줄 수 있으나 그대들의 생각은 주어서는 아니 되리.
> 아이들에게도 각자의 생각이 있기 때문이다.
> 그대들은 아이들 육신이 머물 집을 줄 수는 있으나 영혼의 거처는 줄 수 없으리니
> 아이들의 영혼은 그대들이 꿈에라도 결코 볼 수 없는 내일의 집에 살기 때문이다.
> 그대들이 아이들과 같아지려고 애쓰는 것은 좋으나 그대들과 같이 만들려고는 하지 말라.
> 삶은 뒤로 돌아가지도 않고 오늘에 머물지도 않기 때문이다.
> 그대들은 활이니, 화살 같은 아이들은 그대들로부터 쏘아져 앞으로 나아가야 한다.
> 신은 무한의 길 위에 있는 과녁을 향해 화살인 그대들이 멀리 갈 수 있도록 온 힘을 다해 활을 당기리라.
> 그대들은 신의 손길에 당겨짐을 기뻐하라.

그는 날아가는 화살을 사랑하는 것만큼 튼튼한 활이 되어주는
그대들 또한 사랑해 주시리라.

-칼릴지브란의 「예언자」 '아이들에 대하여' 중에서

질투와 시기심

집착은 질투를 낳습니다. 사람에 대한 집착, 내 것에 대한 집착, 외모
에 대한 집착, 학문과 권력에 대한 집착이 없다면 질투의 감정은 맥을
못 춥니다.

집착은 시기심도 낳습니다. 남과 비교하는데, 우열을 가리는 데 집착
하면서 시기하는 마음은 생겨납니다.

시기와 질투가 만연한 세상입니다. 현대사회의 경쟁 시스템은 시기와
질투심을 부추겨 왔습니다. 질투와 시기심[87]이 만연한 사회를 만든 주
범은 명예나 권력이나 부를 최고로 여기는 바람직하지 않은 사회풍토
입니다. 그리고 그 풍토에 편승한 인생관입니다.

분노의 느낌을 표현할 때는 '타 오른다' 또는 '끓어 오른다'라는 말
을 잘 씁니다. 질투와 시기심 역시 타오르고 끓어오릅니다. 분노의 에
너지는 속성상 폭력성을 동반하기 쉽습니다. 질투와 시기심 역시 폭력
적으로 잘 드러납니다. 물리적인 폭력이 폭력의 다는 아닙니다. 심리적
인 폭력 역시 외적으로 드러나지 않았을 뿐 같은 종류의 폭력입니다.

격정에 빠져들면 감정이 폭풍처럼 휘몰아칩니다. 폭력적인 에너지에
휩싸입니다. 이때 심리가 꼬이면서 주변을 왜곡해서 인식하기 쉽습니

---

87) '질투'와 '시기'는 다른 감정이다. 질투는 막 태어난 둘째를 미워하는 첫째
아이처럼 '관계'에서 비롯된 감정이고, 시기는 내게 없는 타인의 무엇을 부러
워하는 마음이다. -소설가 백영옥-

다. 신경은 날카로워져서 평상시의 인지력과 통찰력이 제대로 작동되지 않습니다. 그러면서 지극히 편협한 상태에 빠지게 됩니다.

싫어함과 미워함을 동반하는 시기와 질투라는 감정은 자신과 주변 상황을 미숙하게 대하게 합니다. 삶을 번민과 고뇌 속으로 몰고 갑니다. 이런 폭력적인 에너지가 자기 자신에게로 향해지기도 합니다. 앞선 장 '마음속에 맺힘' 상황에서처럼 육체적, 심리적 질병을 앓게 되거나 심지어는 자학으로 이어질 수도 있습니다.

감성은 정서적 느낌입니다. 감정이 생길 때의 느낌입니다. 영혼은 감정이 없습니다.

영혼 세계에서 '영혼의 감성'으로 살아가던 우리는 물질세계에서 '에고의 감성'으로 살아갑니다. 우리가 태어나기 전부터 지니고 있던 영혼의 감성이 물질 몸과 결합함으로 인해서 에고의 감성으로 변한 것이지요.

영혼의 감성은 한결같은 순수함, 즉 일정한 리듬을 유지합니다. 이와는 달리 에고의 감성은 삶의 영향을 받으며 계속 변합니다. 육체의 상황이나 살면서 습득한 관념적 차이, 생활환경의 차이에 따라서 계속 변합니다. 특히 각자의 육체적 상황에 영향을 많이 받습니다. 더 굴곡지고 거칠어지면서 구체적 정서적 느낌으로 드러납니다. 이때 드러나는 것이 '감정'입니다[88].

---

88) 에고의 정서와 감성, 감정을 영혼과 연결 지어 다시 정리해 보겠습니다.
인간존재는 육체 없이 영혼으로 살 때의 정서가 있습니다. 이 정서는 육체라는 시스템을 만나면서 새로운 정서, 즉 에고의 정서로 바뀝니다.

정서는 감성과 감정이 생겨나는 토대입니다. 물질세계를 살아가고 있는 우리는 각자의 에고적 정서를 토대로 감성과 감정을 느낍니다. 영혼은 감성은 있지만 감정은 느낄 수 없습니다. 물질 육체가 없기 때문입니다. 감정은 육체에 의해 생겨난 것입니다. 감성은 모호한 부분이 있지만 감정은 비교적 명료합 감성이 감정으로 표출될 때 건전하지 못한 몸 상태에서는 쉽게 격해집니다. 감정이 격해지면 우리네 마음은 폭풍우 속에 내던져진 것 같은 혼란함을 겪습니다.

영혼은 깊은 내면에서 에고와 조율하며 삶을 안내합니다. 그 조율은 마음을 통해야 합니다. 마음이 혼란해지면 영혼은 조율의 기회를 잃습니다. 힘을 쓰지 못하고 무기력해집니다. 영혼이 무기력해지면 삶은 혼란해집니다.

집착하는 감정에서 비롯된 시기와 질투에 휘둘리지 않으려면 이들을 낳게 한 욕심이 없어져야 합니다. 아니면 집착하는 마음이 그 대상을

니다.

향기를 맡을 때, 영화를 볼 때. 사람을 대할 때, 눈앞에 광경이나 풍경을 볼 때 우리 마음속에는 느낌이 생깁니다. 이 느낌이 감성입니다. 이 느낌을 생기게 하는 것이 정서이고 이 느낌이 구체화 되면 감정입니다.

향기를 맡을 때의 느낌은 감성이지만 이 느낌이 구체화 되어 향기가 좋다 싫다는 마음이 생기면 감정입니다. 사람을 만날 때의 느낌은 감성이지만 이 느낌이 구체화 되어 즐겁다, 지루하다 하는 마음이 생기면 감정입니다. 광경(풍경)을 볼 때의 느낌은 감성이지만 이 느낌이 구체화 되어 아름답다 추하다 하는 마음이 생기면 감정입니다. 이들 감정들의 느낌은 각자 정서의 색깔에 따라서 조금씩 달라집니다.

영혼이 육체를 갖추면 그 육체의 특성에 맞는 에고와 정서를 갖게 됩니다. 영혼의 정서와 감성은 포괄적이면서 온화합니다. 반면, 에고의 정서와 감성은 더 구체적이고 거칩니다.

갓난아기 때의 육체는 보들보들하고 모습은 다소 모호합니다. 이때는 에고와 정서도 보들들고 모호합니다. 갓난아기의 육체는 점차 또렷해집니다. 모호하던 에고와 정서도 역시 점차 또렷해집니다. 에고와 정서가 또렷해짐에 따라 감성도 자리를 잡습니다. 이 감성을 토대로 우리는 감정을 느낍니다.

살면서 주변 환경은 계속 바뀝니다. 감성과 감정 역시 환경에 맞게 바뀝니다. 특히 감성과 감정은 육체(오장육부)의 상황에 큰 영향을 받습니다. 각자의 오장육부의 상황에 따라서 기쁨이나 슬픔, 즐거움이나 분노, 두려움 등의 강도나 이들 감정에 대한 감성적 반응(감성적 느낌)이 달라집니다.

통해서 완전히 만족해야 합니다.

욕심은 욕망과 열망에서 비롯됩니다. 욕심을 없애려면 욕망(열망)이 없어져야 합니다. 하지만 욕망은 없애려고 마음먹는다고 없앨 수 있는 것이 아닙니다. 왜냐하면 욕망은 삶을 살아가게 하는 하나의 동력이기 때문입니다. 또한 욕망은 그 속성상 결코 만족을 모릅니다. 하나의 욕망을 충족시켜도 새로운 욕망이 생겨날 뿐입니다.

욕망은 소위 도(道)를 닦는데도 꼭 필요합니다. 일련의 깨달음을 위한 수행들이나 종교적 영성을 위해서도 꼭 필요합니다. 욕망 에너지가 없으면 '행위'의 힘이 없어지기 때문입니다. 그러니 보다 더 나은 삶을 지향하게 하는 동력인 욕망 자체가 문제가 될 것은 없습니다. 다만 이 동력이 과해지고 거칠어지는 것이 문제입니다. 욕망에 욕심과 집착이라는 불순물이 더해지는 것이 문제입니다. 이 불순물은 삶의 중심을 잃게 만들고 이리저리 부딪치게 하면서 자신은 물론 주변까지도 혼란함에 빠지게 합니다.

우리들은 자신의 삶을 뒤 흔드는 격정들을 스스로 만들고 있습니다.

우울함과 공허함

욕망이 생기면 우리는 두 가지 선택의 길 앞에 서게 됩니다. 그 욕망을 억제하거나 욕망을 충족시킬 방법을 찾습니다. 욕망 에너지가 거칠고 강하면 억제가 쉽지 않습니다. 이때 필요한 것은 절제입니다.

절제는 일종의 타협입니다. 적당한 선에서 만족하는 것이지요. 절제가 잘되지 않는데 충족시킬 방법도 없을 때가 있습니다. 그러면 무력함에 빠져들 수 있습니다. 무력해지면서 우울해집니다.

'나는 이런 삶을 원해'라며 바라는 삶을 욕망합니다. 그런데 그 삶이 바람대로 되지 않습니다. 삶이 만족스럽지 않습니다. 우울해집니다. 우울함은 욕망을 충분히 충족하지 못했을 때 잘 생겨납니다. 원하는 삶의 욕망이 강하다면 그만큼 충족하기도 힘듭니다. 강한 욕망은 욕심 때문입니다. 그러니 욕심에 비례해서 우울함도 커집니다.

마음이 소박하면 욕망은 부드럽고 온화하게 작용합니다. 마음이 소박한 사람은 우울한 감정이 생기더라도 과함으로 치닫지는 않습니다. 즉, 우울함이 '우울증'으로 발전하진 않습니다.

때로는 욕망이 어느 순간 사라지기도 합니다. 이때는 공허해질 수 있습니다. 욕망이 사라지면 에고 의식이 가라앉고 영혼의 의식이 부상합니다. 욕망이라는 에너지는 에고에 속해있기 때문입니다.

영혼 의식은 우리들의 보다 본연적인 의식 상태입니다. 우리 본연적인 의식 상태이긴 하지만 에고 입장에서는 자기 자리를 빼앗기는 느낌입니다. 이때 에고는 상실감을 느낍니다. 상실감을 느끼면서 공허해집니다.

영혼의 의식이 아무리 부상해도 에고 의식은 남아있기 마련입니다. 에고 의식 없이는 이 물질세계를 살아갈 수 없기 때문입니다. 욕망이 사라졌을 때 느껴지는 공허감은 남은 에고가 가지고 있던 '삶을 욕망하는 것에 대한 집착' 때문에 생겨나는 것입니다.

욕망하는 것에 대한 집착이 없는 사람은 욕망이 사라졌을 때 공허하지 않습니다. '공(空)'합니다. 그저 맑고 투명합니다. 공허감보다는 오히려 충만감을 느낍니다. 삶을 욕망하는 것에 대한 집착이 클수록 공허감은 커집니다. 삶을 욕망하는 것에 대한 집착이 작으면 충만감이 커집니다.

사람들은 마음이 만족스러울 때 행복감을 느낍니다. 그래서 늘 마음이 만족스럽기를 바랍니다. 집착하는 이유도 마음을 만족스럽게 충족시키기 위해서겠지요. 마음은 만족을 모릅니다. 늘 부족함을 느낍니다. 그러니 아무리 집착해도 결코 만족스러움을 얻을 수 없습니다. 그저 불만족스러움에 대한 미련만 생겨나게 할 뿐입니다. 집착만큼의 미련

결국 삶의 만족을 위해서 시작한 집착하는 마음은 미련을 낳고, 부족함 때문에 생겨난 미련은 만족을 위해 또 다른 무언가를 집착하게 합니다.

집착, 미련, 집착, 미련, 집착, 미련……우울함. 그리고 공허함.

마음의 위축감과 과도한 연민

마음속에는 언제나 떳떳함과 당당함이 든든하게 자리 잡고 있어야 합니다. 이 떳떳함과 당당함은 중도적 에너지입니다. 부자이거나 가난하거나, 권력이 있거나 없거나, 명예가 있거나 없거나, 잘났거나 못났거나 누구나 동등하게 가질 수 있는 에너지입니다. 그런데 이 중도적 에너지가 자리하고 있는 사람들이 별로 없습니다. 남과 비교하는 사고방식이 팽배하기 때문입니다.

떳떳함과 당당함의 마음자리가 흔들리면 자존감이 위축됩니다. 자존감이 위축되면 마음은 결핍을 느끼지요. 그러면서 결핍된 부분을 채우고 싶은 마음이 생겨납니다. 보상 심리가 작용한 것이지요.

강한 소유욕이나 과도한 관심은 일종의 보상 심리입니다. 집착을 통해 결핍된 부분을 보상받으려 하는 것이지요.

위축감은 자기 자신(에고)에 대한 집착이 강할수록 크게 느껴집니다. 그리고 그 크기만큼 마음의 상처 역시 크게 받습니다.

위축감은 때로 자신에 대한 과도한 연민으로 나타날 수 있습니다. 위축된 마음을 가지고 있는 나를 스스로가 가엽게 여기는 것이지요. 이러한 감정 상태는 종종 외부의 다른 대상으로 투사[89]되기도 합니다. 나뭇가지 하나 꺾는 경우라도 힘겨워하고, 집 없이 떠도는 고양이를 보며 눈물을 글썽입니다. 가볍게 흘려도 될, 아니 흘려버려야 할 일인데도 그러지 못합니다.

감정적 슬픔을 흘리지 못하고 마음에 담아두면 마음은 더욱 위축됩니다. 그리고 우울함이 이어집니다. 위축감이 크면 우울함도 커집니다. 근육이 위축되면 근육에 통증이 생깁니다. 마음이 위축되면 마음에 통증이 생깁니다. 마음이 괴롭습니다.

마음의 위축감은 '존재'로서의 자기 자신에 대한 이해가 부족할 때 잘 생깁니다.

우리는 이 우주(신) 안에서 태어났습니다. 우리는 신의 한 파편들입니다. 우리들은 모두 자기만의 고유한 색깔을 가진 개별적 소우주입니다. 허공에서 생겨나 무한으로 질주하는 대우주의 '신성(神性)'함을 나누어 가진 신성함이 깃든 존재들입니다.

신은 무엇일까요? 그렇다고 무속신앙에서의 신을 생각하지는 마시길 바랍니다. 무속신앙에서의 신은 너무나 협소한 개념이기 때문입니다.

신(하느님)은 우주 만물을 생성시킨 에너지의 원형'입니다. 또한 존재하는 모든 것이기도 합니다. 태초 이전 신은 '무아(無我)상태로 허공과 하나 되어 존재하고 있었습니다. 그러다 어느 순간 심심했던지 특정한 구역에 잔뜩 웅크리며 에너지를 결집하지요. 결집력이 극에 달했을 때

---

89) 감당하기 힘든 자신의 감정을 외부의 다른 사람이나 사물로 전가시켜 책임을 회피하려는 것.

활짝 펴며 자신을 사방으로 폭발 확산합니다. 이 폭발과 함께 우리 우주는 생성됐습니다.

신성(神性)이란, 신의 성품을 말합니다. 신성이란 우주 전체의 성품입니다. 또한 이 우주가 생겨나기 전 응축되었던 에너지로 존재하던 것의 성품입니다. 이를 바탕으로 보자면 이 세상에 신의 성품이 아닌 것은 없습니다.

이 우주 안의 모든 것은 '우주 에너지의 원형(신, 하늘, 하느님)'에서 파생된 하나의 파편들입니다. '나'라고 하는 개별 존재들 역시 마찬가지구요.

고향을 떠나면 고향이 생각나기 마련입니다. 파편인 '나(我)'들은 마치 고향을 떠난 자가 고향을 생각하듯이 전체를 품고 있던 자신을 생각합니다. 전체로서의 자신을 알고자 하는 욕구가 있습니다. 무한한 사랑, 무한한 포용, 무한한 지혜를 품고서 무한한 창조를 하는 전체적 자기 자신을 알고자 하는 욕구가 있습니다.

질투, 마음의 위축감이나 연민 역시 광대한 신의 성품 중 일부입니다. 신의 옛 시절 성품. 폭발한 지 얼마 안 된 우주의 어릴 적 상태라고나 할까요?

삶은 우주의 속성들, 신의 성품들을 하나하나 알아가는 과정입니다. 즉 신성을 향해 조금씩 다가가는 과정입니다. 신을 알아가는 과정이 지금 우리들의 삶입니다.

우리네 삶은 욕심, 집착, 질투, 시기, 격정, 우울함, 공허함, 위축감, 연민을 거쳐서 나눔, 배려, 확장, 평화, 기쁨, 포용을 지나서 조건 없는 사랑, 막힘없은 자유, 무한함으로 향해갈 것입니다.

인간 존재들은 저마다의 색깔에 맞게 각자의 삶을 경험하는 중입니다. 백인 백색 각자 다른 삶들은 경험하고 있습니다. 그런 경험들은 비교 대상이 아닙니다. 좋고 나쁘고를 가리거나 우열을 가릴 수 있는 종류들이 아닙니다. 하늘 아래 누구나 다 동등합니다. 혹시라도 마음속 위축감이나 우울함이 느껴질 때가 있을 겁니다. 그때는 그 속에 웅크려 있지 말고, 자신에게 스스로 외쳐보길 바랍니다.

'나는 허공에서 생겨나 무한으로 질주하는 대우주의 일부이다.'
'나는 개인성이란 자신만의 색깔을 가진 신성함이 깃든 존재이다.'

둘, 집착과 잘 죽는 죽음과의 관계

계곡물 속에 잠긴 돌들은 둥글둥글합니다. 오랜 세월이 지나면서 흐르는 물에 깎이고 구르며 다듬어졌기 때문입니다. 이것은 지극히 자연스러운 자연의 이치이지요.

에고 역시 세월이라는 흐름 속에 둥글둥글해집니다. 생존 욕망도 둥글해져서 점차 부드러워집니다. 역시 자연스러운 자연의 이치입니다. 하지만 집착하는 마음은 에고로 하여 깎이고 구르는 것을 거부하게 합니다. 자연의 흐름을 거부하게 합니다.

인간은 생각보다 훨씬 더 광대한 존재입니다.

영혼의 세계에서 영혼으로 존재하던 우리는 육체의 몸으로 지금의 물질세계를 경험하고 있습니다. 영혼은 자신이 속했던 본래의 세계로 돌아갈 때를 알고 있습니다. 죽음의 순간이 가까워지면 영혼은 육체를 벗어놓고, 왔던 곳으로 돌아가려 합니다. 영혼은 내면에서 속삭입니다. "이젠 돌아가야 할 때야." 이 소리는 귀로 들을 수 있는 소리는 아닙니다. 보이지 않고 들리지 않는 파동 같은 울림입니다. 이 울림은 마음으로 감지할 수 있습니다. 그러면 마음은 그 울림을 따라갑니다. 마음이 보들보들할수록 감지할 수 있는 역량은 커집니다.

집착은 하나의 응결된 에너지입니다. 마음이 집착함으로 응결되어 있으면 마음은 내면에서 두드리는 영혼의 속삭임을 감지하지 못합니다.

집착하는 마음은 심지어는 그 속삭임을 자기식으로 만들어 내기도 합니다. '이젠 돌아갈 때가 됐어'라고 속삭이는 것을 '아직 남은 일이 있어'라고 해석합니다.

앞서 영혼은 자동차의 내비게이션 계통의 역할을 한다고 했습니다. 집착하는 마음은 전파를 방해하는 일종의 두툼한 가로막입니다. 이 가로막은 영혼이 에고에게 보내는 신호를 막아버립니다. 마치 GPS 신호가 차단되면 운전자를 안내하던 내비게이션의 신호가 끊어지는 것처럼 말이지요. 집착하는 것이 많을수록 에고의 삶을 안내하는 영혼의 신호는 자주 끊어집니다. 집착이 강할수록 그 신호가 끊기는 시간은 길어집니다. 영혼의 안내 시스템인 내비게이션이 무용지물이 되어 버리는 것이지요.

내비게이션 신호가 빈번하고 길게 끊어지면 운전자는 더 이상 그 신호를 살피려 하지 않습니다. 영혼의 안내 역할은 줄어듭니다. 대신에 에고의 집착 에너지는 더 기세등등해집니다. 에고는 자기 자신의 토대인 육체에 더 집착합니다. 육체를 조금이라도 더 존속시키려고 애를 씁니다.

마음이 유연하면 마음속 여백이 많이 생깁니다. 영혼은 마음의 여백 사이로 에고의 삶을 적절하게 안내합니다. 고집스러움은 경직된 마음입니다. 마음이 경직되어 있으면 마음속 여백이 사라집니다. 영혼의 안내를 잘 인식하지 못합니다. 살기를 고집하고 죽음을 거부합니다. 집착은 경직을 넘어 응결된 마음입니다. 집착하는 마음은 에고로 하여 죽음을 보다 '적극적으로' 거부하게 합니다.

치매라고 불리는 증상이 있습니다. 치매는 영혼이 육체에서 순간 잠시 분리되는 현상입니다. 정신 작용은 육체와 영혼의 복합 작용입니다. 육체가 쇠약해 가는 시기에 물질 삶에 강하게 집착하면 이런 현상을 겪을 수 있습니다. 젊을 때도 치매 현상을 겪을 수 있지만 일시적입니다. 일시적인 시스템 오류이지요.
생에 대한 강한 집착이 몸에 대한 무기력, 무감각해지거나 산만하고 어그러진 신경계, 죽음에 대한 두려움 등 다른 요소들과 맞물리면 영혼은 몸에서 잠시 분리될 수도 있습니다. 영혼이 잠시나마 육체를 떠나면 육체의 본능만 남게 됩니다. 먹고, 싸고, 울고, 웃고 하는 등의 행위들 말이지요. 영혼과 육체의 조율로 이루어지는 정신 작용은 일대 혼란을 겪습니다. 해야 할 것과 하지 말아야 할 것을 구분 못 합니다. 며느리가 형수님으로 아들이 남편으로 둔갑해 버리기도 합니다.

셋, 격정의 삶과 순화된 삶
젊은 시절의 넘치는 육체의 에너지는 욕망을 타오르게 합니다. 무언가에 대한 집착에 사로잡히게 합니다. '집착의 검'을 들고 욕망을 향해 돌진하게 합니다. 그러나 집착하는 만큼 마음이 상처받는 사실을 알기까지는 그리 오랜 시간이 걸리진 않습니다. 그럼에도 집착을 멈추지 못합니다.

세월은 흘러 죽음으로 향해갑니다. 젊음을 저 멀리 뒤로할 즈음, 인생의 황혼 무렵. 이 시기에 이르러 까지 욕망에 휘둘리는 것은 바람직해 보이진 않습니다.

지난 삶 동안 수없이, 수많은 시간을 욕망하며 집착해 왔지만 아마도 만족스럽진 않았을 겁니다. 나이가 들어 좋은 점은 연륜이 많이 쌓여 있다는 것입니다. 연륜이 충분히 쌓여 마음이 원숙해지는 이 시기 즈음에 이르면,

욕망과 열망의[90] 에너지를 순화시켜야 하지 않을까요?

'내면의 나'를 알아가는 삶을 살아야 할 때가 아닐까요?

두루두루 넓은 시선으로 세상을 바라볼 수 있어야 하지 않을까요?

잘 익은 벼 이삭처럼 자신을 낮출 줄 알아야 하지 않을까요?

그러면 미래를 짊어질 세대에게 존경까지는 아니더라도 연륜을 인정받을 순 있겠지요. 더불어 부딪침 없는 온유한 삶을 살 수 있겠지요. 삶의 연륜과 그 연륜 정도의 지혜로움은 중재자와 조언자의 역할에 없어서는 안 될 요소이기도 합니다.

들판의 벼 이삭은 황금색을 드리우면서 숙입니다. 거칠게 흐르던 계곡물은 강물과 합쳐지고는 부드러워지고, 다시 흘러 드넓은 바다로 들어갑니다. 자연이 우리에게 보여주는 상징적 가르침입니다.

넷, 집착을 관통한 자유로움

집착 때문에 괴로움을 겪더라도 당장 집착을 버리기는 어렵습니다.

어떤 경험이든 그 경험은 성장의 발판들입니다. 지금 겪고 있는 심리적 혼란함이나 번뇌는 모두 성장의 도약대입니다.

---

90) 열망과 욕망은 거의 동일 개념입니다. 구분해 보자면 열망은 주로 정신적인 욕구와 관계있고 욕망은 주로 물질적인 욕구와 관계있다 하겠습니다.

삶은 행위이자 체험입니다. 존재인 우리들은 유형, 무형의 행위와 유형, 무형의 경험을 하며 의식을 확장해 가고 있습니다. 우리는 유형인 몸으로 행위하고 몸으로 경험합니다. 무형인 마음으로 행위하고 마음으로 경험합니다. 몸과 마음은 우리 존재를 확장하기 위한 최상의 도구입니다.

현재 집착과 씨름하는 분들은 지금 집착에 대해서 배우는 중입니다. 집착하는 마음을 도구 삼아 또 다른 삶의 측면을 경험하고 있습니다.

집착하는 마음이 들 때, 그저 집착하는 자신의 심리상태를 가만히 살펴보길 바랍니다. 그러다 보면 집착의 실체를 분명히 파악하게 될 것입니다. 이때부터 삶은 집착에서 벗어나는 쪽으로 흘러갑니다. 결국은 집착하는 마음에서 자유로워집니다.

집착을 모르는 상태에서 집착으로부터 자유로워지는 것과, 집착을 아는 상태에서 자유로워지는 것은 질적으로 완전히 다릅니다. 집착을 모르면 언젠가는 다시 집착의 그물에 걸려들 수 있습니다. 집착함의 속박에 언제든 빠져들 수 있습니다. 집착을 모르는 자유는 불안정한 자유입니다. 하지만 알고 나서 자유로워지면 다시는 집착의 그물에 걸려들지 않습니다. 집착으로부터 온전하게 자유로워집니다.

욕심과 집착, 질투, 시기심, 우울함 등 같은 감정들을 선호하는 분들이 많습니다. 이런 감정들이 없다면 '삶이 뭐 그러냐? 삶이 시시하지 않은가?'라고 반문하는 것을 봅니다. 자신에게 고통을 주는 감정들이 한편으로는 삶을 더욱 생생하게 하는 요인으로 작용하기 때문입니다.

어떠한 삶이든 그 삶의 경험을 통해 배웁니다. 이 배움은 우리 인간 존재를 성장하게 합니다. 격정과 번뇌를 일으키는 질투, 시기심 같은 감정을 통해 우리는 배웁니다. 이런 감정들의 필요성을 느끼는 이유는 그런 경험을 통한 배움이 필요하기 때문입니다.

집착하고 욕심내는 마음은 식욕과 비슷합니다. 마음속 집착과 욕심은 마치 배 속 가득한 음식과 똥 같은 것입니다. 뱃속에 음식이 꽉 들어차면 부대낍니다, 먹은 만큼 제대로 똥을 누지 못해도 부대낍니다. 위장이 꽉 차기보단 적당히 비어 있을 때 정신이 더 명료합니다. 똥을 시원하게 잘 누고 나면 일상이 개운합니다.

집착이란 경험의 배움을 잘 통과하면 내적으로 놀라운 변화의 기회가 찾아듭니다.

온유하고 소박한 사람은 참으로 복된 사람입니다. 온유하고 소박한 마음, 복된 마음은 욕심이나 집착에서 벗어난 마음입니다. 온유한 마음속에서 열정이 은은하게 피어오를 때가 있습니다. '아하! 삶이 참 좋구나!'라는 말이 입 바깥으로 절로 나올 때입니다.

집착함은 마음의 십자가입니다. 누구나 마음의 십자가를 여러 개 짊어지고 살아왔습니다. 이제는 이 십자가를 내려놓을 때입니다.

이 책장을 덮을 무렵 여러분의 마음속에 집착함의 무게가 많이 가벼워져 있기를 희망해 봅니다.

마음의 상처를 안고 고단하게 살아가던 사람이 어렵사리 부처님을 찾아가 가르침을 청했습니다.

"부처시여! 삶이 너무 고단합니다. 그렇다고 벌려 놓아진 일들과 처자식 때문에 어쩌지 못하겠습니다. 이런 고통스러움을 벗어나 행복해질 수 있는 길이 있을까요?"

눈을 감고 고요히 앉아 계시던 부처님은 말했습니다.

"일체 모든 것은 마음이 만들어 낸 것입니다. 그러기에 삶의 고통과 즐거움, 행복과 불행은 모두 마음먹기에 달린 것입니다. 그러니 굳이 고통과 즐거움, 행복과 불행이라는 분별하는 마음에 집착할 필요가 없습니다. 이러한 마음에서 벗어나면 삶이 자연스러워지고 마음에 받을 상처도 없어집니다. 고단함을 모두 훌훌 털어 버릴 수 있게 됩니다."

그러고는 시를 한 수 들려줍니다.

"눈에 보이는 모든 것들과 규범들은

　사실은 꿈과 같고 환상과 같고 물거품과 같으며,

　이슬과 같고 또한 순간 번쩍이다 사라지는 번개와도 같으니.

　이러한 것을 늘 염두에 둔다면 모든 것에 대한 답을 알 수 있으리."

"부처님, 부처님 같은 위대한 분이야 그럴 수 있겠지만 저 같은 평범한 사람이 어떻게 그럴 수 있겠습니까?"

"음…,그러니 더 쉽지요. 사람이 비범하면 자신을 내세우기 마련이지요. 그 내세움의 이면에는 '나는 이런 사람이야' 하는 마음이 자리하고 있습니다. '나'라는 아상(에고)에 머물러 집착하는 한 결코 자신의 깊은 내적 본질을 알 수 없습니다. 내적 충만함에서 비롯된 자유로움을 얻을 수 없습니다."

"나는 이런 사람이라는 마음에 집착함 없는 사람이, 비범함을 찾아볼 수 없는 평범한 사람이, 오히려 도인이 될 수 있는 훌륭한 자질을 가졌다고 할 수 있지요."

'생(삶)에의 집착과 미련은 없어도 이생(삶)은 그지없이 아름답다.'

-시인 조지훈-

다섯, 집착과 몸의 관계

집착하면 정신이 필요 이상 날카로워집니다. 정서적으로 자주 불안해집니다. 내분비(호르몬)계통과 신경계통이 비정상적으로 작동하기 때문입니다.

집착은 특정한 무엇인가에 마음이 쏠리는 현상입니다. 마음이 쏠린다는 것은 마음이 편향된다는 의미이기도 합니다. 즉, 마음이 편향되면 집착이 잘 생깁니다.

사람들 대다수는 몸을 편향되게 사용합니다. 인체의 좌우 또는 상하(上下)의 힘이나 움직임을 편향되게 사용합니다. 편향적인 움직임이 반복되면 그 편향적 방향으로 관성(慣性)91)이 생겨납니다. 이 관성이 지속되면 습관으로 굳어지지요. 몸에 편향성이란 습관이 생겨나면 마음에도 역시 편향성이란 습관이 생겨납니다.

인체 시스템은 마음에 영향을 미칩니다. 몸이 편향되면 마음도 편향됩니다. 마음이 편향되면 편향되는 방향으로 집중하기 좋습니다. 그래서 집착이 잘 생겨납니다.

인체의 왼쪽 부분의 신경들은 오른쪽 뇌와 오른쪽 부분의 신경들은 왼쪽 뇌와 연결되어 있습니다.

그동안 뇌 과학이 밝혀놓은 뇌의 기능적 역할에 대한 자료들을 취합해 보면, 왼쪽 뇌는 주로 언어적 부분과 관계합니다. 왼쪽 뇌의 에너지를 많이 사용하면 삶을 논리적, 분석적으로 대하기 쉽습니다. 오른쪽 뇌는 언어와 논리로 조직화 되기 이전의 추상적이고 비언어적인 부분과 관계합니다. 오른쪽 뇌의 에너지를 많이 사용하면 삶을 감성적이며

---

91) 어떤 상태가 지속될 때 그 상태를 계속 유지하려는 성질.

전체적, 직관적으로 대하기 쉽습니다.

 사람의 좌우뇌는 각각 독립적으로 기능하지는 않습니다. 서로 정보를 교환하며 보완하는 역할을 합니다. 그렇긴 하지만, 평소 우리가 몸을 편향되게 사용한다면 뇌로 흐르는 신경 에너지는 한쪽으로 쏠리게 됩니다. 왼쪽 뇌로 에너지가 쏠리면 삶에서 마주하는 상황들을 주로 이성적으로 분석하며 세밀한 부분까지도 짚어보려 합니다. 오른쪽 뇌로 에너지가 쏠리면 삶을 주로 감성적으로 대하려 합니다. 그러면서 삶을 주로 비언어적, 추상적이고 직관적인 시각으로 바라보기 쉽습니다.

 물질세계를 살아가는 동안 우리는 육체를 통해서 경험합니다. 정신적이든 물질적이든 모든 경험은 육체를 통해야 합니다. 삶을 살아가면서 사용하는 에너지 역시 육체를 통해야 합니다.

 인간의 정신적인 부분과 관련된 에너지는 주로 인체의 횡격막(명치부위) 위쪽에서 생겨납니다. 지성, 의지, 용기, 열정 같은 에너지들이 그렇습니다. 물질 감각적인 부분과 관련된 에너지는 주로 인체의 횡격막 아래쪽에서 생겨납니다. 본능과 관련된 육체적 욕망이나 감정 같은 에너지들이 그렇습니다.

 평소 의식이 주로 인체의 횡격막 위쪽에 머물러 있으면 횡격막 위쪽이 발달하게 됩니다. 그러면 삶은 정신적, 지성적 부분으로 쏠리게 될 것입니다. 반면에 평소 의식이 주로 인체의 횡격막 아래쪽에 머물러 있으면, 삶은 물질 감각적 부분으로 쏠리게 될 것입니다.

 집착은 일종의 응결된 에너지입니다. 삶을 살아가면서 이성적 논리가 앞서거나 감성적 직관으로 치우칠 때면 그쪽으로 마음이 응결되기 시작합니다. 또한 정신적인 부분으로 쏠리거나 물질 감각적인 부분으로 치우칠 때 역시 마음이 응결되기 시작합니다. 그러면서 마음에 집착의 싹이 자라납니다.

에너지가 머리 부분에 몰려있으면 사소한 일이라도 분석하거나 논리적으로 늘어놓기를 잘합니다. 세밀하게 파고드는 경향이 생깁니다. 이런 사람은 머리 쓰는 것과 관련해서 집착을 잘합니다.

에너지가 가슴 부분에 몰려있으면 일을 해도 열정적으로 매달리길 잘합니다. 또한 그 일을 성취하고자 하는 의지 역시 강한 경향도 있습니다. 어느 부분에 열정과 의지가 발동하면 집착하는 마음이 잘 따라붙습니다.

에너지가 복부 부분에 몰려있으면 감수성이 발달하면서 감성과 관련된 부분에 관심이 잘 갑니다. 감성을 쏟는 부분으로 집착이 잘 일어납니다.

에너지가 하복부 부분에 몰려있을 때는 육체의 생존과 관련된 부분에 관심이 몰립니다. 의식주와 성적 욕구 부분으로 집착이 잘 생겨납니다.

집착함이 마음 안에 자리를 잡을 때는 몸의 경직이 단단히 몫을 합니다. 앞서 몸의 경직은 고집스러움과 관계있고, 몸의 응어리짐은 맺힌 마음과 관계 관계있다고 했습니다.

몸의 경직으로 인한 고집은 집착이 생기기 좋은 환경입니다. 몸의 응어리짐으로 인한 맺힌 마음은 집착이 견고하게 자리 잡을 수 있게 합니다. 우리들의 몸은 집착이나 질투, 시기심 같은 마음의 문제를 일으키게 하는 원인이자 동시에 마음의 문제 때문에 생기는 결과이기도 합니다.

자신 안에 에너지는 어떤 에너지든지 간에 적절히 통제하고 조절할 수 있어야 합니다. 그런데 집착 에너지가 증폭되면 적절한 통제와 조절이 어려워집니다. 결국 통제를 벗어난 집착 에너지는 내 등에 올라타서 나를 조종하기 시작합니다. 어딘가에 집착하는 순간 집착하는 마음에 지배되어 마음은 혼란을 겪기 시작합니다.

현자들은 세상을 '있는 그대로 바라보라'라고 강조해 왔습니다. 자기의 관점으로만 세상을 바라보지 말라고 조언합니다. 자신 안에 중용의 마음이 온전하게 자리할 때 '있는 그대로 바라봄'은 가능해집니다. 중용의 마음은 집착함이 없을 때 생겨날 수 있습니다. 중용의 마음으로 삶을 사는 사람에게는 집착함이 생겨나기 어렵습니다.

저는 지금 잘 살고 잘 죽기 위한 방법에 관한 이야기를 풀어가고 있습니다. 하지만 삶에는 정답이 없습니다. 이것이 잘 살고 잘 죽기 위한 '정답'은 아닙니다. 그냥 모범적인 답 중 하나일 뿐이지요.

욕심과 집착을 내려놓기 위해서, 잘 살고 잘 죽기 위해서 제가 발견한 이상적인 답안은 자기 몸을 지금보다 좀 더 순화시키는 것입니다. 제가 발견한 가장 좋은 방법은 자기 몸을 지금보다 좀 더 조화롭게 하는 것입니다. 몸이 순화되고 조화로워지면 마음 역시 순화되고 조화로워집니다. 에고와 영혼의 소통이 순조로워집니다. 삶이 자연스러워져서 잘 살아집니다.

그리고 영혼은 때가 되면 자연스럽게 몸을 떠날 수 있습니다.

여섯, 집착을 내려놓기 위해서는

무언가를 행하려면 행위에 앞서 먼저 마음을 내야 합니다. 그 행위에 대한 당위성이 있다면 마음먹기는 더 쉬워집니다.

집착은 삶의 고뇌를 일으키는 중요한 주범입니다. 집착은 마치 어깨에 짊어진 짐 같은 것입니다. 집착의 강도가 강할수록 그 짐의 무거움은 더해집니다. 강한 집착이든 약한 집착이든 간에 어깨의 짐을 내려놓을 수 있다면 삶이란 여행은 가뿐해지겠지요.

지금 잘 죽기 위한 이 책장을 넘기는 분들이라면 집착을 내려놓을 마음의 준비가 되어 있을 것이라 여겨집니다.

마음을 먹었으면, 이제는 직접 몸을 움직이는 실행입니다. 몸을 움직여 좌우상하 에너지의 치우침을 바로 잡아야 합니다. 몸을 조화롭게 해야 합니다.

인체의 에너지가 쏠림 없이 조화로워지면 집착하는 마음도 점차 힘을 잃기 시작합니다. 집착하는 마음이 약할수록 마음은 여유로워집니다. 또한 삶은 자연스러워집니다. 그리고 그만큼 잘 죽을 수 있습니다.

일단 마음을 먹고, 행동으로 옮기기만 하면 자연스럽게 그렇게 되어 갑니다.

몸이 조화롭게 순화되어 있는 사람은 집착이 잘 일어나지 않습니다. 하지만 어떨 때는 삶 속에서 집착 에너지가 필요할 때가 있습니다. 그때는 의도적으로 의지를 기울여야 비로소 집착하는 마음이 나오게 됩니다. 그러면 그 순간에는 틀림없이 에너지 치우침이 생깁니다. 에너지가 치우치면 몸도 따라서 치우쳐지고, 그 치우침이 자리 잡으면 집착하는 마음도 자리를 잡습니다.

딱히 어딘가에 집착하는 마음이 없으면 우울함이나 위축감, 미련이나 질투, 시기심 같은 감정들이 맥을 못 춥니다. 삶을 혼란스럽고 힘들게 하는 격한 감정 속에서 괴로워할 일이 거의 없어집니다. 삶은 경쾌하고 평온해집니다.

일곱, 집착 내려놓는 '몸 실천 방법'

리듬 있게 춤추기

리듬 있게 몸을 흔들면 혈액 순환이 좋아집니다. 몸에도 활력이 생겨 납니다. 날카로워져 있던 신경은 둥글둥글 부드러워집니다. 그만큼 몸은 가벼워지고 심리적으로 편안해집니다. 율동적인 움직임은 마음을 어딘가에 매임 없이 자연스럽게 흐르게 합니다. 마음이 흘러가면 집착함도 흘러갑니다.

'리듬 있게 추는 춤'의 효과는 앞선 맺힌 마음 풀어내기의 '막춤 추기'와 비슷합니다.

몸의 율동에 마음을 맡기다 보면 깊이 억압되어 있던 마음이 풀리기도 합니다. 이 마음의 풀림은 때로 눈물 또는 웃음 등을 매개 삼아 바깥으로 드러나기도 하지요. 그러고 나면 가슴속이 시원해지면서 마음의 해방감을 느끼게 됩니다.

리듬 있게 추는 춤을 글로 설명하려니 좀 어렵군요. '고정된 형식을 갖추지 않은 율동적인 움직임' 정도로 설명할 수 있겠습니다. 고정된 형식은 또 다른 심리적 부담으로 작용할 수 있으니 배제하면 좋습니다.

제 경험으로는 인디언 춤이 괜찮았습니다. '인디언 춤'은 일정한 리듬은 있되 형식이 특정되어 있지 않더군요. 이 춤을 앞선 장 '맺힌 마음 풀기' 편의 실천 방법인 막춤 추기로 이용해도 좋습니다. 네트워크 동영상을 참고 하시길 바랍니다.

형식이 부담 없다면 '잘 짜인 형식'이란 테크닉을 적절히 활용해도 좋습니다. 라인댄스가 그 예라 하겠습니다. 이 댄스는 형식에 과함이 없고 몸에도 별 무리가 없어 보이더군요. 그러니 누구나 실천할 수 있으리라 생각됩니다.

춤추기는 인체의 신경계통을 안정시키고 내분비계통을 건강하게 합니다. 신경과 내분비계통을 잘 보듬고 심장을 적당히 자극하면 집착에 의한 정서적 심리적 문제를 없애는 데 상당한 도움이 됩니다.

춤추기는 가벼운 유산소 운동도 되니 심장과 폐를 적당히 자극할 수 있습니다. 유산소 운동은 혈액의 흐름을 원활하게 하여 몸의 순환 기능을 좋게 합니다.

하지만 집착을 생겨나게 한 근본적인 원인인 '인체 에너지 쏠림'을 해소하기는 부족합니다. 다음의 방법으로 이 문제들을 해결합니다.

절 운동법(절하기 명상법)

절 운동은 인체의 좌우상하 에너지 흐름을 조화롭게 합니다. 또한 인체의 중심축을 바로 세워줍니다.

집착은 심리적 에너지가 어느 한쪽으로 과도하게 쏠리는 현상입니다. 인체 좌우가 균형 잡히면 좌우 에너지 쏠림이 바로잡힙니다. 인체의 중심축은 마음의 중심과도 통합니다. 마음의 중심이 바로 잡혀있으면 심리적으로 한쪽으로 과도하게 쏠리거나 하게 되질 않습니다.

섰다 앉았다 엎드리기를 반복하는 절 운동은 육체적 이점 역시 상당합니다. 몸의 혈액 순환이 좋아집니다. 내장을 가볍게 압박함으로써 내장을 건강하게 합니다. 척추를 바르고 건강하게 합니다. 다소 빠르게 한다면 하체와 허리도 강화할 수 있습니다.

일상의 나(에고)는 삶 속에서 늘 상 자신의 존재감을 드러내고자 하는 경향이 있습니다. 에고의 과시적 경향은 무언가를 고집한다거나 무엇을 소유하고자 하는 집착 같은 형태로 잘 드러납니다.

고집과 집착이 커질수록 삶 속 부딪침은 많아지고 심리적 괴로움도 늘어납니다. 잘 살기 어렵습니다. 잘 죽기도 힘들어집니다.

상체를 깊이 숙이며 절을 하면 겸손한 마음이 생겨납니다. 겸손한 마음은 에고의 과시하려는 경향을 순화시켜 줍니다. 겸손한 마음은 곧 소박함으로 이어집니다. 마음이 겸손하고 소박하면 고집스러움이나 집착함 같은 덩어리진 에너지들이 부들부들 해집니다. 삶에 초연해집니다. 죽음에 자연스러워집니다.

<방법>

① 양발을 모으고 서서 가슴 앞에 '허심 합장(虛心合掌)' 합니다.

☞ 합장의 종류

* '견실심합장(堅實心合掌)' 또는 '유심합장(唯心合掌)': 합장을 할 때 손바닥을 완전히 밀착시키는 합장. 이것은 마음(정신)을 하나로 모아 집중한다는 의미입니다. 모든 것은 오직 마음에서 비롯된다는 의미이기도 합니다.

* 허심합장(虛心合掌): 손바닥 중심 부분을 떨어지게 해서 양 손바닥 사이 공간을 만들어 놓은 합장입니다. 손바닥 사이의 공간처럼 가슴속에 비워진 공간을 만들어 마음을 허허롭게 한다는 의미입니다. 가슴속이 비워진 듯한 느낌은 마음을 허허롭게 하기 좋은 육체적 상태입니다.

* 금강합장(金剛合掌): 손가락을 깍지 낀 상태의 합장. 의지의 굳건함을 의미하는 합장입니다. 또한 불이(不二), 분별 없음, 차별 없음을 상징합니다.

② 가슴 앞에서 합장한 손을 아랫배로 이동시킵니다. 손바닥을 견고하게 밀착(유심합장)시키고 양 허벅지와 엉덩이를 단단하게 조여 다리를 견고하게 합니다.

③ 합장한 양손을 몸 옆 좌우로 펼쳐 주면서 골반을 앞으로 밀어주고, 상체를 가볍게 뒤로 젖혀줍니다.

④ 양손을 크게 휘돌리며 올려 머리 위쪽에서 다시 유심 합장을 합니다. 이때 상체는 뒤로 젖혀진 상태입니다.

⑤ 뒤로 젖혔던 상체를 바로 한 후, 합장한 손을 깍지 껴서 손바닥이 정수리를 향하게 하여 정수리 쪽으로 가져옵니다.

⑥ 발뒤꿈치를 들어 올려 발끝 부분으로 서면서, 머리에서 깍지 낀 양손을 뒤집어 기지개 켜듯이 뻗어줍니다.

⑦ 들어 올렸던 발뒤꿈치를 바닥에 내려놓으면서 깍지 낀 손을 풀어 미간 앞에서 합장합니다.

⑧ 합장한 양손을 가슴으로, 이어서 아랫배로 이동시킵니다.

⑨ 무릎을 꿇고 앉으면서 상체를 숙여 엎드려 절합니다.
   ☞ 절할 때는 양 엄지발가락을 서로 맡 닿게 합니다. 교차하지 말고

⑩ 앞으로 숙였던 상체를 일으켜 세워 양손을 명치 부근 가슴 앞으로 가져가 손바닥 사이에 공간을 만들어 '허심 합장' 합니다.
이때 숨을 들이쉬었다가 '하~' 또는 '허~'하며 한 번 더 짧게 토해 냅니다.
   ☞ '하~'하고 숨을 토해내는 것은 마음을 드넓은 평원처럼 활짝 열라는 의미이며
   '허~'하고 숨을 토해내는 것은 마음을 비우고 허허롭게 한다는 의미입니다.

⑪ 몸을 일으켜 세워 '②번 자세'로 돌아가서 반복합니다.

☞ 절 운동은 최소 10회 정도 이어서 반복합니다. 마지막 절을 한 후에는 몸을 일으켜 세운 후,

　　가슴 앞에서 허심 합장하여 처음 1번 자세로 마무리합니다.

간단한 신체 정렬법

몸의 골격을 바르게 하는 것은, 건강을 유지하는 첫걸음이기도 합니다. 몸을 바르게 하는 방법들은 앞선 졸저 『영혼을 살리는 몸』에서 자세히 다루어 본 적이 있습니다.

비틀어진 골격을 바르게 하는 것은, 어렵지는 않지만 제법 많은 시간이 필요합니다. 또한 꾸준한 반복이 필수적입니다. 인내가 필요한 부분입니다.

여기서는 짧고 간단하지만, 효과적인 방법을 소개하겠습니다. 평소에 신체 유연성을 위한 간단한 스트레칭을 병행해야 좀 더 좋은 효과를 볼 수 있습니다.

① 큰대자로 드러눕기

→ 큰대자로 드러누워 팔과 다리를 좌우로 흔들흔들 흔들어 주고, 머리는 좌우로 가볍게 흔들어 줍니다. 온몸 가득 숨을 들이쉬었다가 '아~하~' 소리를 내면서 숨을 내던지듯 던지며 내쉽니다. 이때 온몸을 바닥에 내팽개치는 느낌으로 힘을 좌악 빼줍니다.

② 좌우구르기

→ 양다리를 가슴 앞으로 구부려 모아 양손으로 무릎 아래 정강이 부분을 깍지 낀 손으로 감싸 잡고 좌우로 뒹굴뒹굴 굴러줍니다.

③ 누운 개구리 자세

→ 정강이 부분을 감싸 잡았던 손을 풀어 깍지 낀 손 그대로 머리 위쪽 바닥에 내려놓습니다.

무릎 벌리며 발바닥을 서로 붙여 그 상태 그대로 발을 바닥에 내려놓습니다.

☞ 이 상태에서 좌우 어깨 부분과 좌우 골반 부분에 긴장을 가만히 풀어봅니다. 좌우 어느 쪽 긴장이 더 잘 풀리거나 덜 풀리거나 하는 것이 느껴질 수 있습니다. 균일하게 긴장을 풀어야 합니다.

→ 무릎을 아래위로 흔들흔들 흔들어 주며 골반 관절 부분을 가볍게 자극해 봅니다.

☞ 좌우 골반 흔들림이 서로 균일해야 하지만, 골반 부분이 틀어져 있거나 좌우 힘의 배분이 다르면 균일하지 못하게 엇박자로 흔들리는 것이 감지됩니다.

④ 전신 기지개 켜기

→ 턱을 가슴 쪽으로 당겨 목 뒷부분(목뼈)을 길게 늘여줍니다.

→ 양다리를 바르게 뻗어줌과 동시에 깍지 낀 손을 뒤집어 뻗어 늘여 기지개를 켜줍니다.

☞ 기지개 켤 때는 양팔과 다리 전체를 늘리며 골반과 갈비뼈가 서로 멀어지게 합니다. 그다음 척추 마디마디를 서로 멀어지게 하며 충분히 늘여줍니다.

⑤ 앞뒤 구르기

양다리를 모아 양손을 깍지 껴서 오금 위 허벅지를 감싸 안고, 앞뒤로 뒹굴뒹굴 굴러줍니다. (10~15회)

※ 위 순서로 총 3세트 반복합니다.

몸통 돌리며 팔 휘돌리기, 상하 진동운동, 누워 손발 들어 털기

① 어깨너비로 서서 몸통을 좌우로 돌리며 동시에 양팔을 좌우로 흔들어 옆구리 부분을 부딪쳐 줍니다. 좌우 왕복 10회

② 몸통을 좌우로 돌리며 동시에 양팔을 좌우로 흔들어 어깨 근육(승모근)부분을 부딪쳐 줍니다. 좌우 왕복 10회

☞ 옆구리와 어깨 근육을 부딪칠 때마다 입으로 숨을 '후', '후'하며 토해 줍니다. 숨을 토해내며 마음속에 담아 두었던 감정(집착)들을 모두 토해낸다고 마음먹어야 합니다.

③ 편한 넓이로 바르게 섭니다. 어깨는 축 늘어뜨리며 온몸에 힘을 빼줍니다.

④ 입은 가볍게 버려놓고 무릎을 가볍게 접었다 펴며 몸통을 아래위로 움직여 줍니다. 마치 스프링이 접혔다 펴졌다 반복하는 것처럼. 5분~15분 정도 반복합니다.

☞ 상하로 흔들어 털며 마음속에 담아 두었던 집착하는 감정들을 모두 털어낸다고 마음먹어야 합니다.

☞ '집착함'은 집착을 모두 버려야겠다는 마음을 먹지 않으면 절대 내려놓아지지 않습니다. 마음을 먹고 적절한 방법으로 몸을 이용해 움직이면 집착을 빠르게 털어낼 수 있습니다.

⑤ 상하 진동운동을 행한 후, 멈추고 서서 잠시 안정시킵니다.

⑥ 그 자리에 드러누워 팔다리를 위로 들어 올려놓고 팔다리를 후들후들 흔들어 줍니다. 마치 손발을 탈탈 털 듯이. 30초 이상.

⑦ 흔들어 털고 나서 잠시 멈추었다가, 바닥으로 팔다리를 툭 떨어뜨립니다. 온몸 가득 숨을 들이쉬었다가 '아~하~' 소리를 내면서 숨을 내던지듯 던지며 내쉽니다. 이때 온몸을 바닥에 내팽개치는 느낌으로 힘을 좌악 빼줍니다.

명상법
바람에 실어 날리고 물에 실어 흘려보내기.

명상법 1
서서 양손을 좌우로 활짝 펼쳐 들고 고개를 약간 들어준 다음에 시원한 바람이 가슴을 관통한다고 상상하세요. 그리고 마음이 허공을 자유롭게 가로지르는 바람처럼 자유로워진 것을 상상하며, '나는 바람처럼 걸림 없이 자유롭다'라고 마음속으로 외쳐보세요.

명상법 2
쇼파에 몸을 파묻고 전신의 긴장을 모두 풀어 놓고 계곡물이 되어 흘러간다고 상상하며, '나는 물처럼 자연스럽다'라고 마음속으로 외쳐보세요.

이 명상법은 간단하면서도 어렵습니다. 내가 자유로워지려면 남에게도 자유로워짐을 허용할 수 있어야 합니다. 내가 자연스러워지려면 남에게도 자연스러워짐을 허용할 수 있어야 합니다. 이러한 허용이 가능하다면 간단하지만, 그렇지 않다면 어렵게 느껴집니다.

누구나 언젠가는 이러한 마음을 갖게 되겠지만, 너무 어렵게 느껴진다면 이 방법은 잠시 미루어도 됩니다. '언젠가'는 때가 되면 다시 찾아옵니다.

바람처럼 걸림 없는 자유로움은 적절한 조절과 적당한 통제가 동반되어야 합니다. 적절한 조절과 통제가 되지 않는 자유는 산만합니다. 산만하니 혼란스러워지기 쉽습니다. 자칫하면 혼돈 속에 내 던져져서 자신을 황폐하게 할 수도 있습니다.

네 번째 이야기
죽음에 대한 두려움 없애기

죽음이 두려운 이유는 무엇일까요?

죽음이 두려운 이유는 아마도 죽음이 무엇인지 모르기 때문이겠지요, 죽음을 알려면 죽어봐야 합니다. 죽음을 알면 죽음을 두려워할 이유는 없습니다. 죽으면 끝이니 죽어본다는 것은 불가능합니다. 죽었다 살아났다는 사람도 다시 살아났으니 죽어본 것은 아닙니다.

죽음은 몸에서 영혼이 완전히 분리되는 현상입니다. 그러니 완전히는 아니더라도 영혼을 분리해 볼 수 있다면 일시적으로나마 체험해 볼 수 있습니다. 그 체험을 통해서 죽음을 이해할 수 있습니다. 몸에서 영혼을 분리해 보는 체험은 누구나 가능한 일입니다. 그렇더라도 누구나 다 할 수는 없습니다. 필요한 환경 조성에 개인적 한계가 있기 때문입니다.

앞서 '2장의 두 번째 이야기'에서 죽음이 무엇인지 나름 설명해 놓았습니다. 그 설명이 죽음의 이해에 어느 정도는 도움이 되었으리라 생각됩니다. 어느 정도의 이해를 할 수 있으면, 그 어느 정도만큼 죽음에 대한 두려움을 없앨 수 있습니다.

죽음은 또 다른 삶으로 이어지는 하나의 통로입니다. 그런 의미에서 죽음은 다름이 아닌 삶의 일부입니다. 마치 잠이 하루의 일과인 것처럼 말이지요,

미래의 운명을 모른다고, 앞으로의 삶이 두려워 그 자리에서 꼼짝하지 못하는 일은 없습니다. 죽음이 두렵다고 죽음 앞에서 '정지'를 외치

며 서 있을 수는 없습니다. 만일 여러분이 죽음을 삶의 일부로 받아들일 수 있다면, 죽음을 편안하게 대할 수 있습니다.

죽음 후에도 나는 '나'로서 틀림없이 '존재'합니다. 또한 지금 살고 있는 세계처럼 죽음 후에도 각자에게 적합한 세계에 살게 됩니다. 그 세계는 '믿음 천국 불신 지옥' 같은 식으로 이어지지는 않습니다. 그러니 죽음을 두려워할 필요는 없다고 다시 한번 말씀드립니다.

초등학교 시절에 '이 세상에서 제일 무서운 귀신 이야기', '이 세상에서 제일 흉측한 괴물 이야기'라는 책을 너무너무 재미있게 본 기억이 있습니다. 지금 다시 그 책을 본다면 재미보다는 유치한 마음이 들겠지요.

'믿음 천국 불신 지옥' 같은 이야기는 유치해서 봐주기 어려운 소설입니다. 하지만 어쨌든 재미있게 보는 사람들도 아직 많이 있습니다.

하나. 사후에도 '나'는 생생하게 존재 합니다

사후에 '나'라고 하는 의식이 완전히 소멸하는 일은 없습니다. 또한 길을 잃고 방황한다거나 암흑 속에 내동댕이쳐지거나 하는 일도 없습니다. 현재 사랑하는 주변 사람들과 단절되어 영영 이별하는 일도 없습니다. 다만 현실이라 불리는 이 물질 세상에서만 이별할 뿐입니다.

육체의 시력으로 볼 수 있는 것들이 전부는 아닙니다. 우리는 눈으로는 볼 수 없는 원자의 세계를 특수한 현미경으로 볼 수 있음을 압니다. 물리적 감각으로 느껴지는 것이 전부라고 생각하기 쉽습니다. 하지만 이것은 '영혼으로 존재하던 나'가 육체라는 틀 속으로 들어감으로써 생겨난 에고적 시각일 뿐입니다.

우리는 이 세상에 나오기 전에 '영혼의 몸'으로 살고 있었습니다. 지금도 우리는 영혼의 몸으로 살고 있습니다. 물질의 세상과 영혼의 세상에서 동시에 살고 있는 것이지요. 우리는 각각의 세상에서 영혼의 몸과 에고의 몸으로 동시에 살고 있습니다.

여러분이 저세상으로 돌아가면 그 '나'와 만나게 됩니다. 마치 오랫동안 헤어졌던 부자, 모녀가 만나듯 그렇게 말이지요. 육체적 관점에서 보자면 그렇습니다.

비육체적 관점에서 본다면 지금의 나는 영혼의 나와 합쳐집니다. 물질 세상에서 나의 경험은 영혼의 내가 흡수합니다. 영혼 세계에 있던 영혼의 나는 이 경험을 흡수함으로써 자기 존재를 확장합니다.

이 세상에서 친구나 연인, 부모나 형제의 관계처럼 깊은 인연을 맺었던 사람들은 영혼의 몸으로 서로 다시 만납니다. 그렇지만 이 세상에서 인연을 맺었던 사람들 모두가 같은 영역에서 살지는 않습니다. 우리 각 존재는 성숙 정도가 모두 다릅니다. '나'는 각자의 성숙도에 맞는 세계에서 살아가게 될 것입니다.

유유상종은 물질세계에서나 영혼 세계에서나 모두 통하는 말입니다.

현대 물리학은 우주의 구성 요소 중 원자와 분자로 이루어져 인간이 인지할 수 있는 것은 대략 5% 정도에 불과하다고 말합니다. 나머지는 알 수 없는 암흑물질(약 26%)과 암흑에너지(약 69%)로 구성된 것으로 추정합니다. 이것은 눈에 보이는 부분이 다는 아니고, 오히려 지극히 일부분임을 확신하게 하는 근거를 제공합니다.

영혼은 없고 사후세계도 존재하지 않는다는 분들도 많이 있습니다. 우연히 죽음을 체험한 사람의 임사 체험담도 뇌 작용이 만들어 낸 거짓 정보라고 하면서 말이지요. 그렇다면 우리들이 사는 세상은 뇌가 만들어 낸 거짓 정보는 아닐까요? 어떤 사람이 뇌의 기능이 마비되어 볼 수도, 들을 수도, 맛볼 수도, 감촉을 느낄 수도 없다고 가정해 보십시오. 그러면 그 사람에게 이 세상이 존재한다고 할 수 있을까요?

우리가 꿈을 꿀 때 그 꿈은 뇌 작용으로 만들어진 상상과 창조의 산물입니다. 그런데 그 꿈에서 깨어나지 않는다면 꿈꾸는 사람은 그 꿈의 세상을 생생한 현실로 받아들입니다. 마치 영화 〈매트릭스〉에서처럼 말입니다.

둘, 천국과 지옥이라는 환상

지옥. 하도 많이 들어봐서 혹시나 죽고 나서 그런 곳으로 가는 것이 아닐까? 하는 막연한 불안감이 있을 수 있습니다. 특히 종교에서 강조해 온 지옥은 오랫동안 많은 사람을 두려움에 떨게 했습니다.

지옥을 강조하는 사람은 천국을 미끼로 신을 파는 장사꾼입니다. 신을 팔아 장사하는 것이 딱히 볼썽사나운 일은 아닙니다. '신'이라는 상품을 통해서 많은 유익함을 줄 수 있다면 말이지요.

지옥이라는 상품은 어느 정도 인류에게 유익함을 안겨다 주었습니다. 두려움 때문이라도 나쁜 짓을 삼가게 했으니까요. 하지만 지옥의 믿음을 심어주고 천국을 미끼로 주머니를 채운 것 역시 부인할 수 없는 사실입니다. 그 주머니는 지금도 계속 채워지고 있습니다.

지옥은 허상입니다. 지옥 운운하는 사람들이 지옥을 심령현상으로 겪었는지는 모르겠습니다. 그러니 그토록 자신 있게 말하는 것이겠지요. 하지만 그 경험은 스스로 만들어 낸 환상입니다.

소위 지옥이라고 불릴 수 있는 환경을 몇 번 경험해 본 적이 있습니다. 경험자로서 확실하게 말할 수 있는 것은 지옥은 만들어진 허상이라는 사실입니다.

"경험해 봤다며 뭔 말이래?" 하시겠지만, 저의 경험에 의하면 지옥이란 것은 다만 '악몽처럼 존재'하는 환상일 뿐이었습니다. 심령현상으로 지옥을 체험한 분들 역시 크게 다르지 않을 겁니다. 다만 그분들은 그 경험이 환상임을 알아채지 못한 것이지요. 지옥 체험 중에 두려움을 느꼈을 겁니다. 두려움에 빠지면 자기도 모르게 몸은 웅크려지고 사고는 정지합니다.

저는 지옥에 대한 믿음이 없었기에 심령현상으로써의 경험을 지켜볼 수 있었습니다. 두려움에 빠지지 않고, 거부하지도 않고 지켜봤습니다. 덕분에 약간의 여유가 있었던 모양입니다. 지옥 같은 환경을 겪는 중에 불현듯 '밝음과 변화'라는 인식이 생겨났습니다. 그 순간 지옥의 광경은 밝고 화려한 세상으로 바뀌더군요. 물론 이 역시 제가 만들어 낸 환상입니다.

지옥의 경험이 환상이 아니라면 내 자신의 의지로 그 세상을 순식간에 바꾸진 못했겠지요. 색달랐던 그 경험을 통해 지옥은 하나의 환상임을 알아챘습니다.

지옥뿐 아니라 천국 역시 마찬가지입니다.

"하느님 나라가 오는 것을 눈으로 볼 수는 없다. 또 보아라, '여기 있다' 혹은 '저기 있다'고 말할 수도 없다. 하느님 나라는 바로 너희 가운데 있다. (루카,17,21)"

만일 예수님이 지금까지 살아계신다면, "사탄이 지배하는 지옥의 나라는 너희 가운데(안에)에 있다."고 말씀하시겠지요. 지옥은 가르침의 방편입니다. 지옥이란 이미지를 통한 설명입니다. 악행 같은 어리석은 짓을 멈추게 하기 위한 방편입니다.

나라는 존재는 상대개념입니다. 내가 있어서 네가 있고, 네가 있으니 내가 있는 반드시 상대가 있어야 하는 상대개념입니다.

부처님은 이 상대개념을 넘어선 무분별지(無分別智)를 강조했습니다. 그렇다고 분별심을 배척하지도 않았지요. 분별심은 지혜를 얻기 위한 하나의 과정으로 꼭 필요한 것이기도 하기 때문입니다. (맺힌 마음편 '팔정도' 참고) 지혜로움과 어리석음을 분별하지 못할 때 생기는 문제 때문이지요. 사실 무분별지는 얻으려고 노력한다고 해서 얻어지는 것이 아닙니다. 다만 지혜를 온전히 체득했을 때 자연스럽게 얻어지는 것입니다. 무분별지를 이해함은 쉬운 일이 아닙니다. 불교의 대표적 인물인 달마대사는 무분별지를 체득한 존재입니다. 그와 관련된 일화가 있습니다.

달마대사가 인도에서 중국으로 건너갔을 때 전해지는 이야기입니다.
멀리 인도에서 고승이 왔다는 소식을 전해 들은 당시 중국의 황제 양무제는 달마대사를 찾아가 물었습니다.
"나는 수많은 절을 짓고, 경전을 간행하고, 스님들을 공양하며 불교를 후원했습니다. 이 공덕이 얼마나 되겠습니까?"
달마대사가 답합니다. "무(無)"
양 무제가 다시 묻습니다.
"무엇이 불교의 성스러운 진리입니까?"
달마대사가 답합니다. "무(無)"
양 무제가 마지막으로 묻습니다.
"그럼, 지금 내 앞에 선 당신은 어떤 분이십니까?"
달마대사는 역시 "무(無)"라고 대답하고는 휙-하고 떠나 버렸답니다.

지옥은 천국이라는 상대개념이 있어야만 존재할 수 있습니다. 즉, 지옥은 천국 가기를 갈망하는 사람들에게 존재하며, 천국은 지옥 가기를 두려워하는 사람들에게 존재할 수 있습니다.

굳이 천국이 존재한다면 내가 이 세상에 오기 전에 속해있던 곳이 아닐까? 합니다. '그 세상을 표현해 보시오!' 한다면 어렵습니다만, 그저 한 마디로 '선계(仙界)92) 같은 …'이라고 밖에는 드릴 말씀이 없음을 양해해 주시길 바랍니다. 그렇다고 내가 속해있던 곳이 천국과 같은 세상의 전부는 아닙니다. 극히 일부일 뿐입니다.

그 세상은 누군가를 믿거나 구원을 받거나 해야 갈 수 있는 곳은 아닙니다. 종교적으로 충성스러운 자질을 가지고 있다고 해서 갈 수 있는 곳도 아닙니다. 그러니 종교의 수도자나 종교적 삶을 충실하게 산 사람이라 하더라도 모두 천국 같은 곳에 가는 것은 아니지요.

다만 올바른 종교적 삶93)을 살았다면 천국이라고 하기에 충분한 조건을 갖춘 곳에 있게 될 것입니다. 누구라도 선량한 삶을 살았다면 죽음 후 안온한 환경을 마주하게 될 것입니다. 그곳 역시 천국 같은 곳으로 인식될 것입니다.

천국과 지옥은 결코 종교적 산물만은 아닙니다.

내가 속해있던 곳은 스스로 노력으로 몸을 순화시키고 마음을 온전하게 하여 내면의 영적인 부분을 밝혀야 갈 수 있는 세상입니다. 궁극적인 선(善)을 추구해야 갈 수 있는 그런 세상입니다.

궁극적인 선, 참된 선(善)은 무엇일까요? 이 '선'은 악에 대한 상대

---

92) 사전적으로 신선이 사는 곳, 또는 속세를 벗어난 깨끗한 곳이라는 상상 속의 세상입니다. 그 세상의 모습은 각자의 상상에 맡기도록 하겠습니다.

93) 올바른 종교적 삶이란 어떤 것일까요? 자비로운 마음과 나와 남을 서로 사랑하는 마음으로 사는 삶이 아닐까요. 그러기 위해서는 마음을 온전하게 해야 합니다. 자신이 하는 말과 행위와 사유를 명철하게 성찰해야 합니다. 그리고 소박한 마음으로 주어진 삶을 기꺼이 받아들일 수 있어야 합니다. 분별과 판단을 섣불리 하지 말고 중도적인 입장에서 바라보아야 합니다. 모든 것을 공정하고 평등하게 대해야 합니다. 그럼으로써 자신의 본질인 영적인 부분을 밝게 해야 합니다.

개념으로써의 선은 아닙니다. 선을 추구하는 삶이란 무엇인가에 대해서 쉽게 정의 내리기는 어렵습니다. 애써 정의해 보자면, '좋다. 싫다.', '붉은색이다. 아니다.', '옳다. 그르다.' 같은 이분법적이고 이중적 잣대로 판단함 없는 삶. 겸손하고 소박한 중도적인 삶. 주어진 삶을 기꺼운 마음으로 받아들이는 삶. 나를 있는 그대로 받아들이는 삶. 나와 남을 이롭게 하는, 사랑하는 삶을 사는 것이 아닐까? 합니다.

지옥은 악행을 방지하기 위한 하나의 방편으로 만들어졌습니다. 천국은 선행의 장려를 위한 방편으로 만들어졌구요. 선량한 지향으로 만들어진 이런 개념을 종교는 권력 강화의 도구로 사용하기도 했습니다. 일부 종교인들은 자기 잇속을 채우기 위해 강조하고 유지해 왔습니다. 두려움을 조장하면 지배하고 통제하기가 쉬워지는 법이니까요.
정치가들은 때때로 전쟁에 대한 우려나 불안감을 강조하면서 자신들이 지배하기 좋은 사회적 환경을 조성하곤 합니다.
당근과 채찍을 잘 사용하는 마부는 말을 원하는 방향으로 수월하게 몰고 갑니다. 천국과 지옥은 종교 지도자들이 종교인들을 다루는 데 아주 요긴한 개념으로 이용해 왔습니다.
옛 시절에는 하늘나라가 실제로 하늘 높이 구름 위에 존재한다고 믿었습니다. 지금 우리는 구름 위 너머에 우주공간이 존재할 뿐임을 압니다. 앞으로 과학 문명과 인간들의 의식 수준이 발달해 가면 천국과 지옥의 개념은 맥을 못 추게 될 것입니다. 그러면 종교의 형태는 지금과는 완전히 달라지겠지요.

'초월적 절대자의 힘에 의존하여 인간 생활의 고뇌를 해결하고 삶의 궁극적 의미를 추구하는 문화적 체계.' 종교의 사전적 의미입니다.

동양에서 종교(宗敎)의 종(宗)은 '으뜸 또는 근본'을 의미합니다. 교(敎)는 '가르침'을 의미 하구요, 그러니까 '으뜸이나 근본이 되는 가르침.'이라는 의미입니다.

서양에서 사용하는 라틴어에서 유래한 Religion(종교)은 '다시 안다, 떨어져 있는 것을 다시 묶는다, 다시 선택한다'라는 뜻입니다.

종합해 보면, 종교란, '잊었던 진리, 으뜸 되는 근본적 가르침을 찾아 알고 선택해서 잃어버린 신성함을 되찾는다.'라는 의미로 이해할 수 있습니다.

인간 존재들에게 가장 으뜸 되고 근원적인 가르침은 무엇일까요? 잊었던 진리와 잃어버린 신성함은 무엇일까요? 절대자에게 의지하게 하고 복종하게 하는 지금의 종교적 가치는 아니라고 여겨집니다.

천국이나 지옥은 특정한 형태로, 별도로 존재하는 그런 곳이 아닙니다. 그렇다고 앗싸! 하고 좋아하긴 이릅니다. 어떤 행위에는 틀림없이 그 행위에 의한 결과가 생기기 마련입니다. 그리고 그 결과에 따른 합당한 책임을 지게 되어 있습니다. 죽음 이전이든, 이후든, 다시 태어나서든 그 책임은 스스로 감당해야 합니다. 하지만 그 책임에 대한 대가가 사후 지옥 같은 형벌로 주어지는 것은 아닙니다. 천국 같은 선물로 받게 되는 것도 아닙니다. 하지만 마음속에 지옥이나 천국의 관념이 강하게 자리 잡고 있다면, 그런 개념을 염두에 두고 삶을 살아왔다면 죽어서 그러한 상황을 경험하는 것은 가능해집니다.

셋, '신성 모독'이라고?

창조주 '하느님'은 우주 에너지의 원형입니다. 창조주의 의식은 존재하는 모든 의식들의 원형적 의식입니다. 이 원형의 의식 속에는 차별

없이 모든 것이 뒤섞인 채 하나로 압축되어 있습니다. 그 의식 속에는 선과 악의 분별이 없고, 기쁨이나 슬픔, 고통이나 쾌락의 분별도 없습니다. 정서나 감성, 감정도 없습니다.

신성(神聖)94) 모독 운운하는 사람들 역시 지옥 운운하는 사람들처럼 종교적 장사꾼입니다. 왜냐하면 모독당하는 신성(神聖)이란 없기 때문입니다.

신성 모독이란 말은 일부 종교인들이 편협한 사고와 믿음에서 비롯된 것입니다. 자신의 종교적 가치에 절대적 권위를 부여하고 그 권위를 기반으로 권력을 쌓은 후, 그 권력을 지키기 위한 수단으로 사용하는 용어일 뿐입니다. 누군가 자신의 종교에 거슬리는 말이나 행동을 했을 때, "그런 말이나 행동은 신성 모독이야! 신을 모독하는 자는 큰 벌을 받을 거야" 하면 만사 '오케이'일 테니 말이지요. 창조주 신이 있는데 그 신이 모독을 느낀다면 그 신은 더 이상 신성함의 지위를 누릴 수 없습니다.

참된 신은 '나는'이 없습니다. '고정된 나'라는 관념이 없습니다. 그러므로 오만과 독선도 없으며 시기와 편견도 없고 분노도 없습니다. 신이 모독당한다는 설정은 자신이 느끼는 모독감을 신도 느낄 것이라는 생각 때문에 생겨난 것입니다. 신은 에고적 존재가 아닙니다. 그러니 에고적 차원의 생각이 없습니다.

---

94) 신성(神聖)이란 사전적으로 '신의 거룩하고 성스러움'을 뜻합니다. 거룩하고 성스러움이란 범상한 경지를 넘어 고결하고 위대하다는 의미이지요. 그러므로 신성(神聖)이란 범상한 경지를 넘어선 고결하고 위대한 신을 말합니다. 신은 존재하는 모든 것이며 우주 에너지의 원형입니다. 이런 측면에서 보자면 이 우주 안에 고결하고 위대하지 않은 것은 없다고 할 수 있겠군요.
우주 안의 모든 것은 고결하고 위대한 신의 원리 안에서 존재합니다. 고결하고 위대한 신은 특정한 특징을 가지고 있는 것은 아닙니다. 모든 것을 품은 무한함, 그 자체입니다.

'영원불멸.' '무한.' '전지. 전능.' 신의 대표적 속성입니다. 이 속성을 지닌 신이라면 모독을 느끼는 감정이 있을 수가 없습니다. 아니 모독이라는 개념조차 가질 수 없습니다. 모독감이나 모멸감은 우리 영혼에도 없습니다.

만일 '어떤 신'이 모독감을 느낀다면, 틀림없이 그 신은 인간에 의해서 '만들어진 신'입니다. 영혼보다도 못한 유일신의 발 끝자리조차 차지할 수 없는 거짓된 신입니다.

사람들은 모두 각자의 견해를 가지고 있습니다. 이 견해는 지금까지의 삶 동안의 환경이나 습득된 지식, 경험 등을 거치며 생겨납니다. '나의 삶'이라는 범위는 언제나 한정적입니다. 나의 삶을 통해서 갖추게 된 나의 견해는 '나의 삶의 범위'라는 한정됨을 떠안을 수밖에 없습니다.

하나만 배워도 둘, 셋을 아는 경우가 있긴 하지만, 나의 삶의 범위가 편협하다면 그에 따른 판단 역시 편협합니다. 천국이나 지옥, 신성 모독에 대한 견해가 그렇습니다. 저 역시 편협함을 가지고 있습니다. 그러니 '당신 자신의 편협함이 천국과 지옥, 신성 모독은 없다는 결론에 도달한 거야'라고 말해도 할 말은 없습니다.

신은 판단하지 않습니다. 판단하려면 어떤 기준이 있어야 합니다. 영역을 정하려면 경계가 필요합니다. 만일 판단 하는 신이라면 그 기준과 경계 속에 있는 형국이 되어 버립니다. '유한함' 속에 갇혀 버립니다. 그러면 신은 더 이상 무한함이란 영광을 누릴 수 없습니다. 유일신이라는 영광도 누릴 수 없습니다. 어딘가에 자신보다 더 큰 유한함이나 무한함이 존재할 테니까요.

유대교에서는 신의 이름을 부르지 않는다고 합니다. 신의 이름을 부르는 것을 불경하게 여기기 때문이라지요. 이것만 두고 보자면 신의 무한성에 대해서만큼은 유대교가 잘 이해하고 있다는 생각이 듭니다.

존재하는 모든 것, 우주 에너지의 원형인 신은 자신을 한 점으로 응축시켰다가 스스로 폭발시켰습니다. 그럼으로써 수없이 많은 조각으로 분산, 분화했습니다. 그리고는, 끝 모를 무한함을 향해 스스로 확장해 가는 중입니다. 그리고 앞으로도 이 확장은 계속 이어질 것입니다.

신은 그저 허공 한 편으로 스스로 무한하게 펼쳐 놓은 채, 있는 듯 없는 듯 공기처럼 투명하게 존재할 뿐입니다. 바람 같은 자유로움으로 무한한 창조력을 품에 안고서 스스로 끝없이 확장해 가면서.

넷, 염라대왕의 거울, 심판의 저울

육체를 벗고 저세상으로 가면 지금의 사유체계는 사라집니다. 물질 육체적 관점은 사라집니다. 순수한 정신적 관점에서의 사후 삶을 체험합니다.

이생을 마치고 저세상으로 가면 누구나 자신의 지난 삶을 숙고하는 시간을 갖습니다. 사후의 삶은 정상적인 경우, 이전 삶 속 행위의 느낌을 돌아보고 행위의 결과들을 살펴보면서 시작합니다. 자신의 지난 행위에 대한 명철한 성찰에서 시작합니다.

물질세계에서 살던 중에 자기 말과 행동이 주변에 어떤 영향을 미쳤는지, 어떤 결과를 초래했는지를 면밀하게 살핍니다. 철저하게 중립적인 관점에서 살핍니다.

지난 삶 속에서 마음의 맺힘이나 고집, 집착 등의 문제들을 어떤 태도로 받아들였는지, 어떤 방식으로 해결했는지를 숙고합니다. 그러면서 그런 삶의 경험 중에 일어나는 느낌을 성찰합니다. 만일 나로 인해서 누군가 아픔을 겪었다면 자신의 그릇된 태도나 행동에 대해서 돌이켜 보게 될 것입니다. 누군가의 강요 없이 스스로 말이지요.

이것은 죽음 이후 영혼 상태에서는 누구나 겪는 아주 자연스러운 과정입니다. 죽음 후 우리는 에고적 차원이 아닌 영적 차원의 관점으로 모든 것을 바라봅니다. 그 관점은 육체의 간섭을 받지 않으므로 지극히 중도적입니다.

이 성찰의 시간 중에 육체적 삶에서 적절하게 대처하지 못했다고 생각되는 문제들을 되짚어 봅니다. 필요하다면 그 적절성과 관련한 조언을 듣는 배움의 자리에 있게 될 것입니다. 종교인들이 심판자로 이해하고 있는 신은, 이때 오직 배움을 위한 조언에 관여할 뿐입니다. 이 같은 상황이 판관의 거울 앞에서 판결을 기다린다는 이야기로 전해져 왔습니다. 한편으론 저울의 무게를 통해서 판단하는 것으로 전해지기도 했습니다.

간혹 이런 판단의 결과에 대한 영화가 상영되기도 합니다. 지옥에 떨어지거나 천당에 가거나 하는 식으로 말이지요. 하지만 이런 일은 일어나지 않습니다. 강제되거나 강요 되는 사후 삶은 없습니다.

다만, 지난 삶에서 그릇된 행동에 대한 책임감을 느낍니다. 그 그릇된 행동의 결과를 어떤 식으로 보상할지를 결정합니다. 이러한 부분이 한편으론 염라대왕 같은 존재에 의한 판결이라고도 할 수 있겠군요. 상징적으로 말이지요.

앞선 삶의 전반적 사고방식은 관성처럼 작용할 것입니다. 만일 여러 생을 비슷한 유형으로 살았다면 삶을 관통하는 그 사고방식은 중력과 같은 끄달림으로 작용할 것입니다. 이런 작용하는 힘들은 이후의 삶에도 역시 계속 영향을 미칩니다.

사후 삶 역시 이생의 삶과 마찬가지로 배움의 삶입니다. 그렇다고 주구장창 배우기만 하지는 않습니다. 이 세상에서 우리는 일도 하고 휴가도 가고 공부도 하고 놀기도 합니다. 저세상의 삶 역시 크게 다를 바는 없습니다. 다만 이 세상에서는 육체의 감각을 통해서 자극적이고 거칠게 느끼지만, 저세상에서는 육체 감각이 배제된 정신적, 관념적 느낌으로 경험합니다. 이 느낌은 꿈속에서 경험하는 느낌을 생각해 보면 이해에 도움이 될 듯싶습니다.

우리네 삶은 누군가에 의한 심판으로 결정지어지는 것은 아닙니다. 우리는 삶의 배움을 통해서 자기 존재의 역량을 키워나가는 중입니다. 역량이 커갈수록 삶을 바라보는 시각이 다양해집니다. 삶의 포용력과 창조력도 커갑니다. 그러면서 우리 존재는 의식을 확장해 가고 있습니다. 의식의 확장은 우리들이 존재하는 이유이기도 합니다.

창조주 신(우주)의 일부분인 우리는 전체가 되고자 하는 욕구가 있습니다. 이 욕구는 끊임없이 자신을 확장하게끔 인도하는 원천입니다. 앞선 삶에서의 부족한 부분을 채우고, 부실한 부분을 보완하면서 우리 존재는 성장하고 있습니다. 그러면서 자신의 의식을 확장해 가고 있습니다.

필요하면 언제나 조언자가 관여합니다. 이 조언자는 자신보다 훨씬 성숙한 존재이며 선생 같은 역할을 하는 존재입니다. 이러한 존재를 누군가는 신으로 인식할 수 있습니다. 자신 안에 절대자(유일신)에 대한 확고한 관념이 있는 사람들이라면, 이 존재를 신으로 인식합니다. 이 사람들은 고차원으로부터 흘러나오는 울림을 '신'의 목소리로 인식합니다.

이후, 각자의 필요성에 의해서 이 물질 세상에 다시 돌아옵니다. 대부분은 다시 태어날 것입니다.

다섯, 사후세계의 주인은 바로 자신입니다

한집에 사는 가족들이 집에 대한 꿈을 꾼다면 집 모양을 모두 다르게 봅니다. 심지어는 꿈꾸는 당사자조차 집의 형태는 매번 다르게 보이지요. 이것은 비단 꿈속에서만 일어나는 현상은 아닙니다. 현실에서도 이와 비슷한 상황은 벌어집니다. 여럿이서 같은 경험을 하더라도 각각은 그 경험을 서로 다르게 해석하고 받아들입니다. 꿈의 현상이나 삶의 경험에 대한 서로 다른 인식처럼, 육체가 없어지면 각자 눈앞에 펼쳐지는 광경이 달라집니다.

삶의 경험을 인식할 때는 반드시 지성적인 부분과 감성적인 부분이 같이 작용합니다.

죽음 후 육체를 벗어나면 사람들은 자신만의 사후세계를 경험합니다. 사후 경험되는 세계는 물질 삶을 사는 동안의 지성적, 감성적 습관에 영향을 받습니다. 앞선 삶의 지성적, 감성적 습관에 기대어 체험하는 것이지요.

육체를 벗어난 상태에서는 시간의 제약을 받지 않습니다. 또한 물체는 특정한 공간을 점유한다는 물질 공간의 개념도 없어집니다. 물리적 시간과 공간 개념에 대한 속박 없이 자유로운 상태에서는 생각이 바로 현실로 나타납니다. 평상시에도 우리는 꿈속에서 이런 일을 하고 있습니다.

여러분이 선량한 마음으로 삶을 살았다면, 사후에 선량함이 가득한 세상과 직면하게 될 것입니다. 파렴치한 마음으로 살았다면 파렴치함이 넘치는 세상과 직면하게 될 것입니다. 지혜로운 삶을 살면 그 지혜로움은 사후에도 이어집니다. 어리석음도 역시 마찬가지입니다. 여러분이 이생의 삶 동안 죄와 벌에 대한 관념에 집착하면, 사후 지옥이나 악마에 관한 경험을 하기가 쉬워집니다. 그 경험을 모두 자신이 창조할 것입니다.

꿈속 세상은 모두 자신이 창조한 것입니다. 선몽이든 악몽이든 모두 자신에게서 나온 것입니다. 그런 의미에서 우리는 모두 창조자입니다. 꿈을 꿀 때면 그 꿈의 현실을 실제라고 받아들입니다. 악몽이라면 의식은 고통을 겪습니다. 선몽이라면 의식은 즐거워합니다. 하지만 꿈은 깨어나기 마련입니다.

제 인식력과 경험치의 한계 때문에 물질 육체를 벗어난 영혼의 세계에 대한 전체적인 그림을 그리기는 어렵습니다. 의식이 더 확장되고 다른 차원의 세계에 대한 체험도 풍부해진다면 다음에 여러분과 함께 이야기를 나눌 기회가 올지 모르겠습니다. 하지만 그 체험이 아무리 풍부해지더라도 '이것이 사후 세계다', '이것이 영혼의 세계다'라고 단언하기는 어려울 것 같습니다. 아무리 세계여행을 많이 해봤어도 '이것이 세계다'라고 단언해서 말하기 어려운 것처럼 말이지요.

왜냐하면 세계를 구석구석 헤집고 나서 다시 돌아보면 많은 부분이 이미 발전과 변화를 거쳐서 확연히 달라져 있을 테니까요. 유물로 보전되는 일부를 제외하고는 말이지요.

여섯, 죽음 후의 정서적 본질은 '안온함'입니다

오랫동안 몸과 마음의 관계성을 탐구해 왔습니다. 그리고 이 탐구는 삶과 죽음, 영혼까지 이어졌습니다.

제게 있어서 죽음은 하루를 마감하고 잠자리에 드는 것과 같습니다. 일상의 삶처럼 자연스럽습니다. 때로는 죽음이 그리워지기도 합니다. 육체를 벗어난 영혼 세계의 삶과 속성을 이해하기 때문입니다. 영혼 상태에서의 정서적 느낌을 알기 때문입니다.

하지만 육체에 덧씌워져 생겨난 에고 의식은 자신의 심원한 부분을 망각했습니다. 영혼의 정서를 잊었습니다. 덕분에 죽음 후 삶에 대한 왜곡이 만연하고 있습니다. 사람들이 죽음 후 벌어질 상황들을 두려워하는 것 역시 그 왜곡의 일환입니다.

아주 오래전 어릴 적 TV에서 어떤 드라마를 본 적이 있습니다. 매회 새로운 에피소드를 방송했지요. 그중 한 에피소드가 기억납니다. 중한 범죄를 저지른 사람의 도피 생활 중에 벌어진 불가사의한 일을 다룬 이야기입니다.

어느 날 한 사내가 형사의 추적을 피해 미술 전시관으로 숨어듭니다. 형사들이 쫓아 들어갑니다.

형사들에게 걸리기 직전 일촉즉발의 상황에서 어떤 그림 앞을 지나치게 됩니다. 밝은 햇살 아래 안온하게 느껴지는 호수 위 작은 보트에서 낚시하는 사람의 그림이었습니다.

그림 앞을 지나다가 그 사람은 자기도 모르게 멈추어 서서 그림을 뚫어지게 바라보게 됩니다. 순간 장면은 그림 속 호수 위 낚싯배로 넘어갑니다. 그리고 쫓기던 사람은 그 배에서 낚시하고 있는 자신을 발견합니다. 이 사람은 너무도 평화로운 풍경과 따스한 햇살에 취한 체 안온함에 흠뻑 젖어 들지요.

이때 그림 밖에서는 형사들이 주변을 두리번거리다가 이내 찾기를 포기하고 되돌아갑니다.

잠시 후 낚시하던 사람이 퍼뜩 정신을 차리고 나니 다시 그 그림 앞이었습니다. 안도의 한숨을 내쉰 그는 그 안온한 감정을 가슴속에 간직하고는 미술관을 빠져나갑니다.

　시간이 흐른 후 어느 날, 이 사람은 다시 형사들에게 쫓기는 신세가 됩니다. 그는 그 미술관을 찾아 들어가 그림 앞으로 뛰어갔지요. 그리고는, 저번 그림 앞으로 가 서서 눈을 감습니다. 형사들은 이번에도 허탕을 치고는 이상하다고 투덜거립니다.
　그런데 그 순간 '으아아~'하는 가느다란 신음 소리가 TV 브라운관을 통해 나옵니다. 아뿔싸! 이번에 그림은 십자가에 못 박혀있는 예수의 그림이었던 것입니다.

　저는 이 드라마를 보는 중 호수 위 보트의 장면에서 참으로 기이한 느낌을 경험합니다. '밝고 따듯한 햇살 아래 평화로운 호수 보트 위의 느낌' 속으로 순간 수욱~ 들어가 버렸던 것이지요. 그때의 그 느낌, 그 정서는 제 안에서 오랫동안 남아있었습니다.
　그리곤 세월이 한 참 흐른 후에 다시 그 느낌을 경험할 수 있었습니다. 영혼 분리를 통해서 말이지요. '밝고 따듯한 햇살 아래 평화로운 호수 보트 위의 느낌', '안. 온. 함'이란 느낌은 죽음 후 우리들의 일반적 정서입니다.

　죽음은 삶의 연장입니다. 그러니 일상과 크게 다를 것이 없습니다. 앞서 말했듯이 삶을 자연스럽게 대할 수 있다면 죽음 역시 자연스럽게 대할 수 있습니다. 우리네 마음속에 맺힘이, 고집이, 그리고 집착함이 엷어지면 그만큼 삶은 자연스러워집니다. 죽음 역시 자연스러워집니다. 삶과 죽음에 대해 충분한 이해를 하면 누구나, 죽기 직전까지 생생하게 살다가 스스로 원하는 곳에서, 더 나아가서 원하는 적당한 때에 자연스럽게 죽을 수 있습니다.

일곱, 죽음의 두려움을 극복하는 방법

에고적 의식이 옅어질수록 죽음에 대한 두려움은 옅어집니다. 물질적 욕구나 육체적 본능에 영향을 덜 받을수록 죽음에 대한 두려움은 옅어집니다. 삶이 자연스러워질수록 죽음에 대한 두려움은 옅어집니다.

맺힌 마음과 고집, 집착하는 마음들이 점차 사라지면 에고 의식도 점차 옅어집니다. 맺힌 마음과 고집, 집착하는 마음에서 자유로워지면 물질적 욕구나 육체의 본능적 욕구에 지배받지 않습니다. 삶이 자연스러워집니다.

맺힌 마음 풀기와 고집과 집착을 흘려버리고 내려놓는 방법들로 대신 갈무리 하겠습니다.

명상법 1

긴장을 모두 풀고 마치 몸이 공기처럼 가벼워졌다고 상상해 보세요. 허공 위로 둥실 떠오르는 것을 상상해 보세요. 온몸의 세포가 허공 속으로 흩어져서 맑고 투명한 텅 빈 허공과 하나가 되었다고 상상해 보세요.

이 명상법을 행하면 여러분은 삶을 가볍게 대할 수 있습니다. 삶이 가벼워지면 죽음이란, 두려워할 것 없는, 마치 잠을 자고 깨어나듯 아주 자연스러운 현상으로 받아들일 수 있습니다.

명상법 2

잠들기 전,

'나는 잠자는 중에, 꿈속에서 깨어나 꿈을 꿈이라 의식하며 꿈의 세계를 여행하겠다'라고 자신에게 암시합니다. 이 암시를 계속 반복하면 실제로 꿈속에서 꿈을 인식하면서 꿈속을 여행하는 기회가 옵니다.

꿈의 차원과 죽음 후의 차원은 같은 차원입니다. 이 차원은 '아스트랄계'라고 불립니다. 꿈의 차원을 자각하고 여행하며, 꿈속에서의 의식 상태를 살펴볼 수 있다면, 죽음 후의 세계를 이해할 수 있습니다. 다만, '꿈의 여행(자각몽)'은 휴식과 에너지 충전을 방해합니다. 잠을 통해서 우리는 깊은 휴식과 함께 에너지를 재충전합니다. 꿈의 여행이 잦으면 신체적으로 허약해지기 쉽습니다.

참고할 점은, 꿈속에서 '아하! 이것은 꿈이군'이란 생각 자체가 꿈인 경우가 있다는 점입니다. 즉, 꿈을 자각하며 여행하는 것(자각몽)과 일반 꿈이 뒤 섞여버리는 경우가 있습니다. 이런 경우는 꿈을 자각하며 여행하는 의식의 상태가 아닙니다.

죽음 후에도 '나'라는 의식은 끊어짐 없이 이어집니다. 현실의 생생함과는 결이 다르지만 생생하게 이어집니다. 꿈을 자각하며 여행하는 의식 상태의 생생함처럼 말이지요.

이 두 가지를 이해하면 죽음에 대한 두려움은 사라집니다.

도(道)는 시작도 끝도 없고, 한계나 경계도 없다.

인생은 도의 영원한 변형에 따라 흘러가는 것이다.

도 안에서는 좋은 것, 나쁜 것, 선한 것, 악한 것이 없다.

진정 도를 깨닫는 사람은 삶을 기뻐하지도 죽음을 싫어하지 않는다.
성공을 과시하지도 실패를 탓하지 않으며,
억지로 일을 꾸미지도 않는다.

참으로 덕이 있는 사람은 환경, 개인적인 애착, 인습, 세상에 대한 집착에서 벗어나 자유롭다.

-장자-

6장. 남은 이야기

절대 사라지지 않는 존재, '나'

다른 차원에서 영혼으로 존재하던 우리는 이 세상에 물질 몸으로 태어납니다. 이후, 물질 몸의 시스템과 조율하며 몸에 동화해 가지요. 그러면서 차츰 물질세계에 적응합니다. 그리고 때가 되면 '영혼으로서 나'의 초점은 육체와 결합함으로 생겨난 '에고로서 나'의 초점으로 바뀝니다. 그리고는 에고의 초점으로 세상을 경험하며 삶을 살아가는 것이지요.

영혼이 언제 어떻게 생겨났는지 저로서는 아직 알지 못합니다. 계속 탐구하다 보면 언젠가는 알 수 있겠지요. 과학자들이 우주와 지구가 언제 어떻게 생겨났는지, 생명체들이 어떤 형태를 거치며 진화해 왔는지 알아냈던 것처럼 말이지요.

아마도 최초의 영혼은 일백하고도 수십억 년 전에 탄생한 우주와 함께 태어났으리라 추측해 봅니다. 그 후 물질 생명체가 생겨나고 다양한 형태를 거치며 분화, 진화해 왔듯이 영혼도 다양하게 분화되고 각자의 길로 진화해 왔겠지요.

한번 생겨난 인간 존재의 영혼은 사라지지 않습니다. 이 세상에서의 죽음은 결코 인간의 영혼을 죽게 할 수 없습니다. 영혼의 세계에서는 죽음이란 개념이 없습니다. 그러니 아마도 이 우주가 소멸하여 태초 이전의 카오스(혼돈) 상태로 돌아갈 때까지는 존재하리라 생각됩니다.

모든 존재하는 것은 변합니다. 우주가 생겨난 이후 지금까지 정지 상태로 멈추었던 적은 한 번도 없었을 겁니다. '이상한 나라의 폴'이라는 오래전 TV에서 상영된 만화에서처럼 이 세상의 시간이 멈추어 설 일은 없습니다.

우리 우주는 끝없이 팽창하고 있습니다. 그러면서 동시에 변하고 있습니다. 언젠가는 팽창을 멈추고 다시 수축하든지 에너지가 다하면서 흩어져 사라지든지 할 것입니다. 어쨌든 우주가 소멸할 때까지는 변화해 가겠지요.

존재하는 것 중 인간을 비롯한 뭇 생명체들에 있어서 이 변화의 동력은 행위, 움직임입니다. 우리는 행위를 통해서 변화해 갑니다. 행위를 하면서 성장하고 자신을 확장해 가고 있습니다. 이 성장은 우리 우주의 에너지가 다할 때까지 계속될 것입니다. 빅뱅 이전, 앞으로의 우주를 품고 응축되어 있던, 한 점(에너지의 원형)으로 존재하던 그 근원과 하나가 될 때까지 계속될 것입니다.

다른 차원에서 육체 없이 존재하던 우리는, 이 물질세계에서 육체의 감각들을 통해 삶을 경험합니다. 그 경험들은 행위를 통해 이루어집니다. 삶의 모든 경험은 자기의식을 확장하기 위한 행위들입니다. 우리는 그 경험의 느낌을 받아들이고, 탐구하고, 원인과 결과를 숙고하며 성장합니다.

왕성한 호기심은 궂은일, 불쾌한 일에 대한 체험도 불사하게 합니다. 그러면서 우리는 온갖 것을 게걸스럽게 경험하기도 합니다. 그러다가 이 세상에서 육체의 에너지가 다하는 때가 되면 누구나 저세상으로 다시 돌아갑니다.

이생에서 마음의 한스러움이나 무언가를 고집함, 어딘가에 집착함 같은 경험들은 일종의 과제라고 할 수 있습니다. 우리는 한스러움이나 고집, 집착하는 마음들을 가지고 삶을 경험합니다. 그러한 삶의 경험을 각자의 태도로 받아들입니다. 또한 그로 인한 문제들을 각자의 방식으로 해결해 갑니다. 이때 취하는 마음의 태도와 해결하는 방식에 따라서 발전하기도 후퇴하기도 합니다.

꼭 발전만이 가치 있는 것은 아닙니다. 발전하든 후퇴하든 우리는 그 경험 모두를 자신의 의식 속에 녹여냅니다. 발전이든 후퇴든 모든 경험을 통해 우리의 의식은 확장됩니다.

이번 생의 삶을 관통하는 심리적 습관이나 사고방식은 사후에도 흔적으로 남습니다. 그 흔적은 사라지지 않고 에너지로 남아 사후로도 이어져 영향을 줍니다. 영혼의 세계와 물질세계는 차원은 다르지만 서로 영향을 주고받습니다.

누구도, 마음에 맺힘을 간직하라고, 고집스럽게 행동하라고, 집착하라고 강요하지는 않습니다. 마음의 맺힘이나 고집, 집착 등은 삶의 속박으로 작용합니다. 그런데도 사람들은 맺힘을 안고, 고집하고, 집착하며 살아갑니다. 스스로 그런 삶으로 들어간 것이지요.

스스로 속박하는 삶을 죽을 때까지도 떨쳐내지 못하면, 사후에도 마찬가지로 자기 스스로 삶의 자유를 방기하게 될 것입니다.

인생의 역할극

우리는 영혼의 세상에서 미리 전체적인 물질 삶을 구상합니다.

앞으로 살게 될 삶은, 마치 영화의 스토리처럼, 영화의 필름처럼 그렇게 존재합니다. 그렇기에 앞으로의 삶을 맛보기로 살짝 엿볼 수도 있습니다. 엿보기를 넘어 심지어는 경험해 볼 수도 있습니다. 이때는 영화의 스토리, 스크린속으로 '쏙'하고 들어가는 체험을 합니다.

스크린이 없던 시절에는 책 속 이야기로 존재했습니다. 이때 맛보기로 엿볼 때는 책장을 넘겨 바라보는 순간 그 내용 속으로 역시 '쏙' 들어가는 체험을 합니다.

신비롭고 믿기 어려운 일이지만 영혼의 세계에서는 실제로 그런 일을 경험합니다.

우리는 주어진 시대 사회상에 맞는 역할을 맡아서 시대 드라마의 배우로 참여하고 있습니다.

영혼은 연출가입니다. 배우는 무대에 오르기 전 각본에 따라 연기를 연습합니다. 연출가는 배우의 연기를 지도하고 조언합니다. 배우가 일단 무대에 서면 연출가는 더 이상 간섭하지 못합니다. 그런데 배우가 도움이 필요할 때가 있을 수 있습니다. 극 중에 잠시 대사를 잊어버리거나 하는 등의 이유로 말이지요. 이런 경우 배우가 도움을 요청하는 신호를 보내면 연출가는 몸짓을 통해서든지, 종이 글을 통해서든지 배우에게 도움을 줄 수 있습니다.

배우는 자기 나름의 애드립을 할 수 있는 자유가 있습니다. 유능한 배우라면 애드립을 통해서 스토리를 더 극적으로 이끌어 갈 수도 있습니다. 그러면서 스토리의 전체적인 줄기는 유지하되 여러 다양한 방식으로 '인생극'이 펼쳐지는 것입니다.

지금의 삶은 일종의 게임 같은 거라고도 할 수 있습니다. 영혼과 육체가 혼연일체가 돼서 이 세상과 한바탕 어울리는 게임. 우리는 지금 각자 속해있는 사회의 법칙 아래 한바탕 게임을 벌이고 있습니다. 게임을 할 때 대충대충 하면 영 재미가 없습니다. 진지하게 해야 그 게임의 참 재미를 만끽할 수 있지요. 그렇다고 과하게 몰두하면 심각해집니다.

게임에는 승자와 패자가 있기 마련입니다. 하지만 게임이란 승리하면 승리한 대로 패배하면 패배한 대로 게임의 재미를 누리면 그뿐입니다. 그런데 승리를 좋아합니다. 승리에 집착합니다. 집착하면 과하게 몰두하게 됩니다. 과하게 몰두하면 심각해집니다. 심각해지는 순간 더 이상 게임을 게임으로 즐기지 못합니다. 심지어는 극단적으로 죽느냐 사느냐의 문제로까지 치닫습니다. 넷플릭스 드라마 '오징어게임'처럼 말이지요.

삶을 너무 심각하게 대할 필요는 없습니다. 기를 쓰고 승리해서 소위 '행복'이란 놈을 쟁취할 필요는 없습니다. 승리하든 패배하든 모두 인생이란 게임 속에 어우러져 있습니다. 그러니 자신의 역할을 충실히 하면서 게임에 참여하면 족합니다. 승패에 집착하지 않으면 삶을 그저 '만끽'할 수 있습니다.

인도의 현자로 알려진 라즈니쉬란 사람이 있었습니다. 이 사람은 호불호가 극단적으로 갈린 평가를 받았습니다. 20대 때 라즈니쉬의 책을 탐독한 적이 있었지요.

"삶은 마치 게임 같은 것이다." 책에서 빈번하게 등장하던 말 입니다. 그 시절 저의 삶은 너무도 진지했습니다. 아니 진지하다 못해 심각했습니다. 그때는 삶은 게임 같은 거라는 말에 동의는 했지만, 결코 이해할 수는 없었습니다. 그 후 30년 이상의 세월이 흘렀군요. 그리고 지금, 그 말에 대한 이해를 바탕으로 이 글을 쓰고 있습니다.

지금의 에고적 사고방식으로 '인생의 역할극'을 이해하기는 쉽지 않습니다. 그러니 이해하려고 애를 쓸 필요는 없습니다. 그냥 마음속에 맺힘을 풀어내고, 고집을 흘리고, 집착함을 내려놓아 보십시오. 그 '풀림과 흘림과 내려놓음'만큼 삶은 마치 게임 같다는 말이 마음에 와닿기 시작합니다. 삶은 하나의 역할극 같은 거라는 말이 친근하게 들리기 시작합니다.

자기 성찰의 본질과 자기 성찰의 완성

자기 존재의 성장과 발전을 위해서 제일 우선되어야 하는 것이 있습니다. 바로 자기 자신을 직시하면서 있는 그대로 바라보는 것입니다. 그리고 성찰하는 것입니다.

자기 직시와 성찰은 성장과 발전을 위한 핵심적이면서도 간단한 방법이기도 합니다. 자기 직시와 자기 성찰은 잘 사는 삶과 잘 죽는 죽음에 깊이 관계합니다. 그뿐 아니라 죽음 후에 이어지는 새로운 삶에도 깊이 관계합니다.

사람은 태어나 자라면서 무언가를 배우고 경험해 갑니다. 그러면서 좌충우돌하며 각자의 인생을 살아가지요. 좌충우돌하는 삶은 한편으론 이 물질 삶을 사는 것에 대한 하나의 선물 같은 것이기도 합니다. 영혼의 세상에서는 좌충우돌하는 삶을 경험하기 어렵기 때문입니다.

누구에게나 시간은 공평하게 흘러갑니다. 그러다가 생의 에너지가 점차 쇠퇴해짐을 느끼는 때가 옵니다. 삶에 대한 성찰의 시간이 된 것입니다. 지난 삶을 돌이키면서 자신을 있는 그대로 들어냈는지, 허영이나 거짓됨은 없었는지 봅니다. 과거 쏟아냈던 말이 스스로와 타인에게 어떤 영향을 미쳤는지 봅니다. 지난 세월 자신의 행위가 자신과 주변에 어떤 영향을 미쳤는지 정리합니다.

자신을 돌이켜보고 성찰하면서 삶의 경험을 내면에서 정리합니다. 내면 정리는 삶을 성찰해 온 조각들을 취합하는 작업입니다. '이생이라는 삶의 전체 퍼즐' 그림을 완성하는 작업입니다.

자기 성찰에 있어 무엇보다 중요한 점은 투덜대지 않는 것입니다. 현재 삶의 못마땅함을 주변으로 전가하지 않는 것입니다. 사람의 마음은 늘 상 자신에게 유리한 방향으로 작용합니다. 자신의 실수는 잘 안 보이지만 타인의 실수는 잘 보입니다.

성찰은 정직해야 합니다. 특히 자신에게 정직해야 합니다. 자기 마음을 스스로 돌아보는 일이니 남의 눈치를 볼 일이 없습니다. 비난을 두려워할 필요도 없습니다. 그러니 정직하게 직면해야 합니다.

실수라고 생각되는 부분이 있을 것입니다. 실패라고 생각되는 부분들도 있을 것입니다. 우리는 실수를 통해 배우고 실패를 통해 성장합니다. 실수나 실패가 없으면 배움도 성장도 없습니다. 그러니 실수나 실패를 두고 가슴 아파할 필요는 없습니다. 그만큼 배웠고, 그만큼 성장했기 때문입니다. 다만 실수나 실패에 대한 성찰은 필요합니다. 무엇이 실수였는지 무엇이 실패였는지 알아야 합니다. 왜 실수했는지 왜 실패했는지 살펴봐야 합니다.

'소오강호(1990)'라는 무협 영화가 있었습니다.
'규화보전'. 절대 무공의 경지에 오를 수 있게 하는 비법이 담긴 책입니다. 이 책과 얽힌 이야기들이 펼쳐집니다.
이 영화에는 '독고구검'이라는 검법이 나옵니다. 화산파의 대제자 영호충은 우여곡절 끝에 거의 얼떨결이지만 이 검법을 전수받지요.
이 검법으로 최후의 승리를 거두고 대미를 장식합니다.

302

'독고구검'은 패배를 바탕으로 만들어진 화산파 풍청양의 검법입니다.

풍청양은 영호충에게 독고구검 몇 초식을 알려준 후 말합니다.

"이 검법은 패배를 통해서 만들어진 검법이네. 패배를 통해 배우는 자가 강호에 몇이나 되겠나?"

패배(실패)를 통한 배움으로 독보적인 무공을 탄생시킨 이지요.

성찰이 없으면 배움도 없습니다. 배움이 없으면 삶은 공허해집니다.

어떤 삶이든 그 삶의 느낌은 내면의 자산입니다. 특히 실패를 통한 배움은 더없이 값진 보물과 같습니다.

과거의 언행이 자신과 주변 환경에, 그리고 타인과 주변 환경에 어떤 영향을 미쳤는지에 대한 성찰이 없으면 그동안의 경험은 말짱 도루묵이 될 수 있습니다. 치열하게 겪어온 삶들은 헛된 경험들로 남게 될 수 있습니다.

실패와 실수를 통해 배웁니다. 충분히 배울 때까지 우리는 실수하고 실패합니다. 성공 역시 마찬가지입니다. 충분히 배울 때까지 우리는 성공합니다. 실패, 실수와 성공의 배움이 끝나면 더 이상 실패도 성공도 없습니다. 그냥 평범해집니다. 중용을 터득하게 되는 것이지요.

자기 성찰의 본질은 자신과 관련된 주변의 온갖 문제(상황)들은 바로 자신으로부터 비롯된 것임을 아는 것입니다.

우리는 꿈속의 환경을 스스로 만들어 냅니다. 꿈속의 세계는 모두 자기 자신의 의식에서 비롯된 것입니다. 현실의 삶 역시 마찬가지입니다. '자신이 관계하는 이 세상의 삶은 기본적으로 모두 자기 자신으로부터 비롯된 것'입니다.

인류의 스승들은 이러한 관점으로 삶을 살아갔습니다.

어느 날, 장자는 꿈속에서 나비가 되었다. 훨훨 날갯짓하며 창공을 기분 좋게 날아다니느라 미처 자신이라는 사실을 알아차리지 못했다. 그러다 홀연히 잠에서 깨고 보니 자신으로 돌아와 있었다. 이윽고 장자는 생각에 잠겼다.

"내가 꿈속에서 나비가 된 것일까, 아니면 나비의 꿈속에 내가 있었던 것일까."

"꿈속에서 즐겁게 술을 마셨던 사람은 깨어나 불행한 현실의 처지를 비관한다. 꿈속에서 슬피 울었던 사람은 아침에 기쁘게 사냥길에 오른다. 꿈을 꾸는 동안에는 꿈인지 알지 못한다. 꿈속에서 울고 웃다가 깨어난 뒤에야 꿈을 꾸었음을 깨닫는다. 그런데 어리석은 사람들은 스스로 깨달은 듯 잘난 체하며 떠들어 대니 한심할 뿐이다."

"우리는 모두 꿈을 꾸고 있다. 내가 그대에게 말을 건네는 이 순간도 꿈일지 모른다. 참으로 알 수 없는 이와 같은 일들을 일러 기괴하다고 한다. 만세(萬歲) 뒤에라도 성인을 만나 해답을 구할 수 있다면 그나마 다행한 일이다"

-장자 '제물론(齊物論)'편-

자기 성찰은 자신과 주변의 삶을 오롯이 포용하는 것으로 완성됩니다. 이때부터 삶은 지극히 자연스러워집니다. 이것을, 인류의 스승이신 예수와 석가는 '사랑'과 '자비'로 표현했습니다. 노자와 장자는 '무위자연'으로 표현했습니다.

자신의 삶을 포용하고 주변의 삶을 포용하는 삶만큼 훌륭한 삶은 없습니다. 나와 남의 삶을 포용하면 모든 삶을 자연스럽게 여길 수 있습니다.

특별하거나 특출나게 행동하고 말하는, 그래서 그렇게 취급받는 사람들이 있습니다. 특별하다고, 특출 낫다고 영적 스승이나 도인은 아닙니다. 참 도인은 굳이 자신을 드러내지 않습니다. 삶을 참으로 자연스럽게 살아갑니다.

혼탁한 시대, 미래 구세주나 미륵불의 도래를 운운하는 사람이나 단체들이 많이 있습니다. 인간 존재를 이끌어 줄 구세주나 미륵불이 있다면 환영할 일입니다. 다만, 그는 빛나는 백마를 타고 온다거나 하지는 않을 것입니다. 화려한 왕관을 쓴다거나 하지도 않을 것입니다. 거창하게 등장하지도 않을 것입니다. 절대 그럴 일을 벌이지 않을 것입니다. 영생을 운운하지도 않고, 물질세계를 폄하하지 않으며, 돈이나 명예, 권력을 복으로 연결 짓지도 않을 것입니다.

인류를 이끌 사람은 누구도 알아보지 못하게 소박한 인간으로 살아갈 것입니다. 예수께서 허름한 마구간에서 태어나 목수로 살았던 것처럼. 깨달음을 얻은 많은 붓다 들이 소리 없이 살았던 것처럼 말이지요. 인류를 이끌 사람은 사람들에게 성찰의 삶을 살도록 인도할 것입니다. 자기 성찰의 확실한 방법을 알려줄 것입니다. 형이상학적이고 모호한 방법이 아닌, 명확한 방법으로 안내할 것입니다.

자기 성찰은 정직하게 스스로 돌아보는 것입니다. 있는 그대로 꾸밈 없는 자신을 바라보는 것입니다. 화장 없는 얼굴로, 뜯어고침 없는 얼굴로, 걸쳐진 옷 없이 거울 앞에선 자신을 바라보는 것입니다.

자기 성찰은 몸의 긴장을 풀고 몸을 고요하게 하는 데서 시작합니다. 그러다 보면 마음은 고요해집니다. 마음이 고요해지면 자신의 문제를 회피하지 않고 직면할 수 있습니다.

성찰은 누군가를 위한 작업이 아닙니다. 오직 자신을 위한 작업입니다. 잘 살고 잘 죽기 위한, 더 나은 사후의 삶과 다음 생을 위한 작업입니다.

성찰과 사후(死後)의 관계

우리는 지난 일을 돌이켜보며 삶을 정리합니다. 살아생전 지난 일에 대한 성찰에 인색하면 지난 삶이 산만하게 남습니다. 아직 정리되지 않았기 때문입니다. 과거의 삶은 현재 삶의 기반이며, 현재의 삶은 미래 삶의 기반입니다. 정리가 안돼 산만하게 남은 현재는 미래의 삶 역시 산만하게 합니다. 그러면 죽음의 과정뿐 아니라 사후에도 혼란스러운 상황을 맞을 가능성이 커집니다. '나'라고 하는 자의식은 죽는 순간에도 그 이후에도 그대로 이어지기 때문입니다.

삶에 대한 성찰 없이 생을 마무리하면 사후에 방황할 수 있습니다. 왜곡된 사후와 마주하여 어정쩡한 사후를 경험할 수 있습니다. 불교에는 '중음계'라는 말이 있습니다. 가톨릭에서는 '연옥'이란 말이 있구요, 모두 '어정쩡한 사후'를 의미합니다.

직장에서 해결하지 못한 골치 아픈 문제를 안고 휴가를 떠났다고 가정해 보십시오. 그 휴가는 편하고 안락하기 어렵습니다. 십중팔구는 휴가도 아니고 일도 아닌 어정쩡한 상태의 시간을 보내게 됩니다. 어떤 사람들은 이 어정쩡한 상태의 사후를 겪게 될 것입니다. 그렇다고 크게 걱정할 필요는 없습니다. 곧 상황을 파악하게 될 것이기 때문입니다. 상황 파악을 하고 나면 제대로 된 사후의 세계로 가게 되어 있습니다.

길을 가다 보면 누구나 길을 잃을 수 있습니다. 길을 잃었을 때 길을 찾으려는 의지만 있다면 대답해 줄 사람은 얼마든지 만나기 마련입니다. 물어보지 못하고 두리번거려도 결국은 답해줄 사람을 만나게 됩니다. 이 세상이든 저세상이든 오지랖 넓은 존재들은 항상 존재합니다.

 사후에는 누구나 자기 생전의 삶을 성찰합니다. 아니 하게 됩니다. 자동으로 말이지요, 아무것도 감출 수 없습니다. 소위 '염라대왕의 거울' 앞에서는 절대 감출 수 없습니다. 벌거벗은 모습으로 거울 앞에서 자신의 지난 삶을 구석구석을 비추어 보아야 합니다. 이런 사후 자기 성찰은 존재의 심층에 자리하고 있는 본능 같은 것입니다.
 '사후 성찰을 하게 되니, 생전 성찰은 굳이 필요 없겠군.'이라고 생각하진 마시길 바랍니다. 육체를 벗어난 상태의 성찰은 육체를 가지고 있던 에고 차원의 성찰과는 상당히 다릅니다. 그리고 이 두 종류의 성찰 사이에는 밀접한 관계가 있습니다. 서로를 보완하고 떠받쳐 줍니다.
 사후 성찰을 기반으로 우리는 다음 생을 계획합니다. 육체 상태의 에고적 성찰이 반영되지 않는 비 육체 상태의 성찰은 상당한 착오를 일으킬 수 있습니다. 이 착오는 다음 생에 대한 계획에 영향을 줍니다.

 저는 명상 중에 머릿속에서 몸을 움직이며 동작을 만드는 작업을 하곤 합니다. 제가 고안했고 지금도 고안하고 있는 여러 운동법과 수련법들은 그런 창조 활동을 통해서 생겨난 것이지요. 그런데 머릿속 그림에서는 연결이 자연스러웠던 동작이 몸으로 직접 실행해 보면 부자연스러운 경우가 많이 있습니다. 그래서 머릿속으로 구상하고 설계하는 일을 구체화할 때는 꼭 물질 육체적 과정을 거쳐야 했습니다.
 머릿속 창조 작업과 실제 현실과의 괴리는 꿈속 창조 활동에서 유난히 드러납니다. 구상하던 것이 있을 때면 드물긴 하지만 꿈을 참고 하기도 했습니다. 그런데 꿈속 꿈의 몸으로는 가능하던 것이 육체로는 표현 불가능한 경우가 많이 있었습니다. 그렇다고 막 날아다니거나, 절벽을 걸어 오르거나, 뱀처럼 몸을 꼬거나 하는 그런 것은 아닙니다. 동작이 무척 '단순'했음에도 그런 일이 생겼습니다. 그것은 마치 3차원 입체 모양을 2차원 도화지에 그림으로 옮기는 것 같은 작업과 유사합니다. 아무리 단순한 모양 일지라도 정확한 그림을 그리지는 못합니다.

꿈의 세계는 4차원입니다. 시간의 제약이 없습니다. 꿈속 질료들은 물질세계보다 훨씬 말랑합니다. 4차원 꿈속 움직임을 3차원의 몸 그대로 실현하는 것은 불가능했던 것이지요. 꿈속 몸의 움직임은 물질 몸으로 표현하며 보완해야 제대로 구현할 수 있었습니다. 명료하게 꾼 꿈이라도 스토리를 정확하게 표현하기 어려운 경우가 많습니다. 아마도 같은 이유 때문이겠지요.

사후 성찰은 물질세계에서의 성찰이 바탕이 되어야 합니다. 사후 다음 생을 구상하고 설계할 때는 물질세계에서 성찰했던 감각이 필요합니다. 물질적 현실 감각과 비물질적 정신 감각이 서로 조율돼야 다음 생의 구상을 바람직한 방향으로 할 수 있습니다.

저는 이 책에서 줄곧, 육체 시스템을 온전하게 유지해야 함을 강조해 왔습니다. 육체가 온전해야 마음 역시 온전해지기 때문입니다. 마음이 온전해야 에고는 있는 그대로 자신과 마주할 수 있습니다. 마음이 온전하지 않으면 에고는 자꾸 꾸미려 합니다. 변명하고, 회피하려 합니다.

또한 성찰은 영혼과 에고의 합작품이기도 합니다. 마음이 온전해야 에고는 영혼과 원만하게 소통할 수 있습니다. 에고는 있는 그대로 자신과 마주할 수 있습니다.

자기 행동에 대한 책임

삶은 행위이며 체험입니다. 이 세상의 모든 상황 들은 일련의 행위로부터 비롯됩니다. 그리고 이어서 결과들이 생겨나지요. 행위 자체는 중립적입니다. 하지만 이 행위로 생기는 체험들은 많은 부분 고통이나 즐거움같이 서로 상반하는 결과로 나옵니다. 행위의 주체들은 그 결과에 따른 책임을 어떤 식으로든 짊어지게끔 되어 있습니다.

사람들은 나와 남을 해치고 괴롭히는 언행을 잘합니다. 이러한 부정적 언행을 했다고 신에 의해 벌을 받는다거나 용서를 받는 것은 아닙니다. 신은 그냥 지켜볼 뿐입니다. 신이 하는 일이 있다면 자애로움이 담긴 조언뿐입니다.

우리는 그 조언을 바탕으로 자신의 부정적 행위를 상쇄시킬 무언가를 해야 합니다. 부정적 행위를 상쇄시킬 무언가를 겪어야 합니다. 그 행위에 실린 에너지 크기에 걸맞은 만큼, 그 에너지를 상쇄시킬 만큼을 하거나 겪어야 합니다. 살아서든 죽어서든 다시 태어나서든 말이지요. 이것은 소위 카르마(업業)의 법칙이라고도 알려져 있습니다.

카르마의 법칙은 강제적인 것이 아닙니다. 자발적인 법칙입니다. 파괴적인 행위를 할 때 각인되는 의식, 좋지 못한 행위를 한 후의 각인되는 의식, 죄의식은 그에 합당한 대가를 치르게 합니다. 행위는 에너지입니다. 의식도 에너지입니다. 어떤 특정한 에너지가 발생하면 그 에너지는 에너지로서의 자기 역할을 하게끔 되어 있습니다.

폭력적이고 파괴적인 에너지가 생겨나면 반드시 그 에너지에 의한 영향이 생겨납니다. 생겨난 에너지는 변화는 될지언정 사라지지 않습니다. '나'에게서 생겨나서 나를 떠난 에너지는 사라지지 않습니다. 자기 자신의 에너지를 사용할 기회가 생길 때까지 시공을 배회합니다. 그 와중에 색깔이 비슷한 에너지를 흡수하기도 합니다.

그런데 자신의 에너지를 사용할 가장 만만한 장소는 바로 자신을 생기게 한 근원, 바로 자기 자신입니다. 친숙하기 때문입니다. 비슷한 주변 에너지를 흡수했다면 그 힘은 훨씬 더 크게 작용합니다.

말을 비롯한 어떠한 행위는 그 행위가 원인이 되어 모종이 결과가 나타나기 마련입니다. 인과응보입니다. 그리고 결과가 생겨나면 결과를 일으킨 당사자는 어떤 식으로든 책임을 져야 합니다. 그래서 '법칙'이란 말을 쓰는 것이지요.

지금 지옥 같은 삶을 경험하고 계시는 분들이 있습니다. 천국 같은 삶을 경험하고 계시는 분들도 있구요. 인과응보, 카르마, 업의 법칙은 윤회론과 맞물려, 이번 생에서 번듯하게 사는 것은 전생의 복인 선행 때문이라는 식으로 전개되지만은 않습니다. 또한 전생의 업보 때문에, 이번 생이 비참하게 전개되는 것도 아닙니다. 그러니 지금의 삶을 전생 운운하며 성급하게 판단하지는 마시길 바랍니다. 절대로.

우리는 때때로 가혹한 환경으로 스스로 걸어 들어갑니다. 인과응보의 끄달림 때문일 수 있지만, 그것은 단련을 위해서 일수 있습니다. 호기심 충족을 위해 필요한 경험일 수도 있습니다. 또한 우리는 안락한 환경을 스스로 찾아갑니다. 휴식과 에너지 충전을 위해서든 게으름을 피우고 싶어서든 말이지요.

새로운 경험과 재창조에 대한 욕구, '윤회'

이 세상은 헤아리기 어려울 만큼의 다양함으로 가득 차 있습니다. 경험하고 배우고 싶은 부분이 너무도 많이 있습니다.

사람들에게는 무언가를 행하고 싶은 욕구가 있습니다. 그 욕구들은 경험해야 할 부분들을 충족하게 합니다. 경험을 더해가며 사람들은 자기 영혼의 그릇을 채워나갑니다. 또한 사람들에게는 무언가를 배우고 싶은 욕구가 있습니다. 그 욕구들은 배워야 할 부분들을 충족하게 합니다. 배움을 축적하며 자기 영혼의 그릇을 채워나갑니다.

우리 영혼의 그릇은 그 크기를 가늠하기 어렵습니다. 더군다나 형태도 유동적입니다. 이런 그릇을 한 번의 생으로 만족스럽게 채우기는 불가능에 가깝습니다.

죽은 후에는 살아생전 경험과 그 경험으로 축적된 지혜의 용량, 의식의 발전 정도에 해당하는 세상에 갑니다. 그런데 그 세상에는 이 세상과 같은 다양성이 없습니다. 이 세상에서는 온갖 '짓'을 다 해 볼 수 있습니다. 온갖 것을 경험하고 온갖 것을 배울 수 있습니다. 하지만 저 세상에는 경험하고 배울 수 있는 범위가 한정되어 있습니다. 그래서 다시 태어남이라는 '윤회'의 과정을 겪게 됩니다. 윤회의 삶을 통해 새로운 경험과 또 다른 배움을 쌓으면서 그릇을 점점 채워가는 것이지요.

이 세상으로 다시 오기 전, 우리는 삶의 전체적인 부분을 계획합니다. 스스로 앞으로의 삶을 계획합니다. 또한 그 계획된 삶에 맞는 몸을 비롯한 기타 환경에 대해서 숙고합니다. 필요하면 성숙하고 지혜로운 영혼으로부터 조언을 받기도 합니다.

다음 삶을 설계할 때는 앞선 삶에서 해결하지 못했던 문제들에 영향을 받습니다. 미숙하게 대처했거나 회피했던 문제들에도 영향을 받습니다. 그런 문제들, 특히 회피한 문제들은 보통 숙제로 남습니다. 그래서 대게는 회피했던 부분을 다시 직면하게 됩니다. 똑같지만은 않겠지만 비슷한 유형으로 다시 직면합니다. 다만, 감당하기 너무 버거운 문제라면, 무게를 분산해서 직면할 수 있습니다. 굵고 짧게 경험하느냐,

가늘고 길게 경험하느냐, 그런 차이라고나 할까요? 영혼의 개인적 성향 문제라 생각됩니다.

때로는 앞선 삶에서 맡았던 역할들을 서로 바꿔보기도 합니다. 상대의 입장이 되어서 이해할 수 없었던 부분을 알기 위해서입니다. 그럼으로써 풀지 못한 문제를 올바르고 현명하게 풀어내기 위함입니다. 이런 과정을 거치며 이해력과 포용력을 넓혀갑니다. 자기 존재를 확장해 갑니다.

마음의 문제나 육신의 질병과 관련해서 이번 생에 오랫동안 고민해 온 문제가 있습니다.

어쩌면 그 문제는 전생에서 비롯된 문제일 수 있습니다. 전생에서 극복하지 못했거나 해결하지 못한 문제를 다시 떠안게 된 것이지요. 그래서 잘 안 풀립니다. 못 풀었었기 때문이지요. 여러 생을 반복했지만 풀어내지 못한 문제라면 더욱 풀기가 어렵습니다.

아니면 강렬하게 각인된 문제일 수도 있습니다. 육체적 예를 들자면, 전생에 큰 상해를 겪었다고 가정해 보겠습니다. 여러 번 수술을 받는 동안 극심한 통증에 시달립니다. 죽기 직전까지 후유증을 겪습니다. 이런 경우 종종 죽음 후의 의식에도 영향을 미칩니다. 이 영향은 다음 생까지 계속 이어질 가능성이 있습니다. 물리적으로 보자면 아마도 원자 단위에 각인 되지 않을까 싶습니다. 육체 깊이 각인 된 문제도 쉽게 풀리지 않습니다.

전생의 영향을 비윤회론적 관점에서 본다면 조상들로부터 유전해 온 결과라고도 할 수 있겠지요.

80년대, 자신이 전생에 화성 왕자라고 여기던 사람이 있었습니다. 그 사람은 금성 공주를 만나 함께 해야 한다는 생각에 사로잡혀 있었다지요. 금성 공주를 만나는 꿈을 자주 꾸었답니다.

그는 화성인이라는 자신의 신념으로 공교육을 포기합니다. 언제 어디서 찾아올지 모르는 공주를 위해 6~7개국 언어까지 공부합니다.

어느날 그는 우연히 미스 유니버스 TV 중계방송을 보게 됩니다. 거기서 프랑스 대표를 발견하지요. 그는 '저 여인이 바로 꿈속에서 본 금성 공주다!'라고 믿습니다. 수소문 끝에 그 여인의 집 주소를 알아냅니다. 그리고는 '나는 화성 왕자, 당신은 금성 공주'라는 설득의 편지를 보냅니다. 2년 동안 꾸준히 보낸 끝에 그 둘은 결국 결혼에 골인합니다.

1982년 12월 프랑스 작은 마을에서 결혼식을 올립니다. 이 결혼 소식은 국내와 프랑스 언론에도 소개가 되었습니다. 결혼 생활은 1년 정도만 지속됐다고 합니다. 파경의 이유는 산속에서 그림과 글쓰기만 전념해서 그렇다고 알려져 있습니다. 그는 10년 정도 한인이 운영하는 레스토랑에서 일을 했다고 합니다. 한국에서 1991년에 작품전을 열기도 했습니다.

현재는 가족들과 연락도 끊겼고 생사의 여부도 정확히 알려지지 않았다고 합니다. 그는 금성 공주와 결혼하면 호주에 우주선이 와서 자신들을 고향으로 데려갈 거라 믿었습니다.

과연 고향으로 갔을까요?

전생에 대해서 궁금해할 필요는 없습니다. 우리는 전생을 잊기로 약속했습니다. 우리가 전생에 대한 기억을 잊은 데에는 다 이유가 있어서입니다. 과거에 대한 기억은 내가 이 세상에 존재함을 정당화합니다. 반면에 삶을 무겁게 하는 짐 역할도 합니다. 또한 삶을 산만하게 하는 역할도 합니다. 저장 공간이 가득 찬 컴퓨터는 사용에 애로가 많은 법입니다. 과거 생의 기억은 삶의 무게를 더 합니다. 삶의 여정을 제한합니다. 자유롭지 못하게 합니다.

과거 기억에 끄달리면 눈앞의 현실에 몰입하기 어렵습니다. 당면한 현실에 충실하기 힘듭니다. 특히나 시대적 상황에 맞는 창조 활동을 할 때는 오히려 방해 될 수 있습니다. 과거의 기억에 매이면 시대적 필요성은 떨어지고 타성은 늘어납니다.

인간 존재의 의식은 창조적 활동을 할 때 더 생생하게 빛이 납니다. 무언가를 창조할 때는 새로운 시각이 필요합니다. 다른 방향의 시선도 필요합니다. 감탄할 만한 창조물은 다른 관점에서 접근할 때 잘 나옵니다. 과거 기억의 끄달림은 새로운 시각과 새로운 시선을 방해합니다.

새로운 기억으로 살아가는 이유는 마치 컴퓨터를 포맷하는 이유와 같습니다. 기억 속에 온갖 잡다한 자료들은 뇌의 기능을 상당히 떨어뜨립니다. 나이를 먹을수록 기억력이 쇠퇴하고 지적 반응도 느려지는 이유입니다. 과거 생의 기억을 완전히 잊었을 때 우리의 뇌에는 새로운 가능성의 세계가 펼쳐집니다.

전생의 기억이 지금 삶의 행보를 이해하는 데는 좀 도움이 될 순 있습니다. 그렇다고 문제를 해결해 주지는 못합니다. 전생에서 비롯된 문제든 현생에서 비롯된 문제든 그저 '지금 여기'에 초점을 맞추어야 합니다. 맺히고 얽힌 문제를 '지금 이 자리'에서 푸는 데 집중할 수 있어야 합니다. 현재의 문제를 풀면 전생(과거)의 문제도 자동 해결이 됩니다.

앞서 말했듯이 선한 행위를 많이 한다고 다음 생에 '꼭' 좋은 환경에서 태어나는 것은 아닙니다. 악한 행위를 많이 했다고 다음 생에 '꼭' 나쁜 환경에서 태어나는 것도 아닙니다. 물론 선행이나 악행이 다음 생의 환경에 영향을 미칠 가능성은 다분합니다. 그러니 선행은 많이 하고 악행은 금하는 것이 좋겠지요.

악행이라 하더라도, '이런 행동을 하니 마음이 꺼림칙하군!', '나는 과연 이런 행동으로 무엇을 얻으려 했을까?', '이 행위가 이런 영향을 미치는구나!' 같은 성찰을 명확히 할 수 있다면 그 영향이 부정적이지만은 않습니다.

내면에 밝고 온유한 마음의 자리가 많을수록 이러한 성찰을 잘합니다. 밝고 온유한 마음이 충분한 만큼 자리하면 애초에 악한 행위를 안 합니다.

'앞으로 경험하고 싶은 열망은 무엇인가?' 다음 생을 정할 때 가장 크게 작용하는 점입니다. 이 열망을 중심에 두고 '생에서 부족하거나 결핍된 부분'과 '잘못한 부분', 그리고 '생에서 과도했던 부분' 등을 고려해서 다음 생은 정해집니다. 물론 잘한 부분도 참고합니다.

특별한 환경에 대한 호기심은 그 환경을 택해서 태어나게 합니다. 호기심은 열망을 불러일으키기 때문이지요. 지나친 반감 역시 그런 환경을 택해서 태어나게 할 수 있습니다. 지금 어느 나라에 대한 '과한' 반감이 있다면, 전생에 지긋지긋할 정도로 그 나라 사람으로 살았거나 반대로 그 나라와 지독한 각을 세웠던 경험 때문일 수 있습니다.

또한 어떤 대상에 대한 과한 연민은 그 대상과 비슷한 환경으로 태어나게 할 수 있습니다. 마음의 강한 끄달림이 열망이 되어 하나의 자성처럼 작용하기 때문입니다. 잘못을 자책하는 것은 바람직합니다. 하지만 무시무시한 자책은 무시무시한 짐이 돼서 자신에게 돌아올 수 있습니다.

우리 존재는 행위를 통해서 경험하고 그 경험을 통해 배웁니다. 경험하고 배우며 자신의 의식을 확장합니다. 선한 행위를 통해 선을 배웁니다. 폭력적인 행위를 통해 폭력을 배웁니다.

어떠한 행위가 되었든 그 행위에 대한 책임은 스스로 감당해야 합니다. 이 책임을 감당하는 방식은 다양합니다.

그릇된 행위를 했다면 사후 지옥 같은 암울함을 겪는 방식일 수 있습니다. 아니면 다음 생에 혐오스러운 환경을 경험해 보는 쪽으로의 방식일 수도 있습니다. 또는 자신이 저지른 것을 반대로 겪는 방식으로 갈지도 모릅니다. 타인이나 사회를 위해 헌신을 하거나 할 수도 있습니다. 아무도 알 수 없습니다. 이런 부분들은 오직 각자의 깊은 내면의 이끌림에 의해서 결정됩니다. 자신을 발전시키기에 가장 적절하다고 생각되는 쪽으로 결정됩니다. 그 결정에 따라 자신의 성향에 맞게 다음 생을 구상합니다.

인간 존재의 행보는 '중도'를 터득하는 쪽으로 가게끔 되어 있습니다. 그러기에 앞선 결정은 결국 자신의 행위에 대한 치우침을 바로잡는 쪽으로 향합니다. 치우침을 바로잡으면서 중도를 터득해 가는 것이지요, 중도의 관점을 명확하게 이해할 때까지 이것은 거의 필연적입니다. 그 와중에 새로운 경험에 대한 도전을 시도하기도 할 겁니다. 그러면서 우리는 스스로 성장해 가고 있습니다.

간혹 전생을 기억해 내는 사람이 있기도 합니다. 하지만 그 전생 기억의 정확성을 신뢰하긴 어렵습니다. 전생 기억을 엿볼 수 있는 곳은 꿈의 세계와 비슷한 차원입니다. 꿈의 세계는 고정되어 있지 않습니다. 그 세계는 꿈꾸는 자의 상념에 따라서 변합니다. 유동적인 세계입니다. 그래서 전생의 기억은 당사자의 상념에 의해서 쉽게 변색 됩니다.

하지만 에고적 욕구가 사라지고 일체 번뇌를 초월한 사람이라면 그 기억은 정확할 수 있습니다. 그런데 앞서 말했듯이 에고가 소멸하면 정상적 사회생활은 어렵습니다.

전생을 기억해 내더라도 기억 속 전생이 모두 실제 경험한 삶이 아닐 수 있습니다. 어떤 상황을 심리적으로 강하게 염원하면 실체적으로 존재할 수 있기 때문입니다. 전생을 엿볼 수 있는 차원에서는 그런 일이 벌어집니다. 이것은 현대 물리학에서 간혹 언급되는 '평행우주'와 관련 있습니다.

전생에 대해서 아는 것은 별로 바람직하지 않습니다. '삶을 잘 산다'는 측면에서는 그렇습니다. 삶은 하나의 게임입니다. 상당히 현실적인 게임. 게임에는 법칙이 있습니다. 법칙이 없는 게임이라면 별 재미를 못 느낄 것입니다. 재미없는 게임이라면 그 게임은 게임으로써 의미가 없어집니다. 우리가 과거 생을 모두 잊기로 한 건 일종의 게임 법칙입니다. 우리는 전생에 대한 기억을 모두 잊어버리기로 합의했습니다. 그럼으로써 삶의 이야기들을 새로운 관점에서 다시 쓰는 중입니다.

전생을 따라다닐 필요는 없습니다. 과거에 매이거나 할 필요도 없습니다.

지금 눈앞에 마주한 삶을 받아들이는 자세는 앞으로의 삶에 영향을 미칩니다. 죽음 후의 삶에도 영향을 미칩니다. 당면한 문제에 대한 대처방식은 앞으로의 삶에 영향을 미칩니다. 죽음 후의 삶에도 영향을 미칩니다. 그리고 다시 태어난 후의 삶에도 영향을 미칩니다.

당면한 문제를 현명하게 대처함은 더 나은 삶을 보장합니다. 지금 삶에 대한 포용은 풍요로운 미래를 보장합니다.

죽음과 새로 다시 태어남은 물질 세상에서의 경험이 충분하다고 느낄 때까지 계속됩니다. 그 충분함은 다른 누구도 아닌 스스로 충분함입니다.

윤회는 지금 세상에서의 삶이 더 이상 필요 없다고 느낄 때까지 계속됩니다. 경험하고 싶은 삶과 배우고 싶은 삶이 다 하면 이 세상의 삶은 더 이상 필요 없어집니다.

온갖 경험과 탐구를 하며 삶을 배웁니다. 만족할 만큼의 충분한 배움을 통한 의식의 확장을 마치면 삶이 고요해집니다.

육체적, 물질적 온갖 경험과 탐구는 육체적, 물질적 부분들의 경험 욕구를 담담하게 합니다. 이때쯤 이르면 육체의 감각과 물질세계의 경험 욕구에 대해서 초연해지기 시작합니다. 육체의 감각과 물질세계의 경험 욕구가 초연해짐은 초탈한 삶의 시작입니다. 그리고 머지않아 이 물질계를 초월하게 됩니다.

때가 되면 여러분은 삶을 담담하게 대하게 될 것입니다. 때가 되면 초연해질 것이고 결국은 초월하게 될 것입니다.

산을 오르려는 의지가 있으면 모두 다 정상에 도달할 수 있습니다. 시간과 방법의 차이는 있겠지만 결국은 모두 다 정상에 설 수 있습니다. '의지'만 있다면 말이지요.

이번 생을 끝으로 물질세계의 삶을 마무리하는 존재들이 있습니다. 그들은 보통 이 세상에서 특별한 역할, 예를 들자면 스승[95]같은 역할을 합니다.

---

95) '스승의 날'에서 사용하는 일반적인 '스승'과는 구분할 필요가 있습니다. 스승은 '공경을 받을 만한 사람'을 일컫습니다. 스승의 조건은 다음과 같습니다. 첫째, 전생에서 현생으로 그리고 내생으로 이어지는 삶을 알아야 함. 둘째, 죽음을 알아야 함, 셋째, 일체의 번뇌에서 벗어나야 함.

때로 어떤 소명으로 자발적으로 이 세상에 태어난 존재들도 있습니다. 그들에게는 이 물질세계의 삶이 더 이상 필요하진 않습니다. 더 이상 이 세상의 경험을 통해 자기 존재를 성장할 필요는 없습니다. 이들은 스승의 역할을 타고난 존재들입니다. 앞선 스승과 다른 점이 있다면 새로운 대안을 제시합니다. 즉, 이들의 역할은 주로 개척하고 안내하는데 집중됩니다.

이런 존재들과의 만남은 사후에 계속 이어지지는 않습니다. 저세상에서 사는 세계가 서로 확연하게 다르기 때문입니다. 그렇더라도 이 세상에서 어떤 특별하고 긴밀한 인연을 유지해 왔다면, 그 인연은 어떤 식으로든 지속됩니다.

존재의 원초적 속성인 '창조성'과 창조성의 상징

살다 보면 어려운 문제와 마주할 때가 있습니다. 그 문제는 술술 잘 풀리기도 하지만 그렇지 않고 애를 먹을 때도 많습니다. 힘겹게 문제를 풀 때면 고단합니다. 이 고단함이 계속되면 괴롭습니다.

삶 속에서 우리를 괴롭히는 문제들은 어깨에 짊어진 십자가입니다. 이 세상에 태어나면 누구나 십자가를 집니다. 크기와 무게는 다르겠지만 누구나 짊어집니다. 십자가의 정수는 육체입니다. 우리는 태어나는 순간 '몸뚱이'라는 십자가를 집니다. 존재인 우리 영혼은 스스로 이 십자가를 어깨 위에 짊어졌습니다.

인간의 몸으로 태어나면 누구나 다 십자가라는 삶의 무게를 집니다. 이것은 예수뿐 아니라 부처도 예외일 수는 없었지요. 예수님은 자발적으로 십자가를 졌습니다. 부처님 역시 6년의 세월 동안 격하게 고행하며 자발적으로 십자가를 졌습니다. 우리 역시 자신의 십자가를 자발적으로 짊어졌습니다. 이 자발성 뒤에는 존재의 발전과 성장이란 밑그림이 깔려 있습니다. 앞서 말한 전생의 기억 들을 잊어버리기로 한 것 역시 성장과 관련 있습니다.

자신의 성장과 발전을 위해서 스스로 짊어진 이 십자가는 언젠가는 내려놓아야 합니다. 자신을 고뇌하게 하는 문제를 현명한 방법으로 풀어내고 내려놓아야 합니다.

우리는 이 십자가의 무게에 질식해서 죽을 것인지, 힘을 길러 무거움을 극복할 것인지 선택할 수 있습니다. 또한 내 던져 버릴지, 아니면 이것을 발판 삼아 다시 새롭게 도약할 것인지도 선택할 수 있습니다. 그 선택의 몫은 전적으로 자신에게 달려 있습니다.

십자가(✚)는 그리스도교를 대표하는 상징입니다. 만(卍)자는 불교의 대표적 상징[96]이구요.

그리스도교에서 십자가는 고난의 상징으로 사용하고 있는 듯합니다. 하지만 십자가에는 원래 다음과 같은 상징이 있습니다.

십자가 모양은 균형과 조화를 상징합니다. 육체 자체의 균형, 일과 휴식의 균형, 정신과 육체의 균형, 부분과 전체의 균형, 강함과 부드러움의 균형 등등, 그리고 이들 모두의 조화를 상징합니다. 십자가 모양은 정신세계, 영적 세계와 물질세계가 서로 맞물려 있음을 상징합니다. '위에서와 같이 아래에서도'의 의미이며, '하늘에서 이룬 것 같이 땅에서도'의 의미입니다. 또한 십자가는 무한을 상징합니다. 아래위, 좌우로

---

96) 우리나라 불교의 최대 종단인 조계종에서는 2005년부터 원 안에 세 개의 점이 찍힌 모양의 '삼보륜'을 상징으로 사용하고 있습니다.
만자(卍字)가 불교문화권에서만 국한되어 사용된 것은 아닙니다. 아시리아, 그리스, 로마, 인도, 중국, 바빌로니아 등 고대문명이 번성하던 곳에서 흔히 발견되었습니다.

무한하게 뻗어 나감을 상징합니다. 즉, 무한한 우주를 상징합니다.

불교 만(卍)자의 의미 역시 십자가의 의미와 비슷합니다. 다른 점이 있다면 만자는 순환과 역동성의 의미가 더 추가 되었다고나 할까요, 그래서인지 불교는 삶이 순환하는 윤회를 말하지만, 좌우상하, 어찌 보면 획일적으로 뻗어 나가는 것처럼 보이는 상징을 사용하는 기독교는 윤회를 말하지 않습니다. 또한 불교의 교리는 상당히 복잡 미묘하게 느껴지지만, 기독교의 교리는 단순하게 느껴집니다.

다른 듯 비슷한 이 두 상징 들을 모두 통합하는 의미가 있습니다. 창조성입니다. 서로 다른 두 직선이 만남으로서 두 속성을 모두 갖춘 '十'자 모양이 생겨났습니다. 부와 모의 만남으로 부모의 속성을 모두 갖춘 새로운 생명이 태어납니다. 새로운 생명은 창조성의 결과물입니다.

그리스도교 경전 첫 장을 장식하는 것은 창조와 관련된 이야기입니다. 첫 번째로 언급했다는 것은 그만큼 중요하다는 의미겠지요.

순환, 회전과 역동성은 창조력의 바탕입니다. 우리가 매일 사용하는 전기 에너지는 회전하는 힘으로 생겨납니다. 만일 이 에너지가 없으면 인류의 창조력은 제한될 수밖에 없습니다. 우주 안의 모든 물질은 회전합니다. 회전하며 안정적인 위치를 확보하는 것이지요. 회전하지 않는다면 서로 충돌하며 혼란해질 것입니다. 제대로 된 창조물은 안정적인 에너지 속에서 탄생합니다.

십자가와 만자(卍)는 모두 창조성을 의미합니다. 존재인 우리 인간의 가장 중요한 속성은 창조성입니다.

한편 십자가는 예수님의 행적과 관련해서 아주 중요한 상징적 의미가 있습니다.

그리스도교 경전에 의하면 예수는 십자가에 매달려 죽었습니다. 이것은 인류에게 가르침을 주기 위한 하나의 상징적 사건입니다. 예수의 행적과 관련된 상징으로서의 십자가는 다음의 세 가지 의미가 있습니다.

첫째, 사람은 이 세상에 태어나면 '자신이 처한 삶'이라는 십자가를 집니다. 예수께서는 자신의 십자가를 기꺼이 짊어지고 골고다 언덕을 올랐습니다. 그처럼 누구나 자신의 십자가를 기꺼이 짊어지고 삶을 살아야 한다는 의미입니다. 힘겹더라도 말이지요.

둘째, '자신의 삶'이라는 십자가에 매달려 죽는다는 의미입니다. 십자가의 힘겨움을 감내하지 못하고 질식해 버리는 것이지요. 이것은 자신이 처한 삶의 환경을 비관하고 원망하는 부정적 삶을 말합니다. 이런 의미로 예수께서는 십자가에 매달려 죽은 것입니다.

세 번째, 새로운 '나'로 부활함을 의미합니다. 힘겨운 삶, 비관적인 삶을 기꺼운 삶 즐거운 삶으로 변화시킴을 의미합니다. 나(에고)를 순화시키고 조화롭게 함으로써 거듭 태어남을 의미합니다.

예수는 스스로 십자가를 짊어지고 기꺼이 감당하며 언덕을 오른 후, 매달려 죽었다가 부활합니다. 그럼으로써 이 세 가지 길에 대해서 인류에게 상징적으로 가르침을 남겼습니다.

사실 육신의 몸으로 죽으면 절대 다시 살아날 수 없습니다. 이것은 신인(神人)이라고 할지라도 예외일 수 없습니다. 죽으면 바로 부패가 진행되고 이미 부패가 진행된 육신은 돌이킬 수 없습니다. 다시 살아나려면 부패하지 않아야 합니다. 부패하지 않는다는 말은 완전히 죽지 않았다는 의미입니다. 그러면 다시 살아날 수 있습니다. 간혹 세상에는 땅에 묻히기 전 관 뚜껑을 두드리고 나와 주변을 놀라 까무러치게 하는 일이 일어나기도 합니다.

그리스도의 부활은 '상징적이고 정신적인 사건'입니다.

'3일 만에 부활한 것'은 또 하나의 중요한 상징입니다. 이것은 가톨릭의 삼위일체와 관련 있습니다. 성부, 성자, 성령의 삼위일체는 가톨릭의 가장 중요한 사상이기도 합니다.

우리의 보다 '본질적이고 심층적'인 모습은 영혼(靈魂)이라고 말해왔습니다. 좀 더 정확하게 말하자면 영혼이 아니라 혼(魂)입니다. 혼은 우리가 물질 세상에 오기 전의 모습이기도 합니다. 영은 우리들의 '근원적'인 모습입니다.

'나'는 아버지(부모)로부터 비롯되었습니다. 그런 의미에서 물질 세상 전 모습인 혼은 아버지(부모)에 비유될 수 있겠습니다. 그러면 지금의 나(에고)는 아들(자녀)이 되겠군요.

혼탁한 세상을 살던 나(에고)는 조화로운 온전한 모습을 찾음으로써 일대 전환점을 맞습니다. 세상의 혼탁함에 휩쓸려 살던 아들은 그저 평범한 아들입니다. 평범하던 아들은 온전한 조화로움을 이루어 냄으로써 성스러운 아들이 됩니다. '성자'가 된 것이지요.

아들이 성스러워지면 자신 안에 내재 된 내적 성스러움(혼)이 드러납니다. 그러면서 아들은 자신의 내적 성스러움도 알게 되고 '성부'를 이루어 냅니다. 성자와 성부가 지금의 '나' 안에서 온전하게 합일을 이루면 '나'의 근원적인 실체인 영(靈, 성령)이 깨어납니다.

성인들을 그림으로 표현할 때 머리 위(뒤) 후광을 그려 넣습니다. 이 후광은 영이 깨어난 존재임을 의미합니다.

가톨릭의 성부, 성자, 성령 삼위일체는 자신 안에서 이루어지는 것입니다. 지금의 현실 안에서 구현해 낼 수 있는 것입니다. 이는 곧 신(신성)과의 합일을 의미하기도 합니다.

 그리스도교의 경전에는 '하느님의 아들들'과 '하느님의 자녀들'이란 표현이 있습니다. 예수만이 하느님의 독생자는 아니라는 의미로 읽어지는 대목입니다. 우리들이 육체를, 그리고 마음을 온전하게 하여 혼을 드러내고, 영을 일깨울 때, 삼위일체는 지금 내 안에서 이루어 낼 수 있습니다.

 인간 존재의 가장 기본적인 속성은 창조성입니다. 삶의 진정한 의미는 성장과 발전을 통한 자기의식의 확장입니다. 우주 만물의 시발점은 창조이며 우리 우주는 창조된 후 끊임없이 확장해 가고 있기 때문입니다.

 성장과 발전의 길을 따라가면서 각자 인식의 역량은 커갑니다. 사고의 범위도 넓어집니다. 그렇다고 발전이 수직적으로만 진행되는 것은 아닙니다. 마치 등산할 때 늘 오르기만 하는 것은 아닌 것처럼 말이지요. 산행해 본 사람은 오르락 내리락하며 반복하는 것을 압니다.

 인간이 끊임없이 성장, 발전하고 변화, 확장해 가는 것은 존재의 본질을 알고 싶어 하는 욕구 때문입니다.

 개개인은 우주의 부분으로 존재합니다. 신은 우주 삼라만상의 '모든 것'입니다. 인간 내면에는 자신을 부분으로서가 아니라 전체로서 경험하고 싶은 욕구가 있습니다. 자기 본질을 알고 싶은 욕구도 있습니다. 이 욕구가 개인들을 끊임없이 성장하고 발전하도록 유도 하는 것이라 여겨집니다.

> 신을 바라보는 나의 눈이 나를 바라보는 신의 눈이다.
>
> -이차크벤토프97)-

결정된 미래, 결정된 운명은 없습니다

자신의 전체적 삶의 구도는 신이 부여한 것이 아닙니다. 어쩌다 보니 우연히 생긴 것도 아닙니다. 우리는 이 세상에 오기 전 영혼의 상태에서 스스로, 삶에 대한 전체적인 구도를 계획합니다. 또한 그 구도에 맞는 적절한 내외적 환경을 택합니다. 지금 자기 몸과 주변 환경은 그 계획에 다른 결과물입니다.

이것은 마치 산행하기 전에 등산 코스를 알아보는 것과 같습니다. 여행하기 전에 미리 전체적인 계획을 세우고 교통편이나 숙박할 곳을 알아보는 것과 같습니다. 물론 등산이나 여행을 계획 없이 하는 경우도 있을 수 있습니다. 그렇다고 반바지에 런닝셔츠 차림으로 뒹굴거리다가 '아! 산에나 갈까?' 하면서 그 차림 그대로 산으로 직행하지는 않습니다.

'지금의 삶을 스스로 선택했다'는 문제는 에고 의식으로는 수긍하기 어렵습니다. 수긍은커녕 이해하기도 어렵습니다. 그래서 에고적 차원에서는 결코 알아챌 수 없습니다.

조심스럽긴 합니다만, 질병이나 재난을 겪는 것 같은 상황 역시 자신의 설계에 포함된 것입니다. 경험에 대한 욕구, '그러한 상황을 겪어볼까?' 하는 강한 욕구와 호기심이 그런 삶을 설계하게 하는 것이지요, '질병이나 재난 상황'에 대한 지나친 두려움이나 반감도 역시 그것을 경험해 보는 쪽으로 이끌리게 합니다. 또한 지나친 연민도 그것을 경험해 보는 쪽으로 이끌리게 합니다.

지금 느끼는 감정들은 어떤 감정이든 겪어야만 하는 감정들입니다. 특히 어떤 상황에 대한 과도한 감정들은 자신이 풀어야 할 숙제 같은

---

97) 「우주심과 정신물리학」, 「우주의식의 창조놀이」 저자

것입니다. 물질 세상은 우리가 느끼는 모든 감정에 대한 경험과 배움을 위한 장이기도 합니다.

극단적인 감정은 그에 걸맞은 에너지를 뿜어냅니다. 이 에너지는 그와 상반하는 에너지를 통해서 상쇄시킬 수 있습니다. 살면서 우리는 감정의 극단을 경험합니다. 극단의 감정을 겪다 보면 점차 극단의 폭이 좁아집니다. 이런 배움을 통해서 결국은 중용을 터득합니다. 중용은 상극이 되는 부분을 모두 겪어야 온전히 터득됩니다.

감정들을 모두 배우고 나면 감정에 휘둘리거나 하진 않습니다. 감정의 리듬을 그저 만끽할 뿐입니다.

어떤 상황에 대한 과한 두려움이나 지나친 반감 같은 감정들이 있습니다. 감정도 일종의 에너지입니다. 자신으로부터 방출된 에너지는 자기 주변을 맴돌지요. 자기가 만들어 냈으니, 자신과 제일 친화력이 있기 때문입니다. 이들 감정 들은 오히려 마치 자력처럼 작용합니다. 아이러니하지만 자력에 끌려 당겨지는 철처럼 그 감정을 만들어 내는 상황을 끌어옵니다.

삶에서 겪는 고난들은 스스로 설정한 하나의 도전 과제들이기도 합니다. 그 도전 과제들인 고난을 원만하게 풀어나가면 '미션 완료, 성공'입니다. 성공해도 모두 끝나는 것은 아닙니다. 또 다른 목표를 갈망하기 때문입니다. 그래서 또 다른 목표를 향해 다른 도전 과제를 찾습니다.

만일 도전 과제인 고난에 질식해버리면 '미션 실패'입니다. 실패하면 다시 해보고자 하는 욕구가 잠재된 상태로 남습니다. 그러다가 어느 때가 되면 다시 도전해 봅니다.

이런 과정을 통해서 우리는 성장하고 발전하고 있는 것입니다. 자기 존재의 의식을 확장 해가고 있는 것입니다.

 산 정상을 향하는 길에는 여러 가지가 있습니다. 시간이 걸리더라도 덜 힘들게 빙 돌아가는 완만한 길이 있습니다. 위험하고 힘들지만 단번에 오를 수 있는 가파른 길도 있습니다.
 어떤 영혼은 가벼운 도전 과제를 설정합니다. 또 어떤 영혼은 육중한 도전 과제를 설정합니다. 가벼운 과제만 계속하면 너무 심심합니다. 육중한 과제가 계속되면 너무 버겁습니다. 그래서 보통은 이 두 가지의 경우를 서로 교차해 가며 선택합니다. 그렇다고 매번 생마다 과제 때문에 애쓰진 않습니다. 학생에게는 방학이 있고 직장인은 휴가가 있듯이 휴식 같은 생도 있기 마련입니다.

 여행이나 등산이 늘 계획대로만 진행되지 않음을 우리는 압니다. 계획된 삶이라 할지라도 잠재된 변수는 항상 존재합니다. 삶은 예정되어 있기는 하지만 결정된 운명이나 고정된 미래는 없습니다. 미래에 대한 이러한 특성은 현대 물리학에서는 이미 알려진 사실입니다.

 하이젠베르크의 「불확정성의 원리」는 미래의 가변적 특성을 잘 설명해 줍니다.

   물리학에는 문외한입니다만, 불확정성 원리를 '전자' 예로 설명해 보겠습니다.
   우리가 볼 수 있는 모든 물질은 원자라는 단위로 구성되어 있습니다. 이 원자는 원자핵과 이를 중심으로 주변을 회전하고 있는 전자라는 입자로 이루어져 있다고 알려져 왔습니다. 하지만 현대에 들어서 이 전자는 원자 주변을 회전하는 입자이면서 동시에 파동의 형태로 존재함이 밝혀졌지요. 입자는 물질이지만 파동은 물질이 아닙니다.

원자핵 주변 일정 공간을 점유하며 존재하는 전자는 확률로써만 존재한다고 합니다. 이것은 마치 안개처럼 뿌연 모호한 상태로 존재함을 의미합니다. 틀림없이 존재는 하지만 정확히 어디에 있는지는 알 수 없다는 것이지요.

이렇게 모호하게 존재하던 전자가 관찰자를 만납니다. 관찰자는 관찰하다가 우연히 어느 특정한 위치에 전자가 있는 것을 발견합니다. 순간 안개(파동)처럼 존재하던 전자는 하나의 점(입자)만 남기고 사라집니다. 물론 발견할 가장 높은 확률을 가진 곳에서 관찰되겠지요.

관찰자의 눈에 딱 하고 걸리기 전까지는 정확하게 어디에 있는지 모르는 것. 이것은 우리들의 미래와 같습니다. 우리에게는 여러 가지 가능한 미래가 존재합니다. 그 '미래들'은 선택될 때까지는 원자핵 주변을 배회하는 전자처럼 모호하게 존재하지요.

예정된(가능한) 미래들은 안개처럼 모호하게 존재하다가 선택, 결정되는 순간 발현됩니다. 전자가 특정 위치에서 관찰되는 순간 다른 곳에서 전자를 발견할 수 없는 것처럼, 우리들이 선택하는 순간 다른 선택 가능한 미래들은 사라집니다.

아인슈타인은 당시 최고의 물리학자였습니다. 그는 예측 불가능하며 확률로서만 설명할 수 있는 논리에 대해서 강력히 반발했습니다. 그러면서 "신은 주사위 놀이를 하지 않는다"라고 말했지요. 하지만 그는 훗날 신의 주사위 놀이를 인정합니다. 불확정성 원리를 수용합니다.

미래에 벌어질 사건은 이미 존재하고 있습니다. 다만, 위 '전자'의 예처럼 안개처럼 뿌연 상태로 존재합니다. 드러나지 않은 상태로 드러나기를 기다리며 대기하는 중이지요.

전자가 어느 위치에서 발견될지 알 수 없는 것처럼 어떤 미래를 경험할지 즉, 어떤 미래가 닥칠지는 아무도 모릅니다. 신조차도 모릅니다. 뿌연 안개처럼 가능성으로만 존재하던 '여러 미래' 가운데서 우리는 한 사건을 경험합니다. 그 사건은 우리의 '선택'에 따라 나타납니다.

길을 가는데 세 가지의 갈림길에 서 있다고 가정해 보겠습니다. 왼쪽에는 산으로 가는 길이 있습니다. 오른쪽에는 바다로 가는 길이 있습니다. 가운데는 도심으로 가는 길이 있습니다. 이 갈림길에 섰을 때는 산으로 가는 길을 택했을 때 벌어질 일들과 바다나 도심으로 갔을 때 벌어질 일들은 이미 존재하고 있습니다. 그중 한길을 택한 순간 나머지 길들을 택했을 때 벌어질 일들은 사라집니다. 선택한 길의 미래만 발현되는 것입니다.

우리는 지금 어떤 길을 선택하느냐에 따라서 바로 잘 죽을 수도 있고, 병으로 시름시름 앓다가 죽을 수도 있고, 노환으로 거동하기 힘들어하다가 죽을 수도 있습니다.

지금까지의 삶의 패턴이 앞으로도 계속됩니다. 그러면 그 삶 속 패턴의 궤적에 따른 예정된 삶과 마주하게 될 것입니다.

살면서 간혹 만날 수 있는 예지자들이 있습니다. 과거의 패턴을 알아낼 수 있는 사람들입니다. 그들은 이러한 패턴을 통해서 미래를 내다봅니다. 그동안의 삶의 패턴을 바꾸면 바뀐 패턴에 맞는 삶이 전개될 것입니다. 그래서 미래는 늘 유동적입니다. 아무리 뛰어난 예언가라 할지라도 예측이 자주 빗나가는 이유입니다.

기존 삶의 패턴, 곧 습관을 바꾸려면 제법 큰 의지가 필요합니다. 마음의 각오가 필요합니다. 그렇다고 마음의 각오만으로는 결코 삶을 변화시킬 수는 없습니다. 몸으로 직접 실행하며 부딪쳐야 실체적 변화를 끌어낼 수 있습니다.

 지금의 삶은 태어나기 전 자기 스스로 설계한 것입니다. 스스로 한 설계이기 때문에 얼마든지 자신의 의지로 바꿀 수도 있습니다. 그렇다고 무턱대고 쉽게 바꿀 수 있는 것은 아닙니다. 건물을 짓기 위해 공들여 만든 최초의 설계 도면을 무턱대고 바꾸어 버릴 수는 없는 것처럼 말이지요. 예정된 운명은 고개를 돌리듯 쉽게 바꿀 수 있는 것은 아닙니다. 하지만 노력을 좀 기울이면 얼마든지 수정할 수 있습니다.
 우리는 스스로 자신의 주변 환경과 현실을 만들어 나가고 있습니다. 자신의 감정 상태와 사고방식은 바로 삶에 반영됩니다. 우리는 충분히 자신의 미래를 개척해 낼 수 있습니다.
 부정적인 미래를 원하는 사람은 없을 것입니다. 긍정적인 미래를 원한다면 먼저 자기 내면을 긍정적인 방향으로 변화시켜야 합니다. 자신의 언행을 긍정적인 방향으로 변화시켜야 합니다. 부정적인 마음가짐은 그대로 외적 환경으로 투영됩니다. 지금의 언행대로 자신의 환경은 만들어집니다.
 불안함이나 두려움, 신경질 가득한 마음들이 있습니다. 모두 자기 주변 삶의 현실이란 건축물을 만들어 내는 기본재료입니다. 고요함이나 기쁨, 너그러운 마음들도 있습니다. 이 역시 삶의 현실을 만들어 내는 재료입니다. 이들 재료를 가지고 몸을 통해서, 행동을 통해서 우리는 자기만의 건축물을 지어냅니다.

 내 삶의 내외적 환경을 변화시키는 가장 확실한 방법은 자기 자신을 변화시키는 것입니다. 자기 자신을 변화시키는 가장 확실한 방법은 마음가짐을 변화시키는 것입니다. 몸은 지금의 마음 상태를 만들어 내는 발원지입니다. 마음가짐에 변화를 주는 가장 확실한 방법은 몸을 변화시키는 것입니다.

정신적 문제는 그 정신을 품고 있는 육체를 건전한 방향으로 이끌어 주면 해결할 수 있습니다. 감정적 문제도 그 감정을 품고 있는 몸을 바람직한 방향으로 이끌어 주면 해결할 수 있습니다.

물질세계는 '한정된 공간 속 시간의 연속적 흐름'이란 속성을 가지고 있습니다. 시공의 속성상 과거와 현재를 지나서 예정된 미래로 이어지는 육중한 흐름을 단번에 바꾸긴 어렵습니다. 하지만 평소 말투나 몸의 자세, 행동의 습관 등이 변하면 주변 환경이 서서히 변해갑니다.

자신의 물질 몸에 변화를 주면 미래 역시 변합니다. 긍정적 변화라면 미래는 긍정적인 쪽으로 흘러갑니다. 부정적 변화라면 미래는 부정적인 쪽으로 흘러갑니다.

우리는 겪어야 할 일을 경험합니다. 이것은 개인이든 사회든 인류 전체든 모두 마찬가지입니다.

인류는 오랫동안 쓰레기를 마구 버려왔고 유독 물질을 쏟아냈습니다. 과도하게 자연을 파괴하며 개발해 왔습니다. 지금 인류가 겪고 있는 기후변화에 따른 재해들은 그 결과물들이지요. 지금 상태가 계속된다면 인류는 더 큰 재앙을 맞게 될 것입니다. 그리고 머지않아 인류는 자멸할 것입니다.

인류의 미래는, 현재는 그렇게 예정되어 있습니다. 지금처럼 세상이 돌아가는 한 그렇습니다. 하지만 예정된 재앙은 겪지 않을 수 있습니다. 지금부터라도 쓰레기를 줄이고, 유독 물질을 줄이고, 과도한 개발을 멈추면 됩니다.

사람들 개개인도 마찬가지입니다. 미래에 겪게 될 심각한 질병들을 겪지 않을 수 있습니다. 관계에 있어서 심각한 문제들도 겪지 않을 수 있습니다. 겪더라도 가볍게 겪고 지나가게 할 수 있습니다. 그러려면 지금의 '나'를 좀 더 정화 시키면 됩니다. 좀 더 조화롭게 순화하면 됩니다. 과함과 과로를 줄이면 됩니다.

개인의 미래나 인류의 미래는 지금 우리 개개인의 선택에 달려 있습니다.

미래를 여는 열쇠 '몸(육체)'

앞서 표현했듯이 자신의 전체적 삶의 구도는 신이 부여한 것도 우연히 생긴 것도 아닙니다. 우리는 이 세상에 나오기 전 영혼의 상태에서 앞으로의 생에 대한 전체적인 구도를 계획합니다. 그리고 그에 맞는 적절한 내외적 환경을 택합니다. 우리는 직접 설계한 그 구도에 맞게 자신 몸과 주변 환경을 구축하며 살아갑니다.

정신 작용은 물질적 환경을 만들어 내는 자산입니다. 하지만 육체 없이는 결코 물질세계에 결과물을 만들어 낼 수 없습니다. 물질세계의 삶은 육체적 행위를 통해야만 구현할 수 있습니다.

몸뚱이는 정신의 지배를 받지만, 정신만으로는 결코 실현 시킬 수 없습니다. 설악산에 가야지 하고 아무리 마음먹어도 몸을 움직이지 않으면 그저 방바닥일 뿐입니다. 이 물질세계에서는 그렇습니다. 그런 의미에서 정신적 부분보다는 육체적 부분의 중요성을 더 강조하고 싶습니다.

많은 사람이 마음공부를 하면서 마음을 변화시키려 노력합니다. 하지만 육체적 변화가 뒷받침되지 않는 한 마음을 근본적으로 변화시킬 수는 없습니다. 정신적으로 아무리 고고하더라도 육체적, 물질적으로 피

폐한 삶을 살고 있다면 그것은 결코 바람직한 삶이 될 순 없습니다.

삶은 행위이자 체험입니다. 우리는 과거 삶의 행위와 체험을 토대로 현재를 살아갑니다. 그리고 과거와 현재를 토대로 미래를 구상합니다. 그러면서 자신의 세상을, 창조물들을 구현합니다.

사람들에게는 현재 처해있는 각자의 육체적 조건이 있습니다. 이 육체적 조건에 따라서 행위의 역량이나 형태는 달라집니다. 또한 구현해낼 수 있는 환경, 창조물도 다릅니다. 긍정적이고 건전한 육체는 긍정적이고 건전한 환경을 만들 수 있는 가장 이상적 조건입니다.

여러분은 지금보다 더 건전하고 바람직하게 삶을 이끌어 갈 수 있습니다. 그러려면 지금의 육체를 조금이라도 더 건전하고 바람직한 방향으로 바꾸어 주면 됩니다.

에고와 마음은 항상 육체와 맞물려 작용합니다. 그래서 육체가 혼란스러우면 에고도 마음도 혼란스러워합니다. 영혼은 에고의 안내자입니다. 마음은 영혼과 에고의 연결고리 역할을 하고 있습니다. 영혼은 통상적으로 마음을 통해서 에고를 안내합니다. 그래서 마음에 문제가 생기면 에고를 안내하려는 영혼은 제 역할에 애를 먹습니다.

라디오에 비유해 봅니다. 라디오는 육체입니다. 마음은 채널입니다. 라디오를 듣는 사람은 에고입니다. 영혼이 방송합니다. 라디오 채널이 잘 맞지 않으면 지직거립니다. 제대로 소리를 들을 수 없습니다. 영혼은 시기적절하게 안내방송을 하는데, 수신 상태가 좋지 못하니 에고가 알아듣지 못합니다.

미래와 육체와의 관계를 질병이란 상황을 예로 들어 보겠습니다.

영혼에는 과거와 현재와 미래라는 시간 개념이 없습니다. 영혼의 입장에서는 '질병을 경험하며 살아간다'와 '질병에서 벗어난다', '질병으로 죽는다'와 '죽을병을 겪지만 회복한다' 등은 동시적인 사건입니다. 이 동시성에 대한 문제는 물질세계를 살아가는 에고의 입장으로서는 이해 불가입니다. 에고는 물질세계 안에서, 시간 개념 안에서 살아가기 때문입니다.

이해 불가한 이야기를 한번 해 보겠습니다.

물질세계에서는 사건들이 순차적으로 일어납니다. 영혼으로서는 동시적인 사건이지만 우리는 이중 '질병'이라는 하나의 사건을 먼저 경험합니다. 그러면서 '질병을 계속 겪음, 또는 질병으로 죽음, 그리고 질병에서 벗어남'이라는 다른 사건들은 가능성을 가진 미래의 사건으로 남습니다.

영혼의 여러 가지 계획 중, 질병을 경험하고자 하는 계획은 '나(에고)'로 하여금 질병을 경험하게 합니다. 그러기 위해서 에고는 질병에 걸릴 적당한 몸과 환경을 만들어 놓습니다.

자 그럼, 지금 질병을 경험하고 있습니다. 이 상황에서 우리는 통상적으로 세 가지의 미래와 조우 할 수 있습니다. 계속 질병을 경험하는 미래, 질병이 심화해져서 그 병으로 죽는 미래, 또는 병에서 해방되는 미래와 만날 수 있습니다.

삶의 패턴이나 환경이 질병에 걸린 지금처럼 유지된다면 질병을 계속 경험하는 미래로 향하게 될 겁니다. 삶의 환경과 패턴이 지금보다 안 좋아진다면 병이 심화해지거나 그 병으로 죽는 미래와 만나게 될거구요. 환경과 패턴을 지금보다 더 낫게 바꾸어 준다면 병에서 해방되는 미래가 나타날 겁니다.

자신의 환경을 유지하거나 악화시키거나 더 나은 방향으로 향하게 행위 하는 것은 육체입니다. 육체를 그렇게 유도하는 것은 마음이구요, 몸과 마음이 현 상태를 유지하는 한 미래는 현 상태대로 진행됩니다.

몸에 병이 생기면 육체 시스템이 혼란해집니다. 신경계가 교란되고 호르몬 기능도 정상적으로 작동하지 않습니다. 그러니 마음은 흐릿하고 혼란해집니다. 마음이 혼란하면 영혼과의 소통이 어려워집니다. 소통이 어려우니 영혼의 다른 계획을 알아차릴 수 없습니다. 그래서 원래의 계획대로 질병을 계속 겪으며 살아가거나, 악화하거나, 그 병으로 죽습니다.

그런데 병이 있는 육체 시스템을 조금이라도 순화해 주면 마음이 조금이라도 더 안정됩니다. 산만함과 흐릿함이라는 방해 요소가 조금 사라집니다. 영혼과의 소통이 좀 더 원만해집니다. 그러면 에고는 다른 계획, 다른 미래를 알아챌 가능성이 그만큼 늘어납니다. 변화된 계획을 영혼으로부터 은연중에 전달받을 수 있습니다. '질병에서 벗어난다' 혹은 '죽을병을 이기고 살아난다'라고 하는 또 다른 계획을 전달받습니다.

원래의 계획은 질병을 경험하는 것이고, 미래는 그 병이 악화하거나 병으로 죽는 것이었습니다. 에고는 그 계획을 따랐습니다. 하지만 영혼의 다른 계획과 미래를 알아차린 에고는 질병에서 벗어나는 삶 쪽으로 방향을 바꾸기 시작합니다. 이어서 에고는 육체를 움직임으로써 치유의 길을 찾아갑니다.

우리는 자기 육체와 주변 환경을 변화시킴으로써[98) 미래를 개척할

---

98) 성형수술이나 일반수술 특히, 내장을 절제하는 수술도 몸을 변화시키는 것 중 하나입니다. 하지만 여기서 말하고자 하는 '바람직한 변화'는 아닙니다. 바람직하지 않은 변화라도 다시 바람직한 방향으로 변화시킬 순 있습니다. 그러나 그 변화에는 더욱 고된 노력이 필요합니다.

수 있습니다. 육체가 변하면 삶도 변합니다. 바람직한 변화는 바람직한 삶으로 안내합니다. 질병으로 계속 고뇌하는 일과 질병으로 죽는 일을 극복할 수 있게 합니다. 자기 주변의 환경을 바람직하게 변화시켜 주면 부정적 마음을 긍정적인 마음으로 바꿀 수 있습니다. 마음이 긍정적으로 바뀌면 삶도 긍정적으로 바뀝니다.

적절한 운동으로 병을 고치는 경우가 있습니다. 육체 환경을 바꾸어 주었기 때문입니다. 병원에서 죽는다던 사람이 산속으로 들어가 건강을 되찾는 경우가 있습니다. 주변 환경을 바꾸어 주었기 때문입니다. 육체와 주변 환경 둘 다를 바꾸어 줄 수 있다면 금상첨화입니다.

병원에서 수술을 통해서 병을 고치기도 합니다. 역시 육체 환경이나 주변 환경을 바꾸어 주었기 때문입니다. 그런데 몸에 손상을 주는 환경 변화가 바람직할 리는 없습니다. 어느 부분은 좋아지겠지만 또 다른 부분은 틀림없이 손상을 입습니다. 결국 손상된 부분에 대한 책임이 따릅니다.

어쩌면 질병을 극복해 내는 것은 영혼의 원래 계획에 없을 수도 있습니다. 애초부터 영혼의 계획에 없던 일은 이생 삶에서 벌어지지 않습니다.

등산할 때 정상을 오르는 데에는 관심이 없고 그냥 산행만 즐기는 사람이 있습니다. 이런 사람은 결코 정상에 올라서지 못합니다. 마찬가지로 치유에는 관심이 없고 단순히 질병의 경험에만 관심을 둔 사람이 있습니다. 질병의 경험만이 필요한 것이지요. 이런 경우는 치유 불가합니다.

그렇더라도 자기 육체와 주변 환경을 '긍정적이되 획기적으로 변화'시킬 수 있다면, 그 변화된 환경에 맞는 새로운 계획을 영혼에 세우도록 하는 것이 가능합니다.

우리는 지금 물질세계에서 육체를 가지고 살고 있습니다. 동시에 영혼의 세계에서도 영혼으로 살고 있습니다. 이 두 삶은 실시간 서로 피드백 작용을 하고 있습니다. 자기 몸과 주변 환경을 변화시키면 마음가짐이 변합니다. 변화된 마음가짐은 그 마음의 심층(深層) 환경에 영향을 미칩니다. 그러면 심층의 마음은 영혼과 상의할 수 있습니다. 시간이 걸리기는 하겠지만 영혼의 원래 계획에 영향을 미칠 수 있습니다.

좀 더 구체적으로 얘기해 보겠습니다. 물질 삶을 계획하는 것은 우리들의 '혼'입니다. 우리들의 '영'은 혼이 계획을 세우고자 하는데, 필요한 조언을 합니다. 혼이 에고의 안내자나 조언자 역할을 하는 것처럼 영은 혼의 안내자 역할을 합니다.

일상의 '나(에고)'는 물질 몸(육체)으로 물질세계에서 살고 있습니다. 동시에 혼은, 혼의 몸으로 혼의 세계에 살고 있습니다. 영은 영의 몸으로 영의 세계에서 삽니다. 혼과 영은 각자 자신이 속한 세계에 살지만, 육체 안에서 에고와 함께 공존하고 있습니다. 에고는 드러난 일상의 '나'인 반면에 혼은 '깊은 내면의 나'이며, 영은 '보다 깊은 심연의 나'입니다.

어쩌면 심연이란 표현보다는 차원이란 표현이 더 어울릴지 모르겠습니다. 에고가 현실 차원(3차원)의 나라면, 혼은 '고차원(4차원)의 나'이며 영은 '고고차원(5차원)의 나'입니다. 3차원은 시간과 공간의 제약을 받지만 4차원은 시간의 제약을 받지 않습니다. 5차원은 시간과 공간 모두의 제약을 받지 않습니다.

에고와 육체는 서로 영향을 주고받습니다. 육체를 변화시키면 '변화된 육체'에 맞는 에고가 자리를 잡습니다. 이 에고는 '미래의 가능한 에고' 중 하나라고 할 수 있습니다. 그럼, 그 변화된 에고에 걸맞은 마음이 생겨납니다. 마음은 에고의 '욕구 작용'이기 때문입니다.

혼과 에고 역시 서로 영향을 주고받습니다. 변화된 육체에 맞게 자리 잡은 에고, 새로운 에고는 변화된 마음을 통해 '혼'에 영향을 미칩니다. 변화된 육체, 변화된 에고의 마음가짐은 혼에 전달됩니다. 변화를 감지한 혼은 원래의 구상 즉, 이 세상에 오기 전 설계한 삶을 재점검합니다. 현재의 육체 상태, 에고와 마음 상태에 맞는 적절한 미래를 다시 구상합니다.

혼이 삶을 구상할 때는 영의 조언을 받습니다. 충분히 성숙한 혼이라면 굳이 조언받지 않아도 됩니다. 하지만 혼이 원래 없던 계획을 다시 세울 때는 영의 조언이 필요합니다.

영은 혼에게 상황 변화에 맞는 새로운 계획을 조언합니다. 영은, 한층 더 고차적인 측면에서 현재의 혼과 에고의 발전에 무엇이 더 나은지를 살핍니다. 그리고 그 나은 방향으로 조언합니다. 이 조언을 토대로 혼은 새로운 계획을 세웁니다. '질병에 걸린다', '질병을 계속 경험한다', '질병으로 죽는다'와 같은 원래의 계획은 변화된 육체로 말미암아 '질병에서 벗어난다'와 '죽을 병에서 살아난다'와 같은 새로운 계획으로 바뀝니다. '변화된 육체'에 의해 생겨난 변화된 마음은 혼의 새로운 계획을 에고에 전달합니다. 에고는 육체를 움직여 치유의 길을 찾습니다.

창고를 하나 지으려면 우선 어떻게 지을지 구상하고 설계해야 합니다. 구상이 끝나면 그 창고를 짓기에 적당한 도구를 준비합니다. 망치

338

나 톱, 못, 줄자 등등을 준비합니다. 창고를 짓는 중에 도구가 현격히 좋아집니다. 전동드릴이 갖춰지고, 자동으로 움직이는 원형 톱이나, 각도 절단기, 수평자 등도 갖춰집니다. 도구가 획기적으로 좋아지면 창고만 짓기는 좀 아까운 생각이 듭니다. 창고를 짓다 보니 건축에 대한 노하우도 나름 생깁니다. 좋아진 도구와 그간의 노하우로 그럴듯한 집을 짓고 싶어집니다. 짓던 창고를 집으로 개조하기 시작합니다.

 인체에 에고라는 자의식이 깃들어 있습니다. 간에는 간의식이 깃들어 있습니다. 간세포 역시 그에 맞는 세포 단위 의식 차원인 자의식이 깃들어 있습니다. 인체는 간이나 세포를 인식하지 않습니다. 인체 전체로 독자적으로 삽니다. 간은 간세포나 인체를 인식하지 않습니다. 그저 간으로서 독자적으로 살아갑니다. 간세포 역시 간이나 인체를 인식하지 않으면서 살아갑니다. 이들은 서로를 인식하지 않지만, 실시간 소통하며 동시적으로 살고 있습니다.
 간세포가 변이를 일으켜 간암 세포가 되면 간을 망가뜨리고 더 나아가서 인체를 망가뜨립니다. 적절한 방법으로 인체를 움직이면 간을 건강하게 할 수 있습니다. 간이 건강해지면 간은 자발적 힘으로 간암 세포를 없애거나 정상으로 되돌릴 수 있습니다.
 육체와 에고와 혼과 영의 관계를 세포와 장부와 인체(육체)와 에고와의 관계에 비유할 수 있을 듯합니다. 간세포 단위의 의식을 '육체 자체의식'에 비유하자면, 간의 의식은 에고 의식이며, 육체 전체의 의식은 혼 의식, 에고 의식은 영의 의식입니다.
 에고(영)가 방법을 제시하면 육체(혼)는 그 방법에 맞게 움직이고, 간(에고)은 그 움직임에 의해서 활성화되며, 활성화된 간에 의해서 간세포(육체) 역시 되살아나게 되는 것이지요.

339

우리나라 대표적인 스님 중에 '의상'이란 분이 계셨습니다. 의상은 법성게라는 해탈문을 남겨 놓으셨지요. 법성게 중에는 다음과 같은 구절이 있습니다.

一中一切多中一(일중일체다중일) 하나 중에 모든 것이 있고 모든 것 안에 하나있어

一卽一切多卽一(일즉일체다즉일) 하나는 곧 모든 것이요 모든 것 또한 하나이니

一微塵中含十方(일미진중함시방) 하나의 작은 티끌 그 가운데 모든 세계 머금었고

一切塵中亦如是(일체진중역여시) 일체의 티끌속도 다시 또한 그러하다

혼체와 영체는 육체 속에 스며들어 있습니다.
물질 세계에서 육체(물질 몸) 안에서 에고로서 살아가는 우리들은
혼의 세계에서 혼체(혼의 몸) 안에서 혼으로서 동시에 살고 있으며
영의 세계에서 영체(영의 몸) 안에서 영으로서 역시 동시에 살고 있습니다.
물질세계 속에서 혼의 세계와 영의 세계는 함께 공존하며
영의 세계는 혼의 세계와 물질세계를 머금고 있습니다.

하늘은 스스로 돕는 자를 돕습니다. 운명을 개척하고자 하는 사람에게 신은 운명을 개척할 수 있는 권한을 부여합니다.
개척된 운명, 변화된 운명이 펼쳐진 세계가 있습니다. 그 세계로 들어가는 출입문이 있습니다. 그 출입문의 열쇠는 몸입니다. 몸의 행동이나 습관을 건전한 방향으로 변화시키는 것입니다. 평소의 말투나 자세를 바꾸는 것입니다. 몸의 상태를 지금보다 더 조화롭게 하는 것입니다.
몸의 상태를 조화롭게 함이란 유연성이 부족한 사람은 유연성을 키우

는 것입니다. 근력이 부족한 사람은 근력을 키우는 것입니다. 몸이 비틀어져 있으면 비틀림을 바르게 하는 것입니다. 상하 힘의 균형이 깨져있다면 힘의 균형을 잡아 주는 것입니다. 몸이 구부정하면 몸을 바르게 펴주는 것입니다. 질병이 있다면 병을 낫게 하는 것입니다.

몸에 변화를 주면 주변 환경에도 변화가 생깁니다. 평소 습관처럼 배어있는 말과 행동, 자세에 변화를 주면 마음가짐에 변화가 생깁니다. 마음가짐에 변화가 생기면 삶의 환경이 변합니다. 몸을 보다 더 건전하고 조화롭게 변화 시켜주면, 삶도 건전하고 조화로운 방향으로 덩달아 변해갑니다.

몸을 변화시키는, 제가 알고 있는 최상의 방법은 숨쉬기(호흡법)를 포함한 올바른 운동입니다.

베드로야, 나는 너에게 하늘나라(천국)의 열쇠를 주겠다.
네가 무엇이든지 땅(육체)에서 매면 하늘(정신)에도 매여 있을 것이며 땅에서 풀면 하늘에도 풀려 있을 것이다.

- 마태 16,19 -

나가며

끝까지 읽어주셔서 고맙습니다.
독자 여러분 모두
잘 살 수 있게 되기를, 잘 죽을 수 있게 되기를 진심으로 바랍니다.

잘 사는 삶은
잘 행위하고 잘 체험하는 삶입니다.
행위를 잘하려면 활기차게 움직여야 하고 정신이 명료해야 합니다. 잘 체험하려면 몸의 감각 작용이 원만해야 합니다.
몸과 마음이 건강할수록 활기차고 명료한 움직임이 수월합니다. 몸과 마음이 건강할수록 몸의 감각 작용이 원만합니다.

잘 사는 삶은,
자연스러운 마음으로 행위하고 체험하는 삶입니다.
마음을 자연스럽게 하려면 몸이 자연스러워야 합니다.
몸에 걸림, 몸을 불편하게 하는 요소가 없을수록 몸은 자연스러워집니다.

걸림 없는 몸으로 태어나는 것은 행운입니다.
걸림 없는 몸을 계속 유지하기가 쉬운 일은 아닙니다. 걸림이 있더라도 지금 자신 몸 있는 그대로를 오롯이 포용할 수 있으면 됩니다. 불편한 몸에 투덜거리는 마음 없이, 몸 있는 그대로를 감사히 받아들이면 됩니다.

잘 죽는 죽음이란,
죽기 직전까지 쌩쌩하게 살다가 죽는 것입니다.
죽기 직전까지 스스로의 힘으로 움직이다가 바로 죽음을 맞이하는 것
입니다.

잘 죽는 죽음이란,
자연스럽게 죽는 것입니다. 죽음을 거부하거나 두려워하지 않고 자연
스럽게 받아들이는 것입니다. 자연스럽게 죽으려면 마음이 자연스러워
야 합니다. 마음을 부자연스럽게 하는 요소가 없으면 마음은 자연스럽
게 자연스러워집니다. 마음속 맺힘이나 고집이나 집착이 없으면 마음
은 자연스럽습니다.

너도나도 '행복, 행복'하며 쫓아다니고 있지만 온전하게 행복을 얻은
사람은 찾아보기 힘듭니다.
삶의 행복이란 발이 닳도록 쫓아다닌다고 해서 얻어지는 것은 아닙니
다. 행복은 자연스럽게 '찾아드는' 것입니다. 우리네 몸이 온전해지고
마음을 순화하면 삶이 온유해집니다. 삶이 조화로워집니다. 이때 행복
은 굴러들어 옵니다. 그것도 넝쿨 체 들어옵니다.

너도나도 잘 살고 잘 죽기를 원하지만, 잘 살고 잘 죽는 사람은 많지
않습니다.
몸과 마음이 온전하면 잘 살아집니다. 우리네 몸과 마음이 온전하면
잘 죽어집니다.

몸과 마음이 온전하면 삶도 죽음도 자연스러워집니다.

신(신성, 깨달음, 해탈)은 까마득한 저 어딘가에서 있는 것이 아닙니다. 감히 범접하기 어려운 모습으로 존재하는 것이 아닙니다.
신의 숨결은 내 안에 있습니다. 지성과 감성 안에 있습니다. 의지와 열정 안에 있습니다. 육체 안에 있습니다. 이 모두를 적절하고 조화롭게 활용하면 내면의 신이 드러납니다.
신은 마음의 중심을 잡고 중용과 함께하는 창조적인 삶을 살 때, 내 안에서 느낄 수 있습니다.
신의 숨결과 함께하는 사람은 삶이 자연스럽습니다. 자연스러운 마음으로 삶을 살아갑니다. 온유한 마음으로 삶을 포용합니다.

햇살은 어딘가를 비치려고 노력하지 않습니다. 드리워진 커튼을 걷어내기만 하면 그곳에 햇살은 있습니다.
바람을 쫓는다고 바람을 잡을 수는 없습니다. 문을 열고 밖에 나가기만 하면, 창을 열기만 하면 바람은 그곳에 있습니다. 쫓아가지 않아도 바람의 시원함을 느낄 수 있습니다.
신의 숨결은 햇살과 바람 같습니다.

인간 존재에 있어서 삶은
스스로, 존재 의식을 확장 해가는 과정입니다.

왜 확장하려 할까요?
자신에 대한 본질을 알고자 하는 욕구 때문입니다.

344

자신에 대한 본질을 아는 것과 의식의 확장은 무슨 관계가 있을까요?
우리 우주는 상상하기도 어려운 무한함을 품고 있습니다. 이 무한한
우주는 어마어마한 에너지를 품고 응축되어 있던 한 점의 폭발로부터
비롯되었습니다. 그 에너지는 너무나 커서 상상조차 어렵습니다.
이 에너지가 쪼개지고 흩어짐을 반복하면서 무수히 많은 우주 만물이
생겨났습니다. 지구라는 행성과 이 지구에 살고 있는 인간 존재들도
그 안에서 생겨났습니다.
고향을 떠나 떠돌다 보면 언젠가는 고향이 그리워지는 법입니다. 인간
존재는 고향에 대한 그리움을 가지고 있습니다. 우리 존재는 자신의
근원을 알고자 하는 욕구가 있습니다. 우주 전체의 의식과 하나가 되
고자 하는 욕구가 있습니다.
이 그리움과 욕구가 무한의 끝으로 존재를 인도 합니다.

수년에 걸친 집필 작업이 이제야 마무리되는군요. 내적 자료를 준비하
는 시간까지를 포함한다면 30하고도 수년 이상의 세월이 걸린 듯합니
다. 30년이면 강산을 세 번이나 바꿀 수 있는 세월입니다. 하지만 영
(靈)적 관점에서 보자면 물리적 시간은 별 의미가 없습니다.
오래전에 '천년여왕'이란 만화 드라마가 있었습니다.
'천년의~ 긴 세월도~ 한순간의 꿈이라네~'
그 만화 드라마 주제 가사는 아직도 머릿속에 생생합니다.
우주적 관점으로는 천년의 세월도 찰나의 순간일 뿐입니다.

부디 이 책이 잘 살고 잘 죽는 길의 이정표가 될 수 있기를 바랍니다.
우리 존재의 참된 모습, 보다 근원적 모습을 이해하기에 도움이 되기
를 바랍니다.

저는 삶의 여행객입니다. 삶의 산을 오르는 산객입니다. 이 책의 이야기는 산길 이정표 중 하나가 되길 바라는 마음에서 시작했습니다. 삶을 오르는 산객 중 누군가는 이 길로 오를 것입니다. 다른 누군가는 다른 길로 오를 것입니다.

산을 오를 누군가에게,

비록 무명소졸에 불과하지만, 조금이나마 산행에 보탬 되기를 희망해봅니다.

이 책과 인연이 닿아
지금 이 자리에 계신 독자 여러분들 누구나
잘 살 수 있게 되기를, 잘 죽는 죽음을 맞이할 수 있게 되기를
가슴 깊이 바라면서 마무리 인사드리겠습니다.

강원도 양양 구룡령 산골에서 전합니다.

사후 몸에 대한 유언

장자가 죽음을 앞두었을 때 제자들은 그를 성대히 장례 지낼 계획을
하고 있었다. 장자가 말했다.
"나는 천지를 관이라 생각하고 해와 달과 별을 구슬로 보고 세상 만
물은 나를 위한 장식이라고 생각해 왔네. 나를 장사 지내는 장식물이
야 이것으로 충분하지 않은가! 이 이상 아무 것도 필요치 않으니 나
의 시체를 산에다 버리려무나."
제자들이 말했다.
"까마귀나 솔개가 선생님의 시신을 먹지 않을까 걱정입니다."
장자가 말했다.
"땅 위에 버려두면 까마귀나 솔개가 먹을 것이요 땅 밑에 묻으면 개
미가 먹을 것인즉, 모처럼 까마귀나 솔개가 먹게 되어 있는 것을 빼
앗아 개미에게 주는 것도 또한 불공평한 처사가 아니냐."

- 장자 -

저는 몸뚱어리를 남기지 않고 그저 홀연히 사라질 수 있기를 희망합니
다.
그럴 수 있을지는 아직 잘 모르겠습니다.
그러지 못했을 때,
제가 죽게 되면 제일 가깝게 지내는 사람에게 번거로움을 남겨야 할
듯합니다. 아내보다 먼저 죽으면 아마도 지금의 아내가 되겠지요.

사후에 돌보아야 할 어떤 장치, 장소도 없길 바랍니다.
장례 절차는 모두 사양하겠습니다. 저는 장례식을 원하지 않습니다.

육신을 남긴다면 바로 화장해 주길 바랍니다.
화장이 끝나면 딱 작은 세 움큼만 거두고 모두 버려주십시오.

한 움큼은 가까운 바다에 휙하고 던져 주세요.
한 움큼은 가까운 산 길가에 뿌려주세요.
또 한 움큼은 한갓진 곳에서 허공에 흩뿌려주세요.
다른 사람 눈에 띄면 불편할 테니 모른 척 뿌려주세요. 한 움큼이니까
아무 티 안 나게 할 수 있을 겁니다.
이것은 나의 바람이기보다 남은 자를 위한 의식입니다.

화장할 몸조차 남지 않는 일이 생겼다면 좋은 일입니다.
번거로움을 끼칠 일이 크게 줄 테니까요.

차후 혹시 기일에 저를 기억하고 싶다면
누구라도
근처 바닷가나, 산 어디에나, 한갓진 공원이나,
커피 한 잔 따라놓고 소풍을 즐기듯 벤치에 앉아 저를 떠올려 주시면
좋겠군요.
향하나 피우면 더할 나위 없겠습니다.
아마도 그러면 저는 그 마음을 저 너머 어딘가에서 전달받을 테지요.

모쪼록 삶을 살아가는 모든 분의 건강과 평안을 기원합니다.

삶의 노래 죽음의 노래

발 행 | 2024년 04월 30일
저 자 | 양현도
펴낸이 | 한건희
펴낸곳 | 주식회사 부크크
출판사등록 | 2014.07.15.(제2014-16호)
주 소 | 서울 금천구 가산디지털1로 119, SK트윈타워 A동 305호
전 화 | 1670 - 8316
이메일 | info@bookk.co.kr

ISBN | 979-11-410-8311-3

www.bookk.co.kr
ⓒ 양현도 2024
본 책은 저작자의 지적 재산으로서 무단 전재와 복제를 금합니다.